**좋아하는 그림을 벽에 걸듯,
좋아하는 드라마를 머리맡에 놓아둘 수 있다면**

마음을 어루만졌던 드라마는 오래도록 남아 어느 허하고 고된 날
문득 위로로 다가오곤 합니다. 그러다 자연히 내 삶에 의미를
남긴 드라마가 방 안 소중한 곳에 놓여 있는 모습을 상상했습니다.
인생드라마 작품집은 그렇게 기획되었습니다.

시의성에 얽매이지 않고 가치에 더 집중한 작품과 감정의 물결을
다시 일으킬 밀도 있는 이야기들을 한 권의 책에 담고자 합니다.
그리고 이에 걸맞은 아름다운 물성을 더해 작품을 소장하고
간직하는 기쁨을 선사하고자 합니다. 인생드라마 작품집이 뭉근히
독자에게 가닿는 책이 되길 기대합니다.

KB084006

미생 未生
Incomplete Life
인생드라마 작품집
초판 에디션

미생 1

인생드라마
작품집 시리즈

미생

未生: Incomplete Life 1

정윤정 대본집

용어 정리

S#	Scene. 신. 같은 시간, 장소에서 상황이나 행동, 대사, 사건이 나타나는 한 장면.
Na.	Narration. 내레이션. 서사가 진행됨에 따라 장면으로 나타나지 않는 것들을 해설하는 일.
E.	Effect. 수화기 너머 들리는 목소리처럼 해당 신 공간 밖에서 들리는 소리.
Off.	말하는 인물이 상황 속 공간에 있지만 화면에 보이지 않고 소리만 들리는 것.
OL.	OverLap. 현재 장면과 다음 장면이 겹쳐지는 효과, 앞 사람 대사가 끝나기 전에 시작한다는 의미로도 사용.
Cut to.	신 안에서 화면이 전환될 때 사용.
F.I.	Fade in. 화면이 점차 밝아지면서 장면 전환.
F.O.	Fade out. 화면이 점차 어두워지면서 장면 전환.
Dis.	Dissolve. 한 장면이 다른 장면과 교차되며 서서히 바뀌는 기법.
Ins.	Insert. 상황을 강조하거나 이해를 돕고자 삽입하는 화면.
몽타주	편집된 장면들을 짧게 끊어 붙여서 의미를 전달하는 화면.

차례

추천의 글

활자와 그림으로 이뤄졌던 만화가 드라마 대본으로 새롭게 쓰이고, 거기에 누군가의 목소리가 얹어져 리듬과 억양이 생기는 경험은 사실 처음에는 신비로움보다는 낯섦과 민망함이 먼저였습니다. 이전에는 혼자서 작품을 완성해나갔고, 서사와 대사의 책임 역시 제 몫이었기 때문입니다. 한편 이것들이 대본으로 바뀌는 일은 제가 상상했던 많은 것들이 영상에 맞게 달라지는 새로운 일이었습니다. 리듬, 뉘앙스, 정적의 순간, 크게는 사건의 전후 관계나 인물의 행동까지요.

하지만 드라마 「미생」에 몰입하면서 처음 느꼈던 낯섦과 민망함은 어느새 사라졌습니다. 그림 속 멈춰 있던 주인공은 뛰어다니고, 눈물을 흘리고, 때론 새로운 이야기를 만나 이윽고 용기를 북돋우며 나아갔습니다. 작품은 또 다른 생명력의 공간으로 옮겨 갔고, 제가 만들었던 인물들은 정윤정 작가님과 김원석 감독님 그리고 「미생」 제작진을 만나 실재하듯 세상에 나타나게 되었습니다.

덕분에 이제는 대사를 쓸 때 누군가를 더 구체적으로 그리고, 작품 속 인물이 냈던 목소리를 떠올리고, 그가 잠시 멈췄던 순간을 기억해보려고 애씁니다. 만화만을 위한 창작이 아닌, 창작 그 자체에 집중하게 되었습니다. 차원이 달라졌습니다.

2022년 겨울
윤태호

인물 소개

"인물을 '탄탄하게 세우는 것'뿐 아니라 '제대로 전달하는 일'까지가
인물을 만들어나가는 일에 포함된 개념이라 생각합니다. 이것은 주로 인물의
리액션을 통해 이뤄진다고 봅니다. 인물이 상황과 사건을 맞닥뜨렸을 때
그 인물이라서 할 법한, 그다운 반응. 저는 이야기를 먼저 만드는
쪽이 아니라, 서랍 속 캐릭터를 끄집어내어 그가 하는 이야기를 써주는
쪽이기에 무엇보다 캐릭터의 내면을 파고들어야 하는데요.
감정을 섬세히 다루면 입체감이 좀 더 살아나게 되기도 합니다.
감정의 개연성을 확보해나가는 과정을 거치면서 캐릭터를 완성했습니다."

작가의 말

장그래 사원(26세)　|　임시완

영업3팀 신입사원. 적당한 키에 마른 몸매, 여자처럼 하얀 피부에 선이 고운 얼굴, 반듯한 이마, 조금 길고 예쁜 눈과 날렵한 코, 가늘고 흰 손가락 그리고 남성이 돋보이는 유일한 부위인 목울대. 목소리는 조금 낮으며 말투가 느리고 침착하여 어떤 일에 쉽게 휘청이지 않을 것 같은 느낌이다. 말을 아낄 줄 안다.

업무 영역에 있어서는 백치나 다름없고, 말수가 적은데 대답하는 타이밍까지 늦어 뭇사람들의 속 터짐, 혈압상승 등을 불러일으킨다. 그러나 시간이 지나 진가가 드러날수록 서두르지 않으면서 신속한 그의 움직임에선 긴장감이 느껴지고, 살짝 늦은 대답에는 둔함보다 신중함이, 흩어진 단서를 맞춰 한발 앞선 결론을 도출할 땐 깊은 통찰이, 위험을 감지해낼 때는 직관이 느껴진다.

상사의 모든 지시에 "예"라고 긍정하지만 길을 찾아갈 때면 특유의 승부사 기질이 읽힌다. 종종 골똘히 생각하는 듯한 표정이 나올 때가 있는데, 그럴 때면 저도 모르게 미간 주름이 모인다. 동료 한석율이 가장 훔치고 싶어 하는 표정이기도 하다.

농담도 다큐로, 예능도 다큐로 받아들이는 것 자체가 개그처럼 보이는 남자. 할 수 있는 한 최선의 노력을 다해 농담과 예능을 연구해보지만 박자 놓친 리액션까지가 그가 할 수 있는 최선이다. 철든 이후 한 번도 마음 놓고 큰 소리로 웃어본 적 없는 사람, 지금은 더더욱 웃어지지 않는 사람, 언제쯤 웃어야 할지, 마음 놓고 웃을 날이 오기나 할지 확신이 없는 사람이다.

7세에 바둑을 만나 10세에 한국기원 연구생으로 입문한 뒤 프로에 입단하고자 10대 대부분을 바둑에 바쳤다. 매번 이번이 마지막이라고 생각하며 입단 테스트에 임했지만 운명은 그의 편이 아니었다. 18세에 한국기원 연구생 자격이 종료되었고, 그래는 입단 문턱을 끝내 넘지 못해 좌절했다. 그사이 가세가 기울었고 아버지마저 병으로 사망했다. 청춘의 꿈과 집안의 기대는 지난 8년 세월과 함께 부질없이 묻히고 말았고, 그는 인생에서 바둑을 지우기로 했다.

이후 그래는 검정고시를 치렀고, 어머니는 집을 팔고 남은 돈으로 곱창집을 열었는데 얼마 안 돼 손해만 보고 문을 닫았다. 빈털터리가 된 어머니는 건설 현장을 전전하다가 구청에 공공근로를 신청했고, 그래는 입대를 최대한 미루며 닥치는 대로 아르바이트했다. 제대로 된 직장을 구하려고 애썼지만 고졸 검정고시 출신 학력에 아직 군대도 마치지 않은 그래에겐 불가능에 가까운 일이었다. 22세에 겨우 바둑 후견인의 도움으로 그의 회사에 취직했지만, 적응이 쉽지 않았다.

그러던 어느 날 운 좋게도 기적 같은 기회가 다시 찾아왔다. 후견인의 소개로 한 회사에 인턴사원으로 입사할 기회를 얻은 것이다. 대기업이었다. 낙하산이란 멍에를 쓰겠지만 머뭇거릴 처지가 아니었다. 바둑인이라는 특기를 내세우면 조금 달리 받아들여질 수도 있겠지만 그렇게 하고 싶지 않았다. 그래의 인생에서 바둑은 지워버리고 싶은 실패의 상흔이었다. 낙하산… 편견과 멸시, 비웃음과 비아냥, 무시의 눈길들이 쏟아질 것이다. 쏟아져라, 받아주마. '때려라, 맞아주겠다. 그들도 때릴 만하니까 때리겠지.' 때리는 만큼 버틸 것이고 버티는 만큼 시간은 흐를 것이고 시간이 흐르는 만큼 살아남을 수 있게 될 것이다. 열심히만 하면 세상은 나를 배신하지 않을 거라는 그의 믿음과 희망은 여전히 현재진행형이다. 그렇게 장그래는 대기업 종합상사 원인터내셔널의 인턴으로 첫 출근을 하게 된다.

오상식 과장(43세) | 이성민

영업3팀 과장. 향후 차장으로 승진한다. 사람들이 그의 꿈을 일하다 죽는 것일지도 모른다고 생각할 만큼 상식은 일을 즐기는 워커홀릭이며, 통찰력과 승부사 기질로 주도적으로 일할 줄 아는 상사맨이다. 부하를 챙기고 이끄는 리더십이 탁월하다. 때론 막무가내인 듯 보이지만 사실은 노련하고 효율적이며 합리적이다. 집요하지만 융통성도 있고 이성적이지만 놀랄 만큼 직관적이기도 하다. 크게 빛 볼 일 없는 자투리 업무가 태반인 영업3팀 수장이지만 잡히는 일만은 어떻게든 되도록 만들어간다. 여자가 접대하는 술집에서 비즈니스를 하지 않겠다는 곧은 성정에서 짐작할 수 있듯 불의와 타협하지 않는다. 상사에게도 바른말을 해야 할 땐 하고야 만다. 이 정도 캐릭터라면 풀 먹여 빳빳하게 날 세운 와이셔츠 입고, 요일별로 다른 커프스 버튼 차림에 고드름 냉기라도 풍길 것 같은데… 실상은 그냥 아저씨다. 한나절이면 구겨지는 와이셔츠 차림에, 팔꿈치에 포스트잇을 주렁주렁 달고, 흐트러진 머리칼에 피곤에 절어 있는 아저씨. 위궤양, 식도염, 지방간에 시달리고 면도도 못 한 까칠한 턱으로 허겁지겁 출근하기 다반사인 이 땅의 보편적인 중년 직장인 아저씨. 큰소리 내는 날도, 다혈질에 욱하는 날도 종종 있다. 사뭇 진지한 허당기가 있는 상식은 이를 위트와 유머라고 자체 승화시키면서 김동식 대리와 웃픈 콤비 플레이를 펼친다. 그 모습이 덤 앤 더머와 겹쳐 보이기도 하지만 셔츠 소매 말아 올리고 정신없이 책상, 컴퓨터, 전화기 앞을 날아다닐 땐 제법 섹시해 보이기도 한다. 명절이면 부모님께 드릴 용돈으로 와이프와 실랑이하다 귀성길에 오르고, 회사에선 미친 듯이 일하고, 밤에는 술 한잔 걸치고, 주말에는 세 아이의 등쌀을 버티며 꼿꼿이 잠만 자는 이 시대 이 나라의 평범하고도 건실한 가장이다. 본인의 화목한 가정이 자신의 청춘을 바쳐 일군 것이라는 데 자부심이 있으며, 그런 자부심은 다시 이 남자의 워커홀릭 에너지로 재활용되고 있다. 문제는 이 화목한 가정을 유지하는 데 아내의 지대한 희생과 인내, 노력과 공이 들었다는 걸 전혀 깨닫지 못하고 있다는 점이다.

그런데 하루 대부분을 회사에 충성하는 워커홀릭 히어로가 어째서 가장 별 볼 일 없는 팀의 과장 자리나 겨우 지키고 있을까? 사실 그에게도 업무 전선의 최전방이라 할 수 있는 자원팀 에이스였던 시절이 있었다. 전무의 총애가 각별했던 시절도 그때였다. 하지만 세월이 흘러도 윗사람과 잘 섞이지 않고, 쉽게 기세가 꺾이지 않는 사내 정치 꼴등 오 과장은 알짜배기 직원이지만 계륵, 눈엣가시 같은 존재가 되었다. 그렇게 승진에서 수차례 누락되다 기어이 이 한직까지 밀려 나온 것이다. 이 때문에 사원들 사이에서는 영업3팀에 가면 일 하나는 확실히 배울 수 있지만 승진길이 멀고도 더뎌진다는 말이 돈다.

안영이 사원(26세) | 강소라

자원팀 신입사원. 장그래의 유일한 여자 동기이자 자원개발팀의 '문제적' 넘사벽 신입이다. 차가워 보이지만 예의 바르고, 또 너무 예의 발라서 차가워 보이는 여자. 잘나도 너무 잘난 안영이를 자세히 들여다보면, 당당하면서도 건방지지 않고 무심하면서도 사려 깊은 모습이 엿보인다. 신중하지만 대범하고, 보수적이지만 정열적이기도 하고, 어려워 보이지만 의외로 쉬울 땐 쉬운 사람이다. 치마 길이 1센티미터나 단추 하나 풀고 잠그는 것까지 깊이 고민하지만, 가끔은 앞뒤 맥락 없이 장그래에게 툭툭 말을 던지며 숨겨둔 장난기를 보여준다.

영이의 마음속 깊은 곳에는 아버지에게 받은 상처가 깜깜한 겨울밤 동굴처럼 얼어붙은 채 쌓여 있다. 딸이라는 이유만으로 자신을 무시하는 군인 아버지에게 인정받기 위해 영이는 사내아이처럼 짧은 커트 머리를 고수하고 내내 1등을 도맡아 했다. 하지만 아버지는 단 한 번도 영이를 인정해주지 않았다. 어른이 된 영이는 그런 아버지의 사업 자금을 댔다. 4년 장학금을 받아 등록금 걱정은 없었지만 번번이 손 벌리는 아버지 처지를 외면하지 못해 아르바이트를 해 죽도록 돈을 모았고, 졸업 후 취직해서는 회사에서 대출받아 아버지에게 주었다.

원인터내셔널에 입사하기 전, 영이는 1년 반 정도 대기업 근무 경험이 있었다. 대학을 수석으로 졸업해 그때도 월등한 성적으로 입사한 뒤 에이스로 분류됐고, 유능한 상사를 만나 훈련받으며 엘리트 코스 길로 들어섰다. 영이는 빠른 두뇌와 선구안을 바탕으로 회사에서 인정받았고, 일 잘하는 대리들과 비견되는 실력까지 갖추게 됐다. 그러나 단 한 순간도 마음이 편하지 않았다. 바로 아버지 때문이었다. 영이의 아버지는 영이가 대기업에 취업하는 순간부터 대기업 신입사원이 받을 수 있는 최대 대출금부터 파악해두었다. 그 탓에 영이는 여행 한 번 못 가고, 예쁜 옷 한 번 마음 편히 사보지 못하며 대출금을 갚아나갔다. 월급일마다 간신히 고비를 넘기며 버티기를 여러 번, 영이에게 월급은 그저 통장을 스쳐 지나가는 숫자에 불과했지만 그럴수록 악착같이 갚아 빚과 아버지에서 벗어나야겠다는 생각밖에 없었다. 그래야 인생이 제대로 살아질 것 같았다. 그렇게 겨우 빚에서 벗어난 영이가 새 인생 계획을 세우고 있을 때 아버지는 뻔뻔하게도 다시 한번 대출을 요구했고, 영이는 거절했다. 이제는 나를 위해 살겠다고 결심하면서 말이다. 하지만 그 결심은 무력하게 끝장났다. 영이에게 거절당한 아버지가 영이의 상사에게 손을 벌린 것이다. 자신을 신뢰하고 이끌어주어 존경과 사랑 사이에서 애틋한 마음을 키워가던 상사였다. 영이는 그 일을 겪고 단박에 회사를 그만뒀다. 상사에게는 퇴직금을 수령해 돈을 갚았고, 그를 향한 마음도 서랍 속에 넣고 닫아버렸다. 다시는 자신에게 손 벌리지 않겠다는 아버지의 각서도 받았다. 영이는 모든 걸 빠르게 정리했고 아무것도 돌아보지 않으려 했다. 오직 자신에게만 집중하며 모든 것에서 떠나 있던 어느 날, 영이는 원인터내셔널에서 인턴사원을 모집한다는 공고를 발견했다. 영이는 망설이지도 재지도 않고 지원했다. 이제는 어디에서든 잘할 자신이 있었고, 하루도 빨리 다시 시작해야 했다. 그곳에서 내 능력을 발휘하며 행복해지겠다는 목표를 세웠지만, 결코 인생은 녹록지 않았다. 신입이지만 즉시 업무에 투입할 수 있는 영이의 능력과 특유의 무뚝뚝함이 만나 그만 남자 상사들의 어딘가를 건드린 것이다. 흠이 없는 게 흠이 된 바로 그때부터 영이의 험난한 회사생활이 시작된다.

장백기 사원(26세) | 강하늘

철강팀 신입사원. 손꼽히는 명문대 출신에 토익 만점, HSK 9급, 어학연수 2년과 워킹홀리데이 1년으로 다져진 수준급 영어 스피킹 실력을 갖췄다. 그뿐이겠는가. 각종 공모전 수상에 대기업 대외활동만 4차례, 동아리 회장을 비롯하여 대학 시절 벤처사업 경험까지 갖춘 빼곡하고 완벽한 스펙남이다. 호감 가는 외모에 깔끔한 옷차림, 군더더기 없는 매너, 엘리트의 후광이 비치는 듯한 표정. 이것들은 다른 또래가 청춘의 특권이라며 열심히 흔들릴 때 장백기가 철저히 준비해온 것들이다. 그런데도 그의 시선에는 자신이 준비한 것들이 부족해 보였다. 백기가 열을 하면 열하나를 하는 인간들이 수두룩했기 때문이다. 열하나를 하면 누군가는 열둘을, 그렇게 열셋, 열넷⋯ 따라가자면 끝이 없는 시대였다. 그러니 백기에게는 최고가 되겠다는 욕망보다 살아남겠다는 욕망이 더 현실적이었다. 종합상사에 입사한 것도 살아남기 위한 전략 중 하나였다. 언론사부터 방송사, 대기업 광고사, 외국계 금융사까지 줄줄이 낙방한 뒤 눈높이를 현실적으로 낮춘 것이다. 어차피 특정 직업을 갖는 게 꿈은 아니었다. 스펙에 맞춰서 지원한 것뿐. 대학을 졸업하면서도 여전히 무엇을 하고 싶은지 알 수는 없었지만 무엇을 해도 잘할 자신이 있었다. 어릴 때부터 잘한다는 소리만 들어온 백기였다. 원인터내셔널에 입사하기에는 실력과 스펙이 넘친다는 점도 더더욱 백기를 자신감에 차도록 만들었다.

처음엔 예상대로 되는 듯했다. 학교 다닐 때처럼 원인터내셔널 인턴들은 그를 중심으로 모여들었다. 백기는 익숙한 경험으로 가장 먼저 스터디를 만들었고, 과제를 정하고 꼼꼼히 준비물을 챙겼다. 동기들은 그가 만든 스터디에 하나둘 참여했고, 그는 자연스럽게 동기들의 리더가 됐다. 목소리를 높이지 않아도 돋보이는 가장 확실한 방법은 리더가 되는 것이다. 드러내어 설칠 필요도 없었다. 어차피 무리의 속성이란 게 어떤 이는 리더가 되길, 어떤 이들은 리더가 나타나 이끌어주길 원하는 법이니까. 그렇게 아주 자연스러운 방법으로 백기는 가장 먼저 상사들에게 눈도장을 찍었다.

그러나 인턴을 끝내고 본 전투에 임하면서 상황은 완전히 달라졌다. 부서 배치 첫날부터 백기는 상사에게 투명인간 취급받으며 자존심이 바닥까지 떨어진다. 의아함은 기약 없는 기다림으로, 분노는 이윽고 절망으로 바뀌는 시간을 거치며 백기는 진짜 사회를 만났다는 사실을 깨닫고 허우적거린다. 무엇을 하든 잘한다는 칭찬만 받아오던 아이가 지금, 그 칭찬 한마디가 가장 절실한 세계에 들어온 것이다.

한석율 사원(27세) | 변요한

섬유팀 신입사원. 머리에 든 생각이 말과 행동으로 나타나는 데 1초도 걸리지 않는 빛보다 빠른 사나이. 자칭 유망주, 타칭 개벽이. 사람들은 한석율을 언제 터질지 모르는 시한폭탄이라 부른다. 그러나 그가 정말 듣고 싶어 하는 호칭은 다름 아닌 워커홀릭. 일하는 게 가장 즐겁다는 보기 드문 청년이다.

스펙 쌓기에 혈안이 된 동기들에게 석율이 마르고 닳도록 해주는 말이 있다. "사람에게 가장 중요한 것은 꿈이다!" "타인의 시선에 길들지 말아야 한다!" "스스로 흘리는 땀과 노력만이 중요시되는 '현장'이야말로 최고의 학교다!" 그는 이렇게 외칠 때면 스스로 대단한 비즈니스맨이 된 것 같은 뿌듯함을 느낀다. 일을 좋아하는 만큼 당연히 일 잘하는 사람으로 보이고 싶은 욕망도 크다. 뻔뻔하고 넉살 좋고 호탕한 듯 보이는 청년. 그러나 중요한 순간에 울렁증이 있어서 남몰래 우황청심환을 지니고 다니는 말 못 할 고민도 있다.

석율은 부모님을 비롯하여 친가, 외가 친척들 모두 울산에 기반을 둔 블루칼라 노동자 집안에서 태어났다. 누나가 넷인 집안의 외동아들이자 막내다. 기질적으로 자신감이 타고난 데다 아들로서 사랑받으며 생겨난 후천적 자신감이 더해져 지금의 석율로 거듭났다. 석율의 아버지는 H 자동차 생산 라인의 책임자다. 흔히 말하는 귀족 노동자이지만 본사에서 내려오는 관리직 사원의 지시를 어쩔 수 없이 받아야 하는 상황에서는 묘한 갈등이 있다. 석율의 어머니는 아들만큼은 서울에 대학을 보내서 화이트칼라로 키우겠다는 꿈이 있었다. 석율은 그런 어머니의 꿈대로 서울에 있는 한 대학교에 입학했고, 다양한 사회 경험을 쌓으면서 자신만의 꿈을 갖게 된다. 그 꿈은 바로 대한민국 모든 현장 노동자들의 정점인 대기업 사장이 되는 것! 수백, 수천 명을 대표하는 오너, 이름만으로도 설레는 CEO! 공장에서 현장 노동의 소중함을 어릴 때부터 보고 자라왔던 석율이기에 책상물림만 하는 화이트칼라는 되지 않겠다는 다짐과 CEO라는 목표를 품고 원인터내셔널에 입사하여 어머니의 꿈을 이뤄준다.

'옷차림도 전략'이라는 유명한 광고 카피가 인상 깊었던 석율은 이를 늘 습관처럼 말하고 다닌다. 더운 여름에도 무조건 긴팔 와이셔츠를 입고 구두의 광을 유지하면서 비즈니스맨을 돋보이게 하는 최신 스타일을 완성한다. 좋은 비즈니스맨의 조건 중 하나가 센스라고 생각하는 석율에게는 옷을 잘 입어야 한다는 독특한 패션 철학이 있다. 하지만 석율을 패셔니스타라고 생각하는 사람은 오로지 자신뿐이다. 사실 본인을 제외한 원인터내셔널 사람들 대부분은 그가 어딘가 촌스럽다고 생각하고 있다. 매달 패션 잡지를 구독한다는데… 잡지에 나와 있는 대로 입기라도 하면 참 좋으련만.

"내가 해봐서 아는데"를 달고 사는 석율. 사실 그의 말은 반은 맞고 반은 틀리다. 대학교 때부터 다양한 사회 경험을 얕고 넓게만 쌓아왔기에 제대로 아는 것이 드물기 때문이다. 그런데도 자기 확신에 찬 석율은 매번 주절주절 장그래에게 조언한다.

김동식 대리(32세) | 김대명

영업3팀 대리. 장그래의 선임, 영업3팀의 살림꾼, 오 차장의 짝꿍이자 그림자. 노모를 모시고 사는 생계형 샐러리맨으로 합리적이고 차분하며 배려심 있는 현실적인 선임이자 후임이다. 특유의 우직함으로 믿음을 주고 위계질서를 명확하게 지켜 주변의 신뢰도가 높은 2년 차 대리 그 자체. 지방에서 나고 자라 지방에서 국립대를 나왔지만 사투리의 '사'자도 꺼내지 않으며, 동아리에서 활동하고 각종 공모전에 입상하는 등 원인터내셔널에 들어올 정도의 스펙을 철저하게 다져왔다.

동식이 처음부터 영업3팀이었던 것은 아니다. 사회에 첫발을 내디딘 파릇파릇했던 신입 김동식이 처음으로 만났던 상사는 원인터내셔널 최고의 악질이었다. 쉬지 않고 내뱉는 욕지거리에 퇴근 직전 일 던져주기는 기본, 부하 일 가로채기는 서비스. 김 대리는 사무실 슬리퍼가 세 개 떨어질 때까지 악착같이 상사를 따라다니며 보필했지만 연말 고가에서 최저로 평가받았고, 그때 심각하게 퇴사를 고민했다. 그러나 이내 '어떻게 들어온 회사인데…' 하고 마음을 고쳐먹을 때쯤 우연히 영업3팀 TO가 났다는 말에 기대 없이 지원했다. 그리고 운명처럼 오 차장을 만났다. 하지만 사람들은 영업3팀이 곧 없어질 팀이라고 했다. 오 차장이 끈 떨어진 연이라며 언제 바람에 날아가버릴지 모른다고 말했다.

그러나 우리의 김 대리는 꿋꿋하게 의리와 뚝심, 존경심을 바탕으로 오 차장과 한 팀이 되어 팥죽 속 새알처럼 부드럽게 짝짜꿍을 맞추고, 때로는 핵심에서 밀려난 영업3팀을 전장의 참모처럼 지켜냈다. 아직은 적당한 시기에 승진하고 적절하게 연봉을 받는 것이 직장인의 모티브이자 원동력이라고 생각하는 김 대리. 자기 상사가 능력이 있는데도 다른 부서의 무시나 들으며 빛 안 나는 일에만 매달리는 게 못내 안타깝다. 김 대리가 노련한 오 차장과 웃픈 콤비 플레이를 할 수 있는 것은 오 차장의 능력과 한계 그 모든 것을 이해하기 때문이다.

김 대리에게 가장 어려운 건 밤낮 없이 밀려드는 업무도, 2년 뒤 바람처럼 사라져버릴 후임 장그래도 아니다. 바로 주말과 연휴가 되면 쉬지 않고 봐야 하는 '선'이다! 거절당할지언정 조건만 보고 아무나 좋아하지 않는 나름대로 기준 있는 김 대리. '숙맥이란 소리는 안 듣고 다녔는데 왜 내가 좋아하는 여자는 나를 좋아하지 않고, 나를 좋아하는 여자에겐 내 마음이 열리지 않는 걸까?' 종국엔 '별로 이기적으로 보이지 않아서 싫다'라는 말까지 듣게 되는 김 대리. '이기적인 게 사랑받는 조건이 될 줄이야…' 답답해 미칠 지경이다.

천관웅 과장(37세) | 박해준

영업3팀 과장. 우리 주변에서 흔히 볼 수 있는 일반적인 직장인 타입이다. 계산이 빠른 편으로 사내에서 라인을 타려고 노력한다. 센스 있게 아부할 줄 알며 능력도 괜찮은 사람이지만, 경력직으로 입사해 지지기반이 약하기 때문에 늘 생존 경쟁의 압박에 시달린다. 어떻게든 살아남고자 애쓸 수밖에 없고, 사내 정치에도 민감할 수밖에 없어 술 접대를 도맡다시피 한다. 위장병을 달고 살지만 술을 그렇게 마시고 집에 와서도 꼭 홀로 맥주 한 캔 마셔야 잠이 드는, 쓸쓸한 직장인의 비애를 보여주는 인물.

원인터내셔널에 입사하여 오 차장, 김 대리와 함께 일하다가 이후 자원팀으로 가면서 실세인 최 전무의 라인을 탔다. 그러나 박 대리의 요르단 사건 이후 다시 영업3팀으로 이동하는 청천벽력 같은 일을 당한다. 최 전무는 "가서 열심히 일해"라며 별일 아니라는 듯 말하지만, 천 과장은 자신이 전무 라인이라고 철석같이 믿고 있었기에 그 충격이 이루 말할 수 없을 정도다. 주변에서도 그의 이동을 두고 좌천이나 다름없다는 둥, 몸조심하라는 둥 입을 보태어 마음은 심란하기만 하다. 도무지 최 전무의 의중을 짐작할 수 없는 천 과장은 하루하루 살얼음판을 걷는 것 같은 복잡한 기분에 시달린다. 알아서 전무의 마음을 헤아리는 수밖에 없는 건지, 대체 그가 원하는 바가 무엇인지 궁금한 천 과장.

업무보다 정치를 계산하고 있는 그이지만, 김 대리는 예전의 관계만 생각하는지 그저 살갑게 다가온다. 다시 만난 오 차장은 여전히 믿음직한 선임이요, 능력 있는 리더다. 김 대리와 손발을 맞추고, 어딘가 다른 고졸 낙하산 장그래와 부대끼며 일하는 것도 이상하게 점점 재미있어진다. 오랜만에 일다운 일을 하는 것 같다. 그렇게 팀원이 되어가고 있을 때쯤… 최 전무가 영업3팀에게 중국 관련 업무를 맡겼다. 이어 제대로 된 큰 아이템까지 준비해두었단다. 오리무중인 전무의 진의를 파악하느라 초긴장인 상황. 김동식 대리는 천 과장에게 대체 일이 어떻게 돌아가는 거냐며, 아는 게 있으면 뱉어내라고 돌직구를 날린다. 하지만 영업3팀에 보내진 이유도, 전무가 이 일을 영업3팀에 맡긴 이유도 알 수 없는 천 과장은 속이 타들어갈 뿐이다.

최영후 전무이사(52세) │ 이경영

전무이자 실세. 든든한 윗선을 물심양면으로 모시면서 차근차근 승진을 거듭해 부사장을 앞두고 있다. 특히 중국에서 근무했던 이력 때문에 사내에서 '중국통'이라 불린다. 중국인 특유의 인간관계 맺는 법을 뜻하는 '꽌시'에 능하다. 덕분에 그는 일을 술하게 성공시켰고, 그 경험에서 비롯된 자신감은 불도저같이 밀어붙이는 판단력과 행동에 대한 확실한 근거가 되어주었다.

호방한 기질에 풍류를 즐기고 의리를 중시하는 호인이지만, 승리를 가장 중요하게 여기는 장수의 면모도 있다. 이기기 위해서는 동료를 얼마든지 희생시키는 냉혹한 인물로, 부하 직원들을 착취하고 총알받이로 내세우며 실적을 올려왔다. 오상식 차장, 김부련 부장과 일찍이 함께 일하면서 돈독했던 적도 있었지만, 중국과의 오랜 거래에서 얻은 전무 특유의 업무 수행 방식에 따르지 않고 섞여 들지도 않는 오 차장을 밀어낸 후 소원해졌다.

하지만 요르단 사건으로 김부련 부장을 포함해 자신의 실질적인 수족들이 전부 잘려 나가게 되자 믿고 일을 맡길 사람이 필요해진 전무. 다시 오 차장을 불러들여 중국 업무 건과 더불어 자신에게는 부사장 승진이 걸린 엄청난 아이템을 맡기려 한다. 그러나 오 차장은 일이 잘못되기라도 하면 최 전무가 절대 부하 직원들을 책임져주지 않으리라는 사실을 익히 알기에, 영업3팀에 일을 맡긴 그의 진의에 의문을 품는다. 오 차장은 자신과 영업3팀 모두의 생존을 위해 다방면으로 정보를 모으며 상황을 파악해가기 시작하는데… 그 과정에서 장그래의 말실수로 중국 쪽이 불안함을 느끼고 본사 쪽에 제보하면서, 전무는 결국 그간의 모든 실적과 실책이 파헤쳐져 인사발령을 당하게 된다.

그러나 전무는 자신이 옳았다고 믿는다. 그것도 아주 굳게. 지금 당장은 회사에 손해를 끼치는 것으로 보여도, 결국엔 더 큰 이익으로 돌아올 일이었으니까. 그렇게 일해왔고 그렇게 성공시켰으니까. 하지만… 객관적으로는 분명 잘못된 일이었다. 결과를 인정할 수밖에 없는 그는 현실 앞에서 마지막 퇴임사를 준비한다. 상사맨으로서 모든 것을 바쳐 일했던 회사와 함께한 세월을 반추해보는 최 전무.

김부련 부장(48세) | 김종수

영업본부 부장. 승진과 월급 빼면 남는 게 없는 샐러리맨에 최적화된 인물. 눈치 빠르고, 판단 빠르고, 말 빠르고, 행동 빠르고 능력까지 갖췄지만 자신에게 해가 될 일인지 아닌지 재고 따지는 데에는 더없이 신중하다. 오 차장 첫째 자녀 돌 때부터 지켜본 오랜 상사이자 동료다. 될 일이냐 아니냐에 따라 순식간에 입장을 바꾸는 냉철한 면모가 있고, 조금은 비겁하기도 하다. 하지만 부하 직원인 오 차장이 건강을 돌보지 않으면서 힘들게 일하는 모습을 볼 때면 그를 위해 따끔하게 야단치고 보약까지 챙겨주는 인간미가 있다. 가정을 돌볼 겨를 없이 앞으로만 달리며 일하다가 어느샌가 소원해져버린 가족과의 관계를 회복하고 싶은 중년 남성. 아내와 아이를 타국으로 보낸 기러기 아빠다. 요르단 사건 책임자 중 하나로 인사이동을 당한 후 한직에서 마음이 맞지 않는 부하 직원들에게 치이며 어렵게 직장생활을 하게 된다. 이후 김 부장의 능력을 익히 아는 오 차장의 제안으로 새 회사에 합류한다.

마복렬 부장(50세) | 손종학

자원팀 부장. 안영이의 상관. 기본적으로 '여자가 어디서'라는 마인드를 가진 불량한 가부장적 사고방식의 소유자. 능력 있는 여자를 예의 없고 기가 센 여자로 바로 치환시키는 단순한 습성이 있어 안영이를 눈엣가시처럼 여긴다. 안영이에게 굴욕을 주는 게 전리품인 것처럼 행동하다 급기야 그녀의 아이템까지 까내며 자기 사람을 챙기는 무리수를 둔다. 그러나 결국 똑똑한 안영이가 걸어온 정정당당한 싸움에서 빼도 박도 못하고 백기를 들게 된다.

김선주 부장(50세) │ 황석정

재무팀 부장. 같은 직급의 부장들도 꼼짝 못 하는 카리스마를 지녔다. 모든 사업부 아이템이 재무팀의 승인을 거쳐야 진행되기 때문에 그녀에게는 더욱 강력한 힘이 있다. 눈웃음이 깊은 하회탈을 닮았기에 웃으며 말하는 듯 보이지만, 대화하다 보면 웃으며 비수 꽂는 서늘함이 느껴진다. 되고 안 되고의 기준이 철저하고 확고하여 웬만한 논리로는 설득이 쉽지 않다. 안영이와 엮여 처음엔 굴욕을 주었으나 안영이의 능력을 알아보고 힘을 실어준다. 오상식에게는 호의적이다.

선지영 차장(38세) │ 신은정

영업1팀 차장. 능력 있는 워킹맘으로 사내에서 두루 평판이 좋고 여사원들 사이에선 성공적인 롤모델로 꼽힌다. 오 차장과는 동기다. 똑똑하고 깔끔해 보이며 현모양처형 외모다. 정확하고 빈틈없는 업무 처리와 깔끔한 마무리로 신뢰를 얻고 있다. 능력 있는 여자 상사 특유의 기세 없이 후배를 부드럽고 살뜰하게 챙기는 인물로, 특히 남자 부하 직원들에게 받는 신망이 두텁다. 그러나 사실은 워킹맘으로서 일을 병행하는 데 어려움이 있으며 특히 양육 문제를 정면으로 겪고 있다. 이후 양육 문제로 남편과 갈등이 생겨 회사를 그만둘 수도 있는 상황에서 그동안 챙겨왔던 부하 직원들의 태도를 보며 씁쓸함을 느낀다. 한편 선 차장은 오 차장을 깊게 신뢰하고 있고, 장그래를 인간적으로 좋아해 영업3팀을 응원하고 조력한다. 12년 전 자기 모습을 쏙 빼닮은 안영이와는 이상적인 선후배 관계를 유지한다.

고동호 과장(43세) | 류태호

영업2팀 과장. 상식의 친구 같은 입사 동기. 장그래가 전무 낙하산이라는 사실을 알게 되어 상식을 걱정하며, 가끔은 전무에게 머리 숙일 줄도 알아야 한다고 상식에게 직언을 건네는 현실주의자. 상식과 마찬가지로 차장 승진이 늦어 실적 확보가 급한 상황이다. 상식과는 경쟁 관계이면서도 서로 성공을 응원하는 우정과 애증의 라이벌. 부하 직원에게 버럭버럭 엄한 듯해도 실은 가정사와 속사정까지 챙기고 염두에 둘 줄 아는 인간미 있는 상사다.

정희석 과장(39세) | 정희태

안영이의 상관이자 마 부장의 수하. 마초적 조직인 자원팀에 가장 어울리는 인물로 찌그러져야 할 때 찌그러질 줄 알고 드러낼 때 드러낼 줄 아는 눈치 빠른 인간이다. 젊었을 때는 나름 엘리트로 자원팀의 핵심이었기에 이제는 자원팀의 간부로 크고 싶다. 부하 관리도, 윗선에 아부도 적당히 잘하고 있었는데 잘나도 너무 잘난 신입 안영이가 들어오면서 바람 잘 날 없이 아래위로 문제가 불거지자 점점 불안해진다.

박종식 과장(40세) │ 김희원

자원팀에서 영업3팀으로 충원된다. 인상 때문에 위압적으로 보이기도 한다. 태만한 업무 태도와 비아냥거리는 말투로 영업3팀에서 트러블을 일으키다가 결국 장그래에 의해 비리가 밝혀져 해고당한다. 요르단 중고차 사업 비리의 주인공.

하성준 대리(32세) │ 전석호

신입사원 안영이의 직속상관. 똑똑하고 일을 잘한다. 맺고 끊음이 확실한 성격으로 할 말을 딱딱 할 줄 아는 통에 상사들도 가끔 하 대리에게 기가 죽는다. 자기 후배를 확실히 챙기고 잘 키워주기로 유명한 사수. 그런데 이건 남자 후배에게만 해당하는 사실이다. 입사 후, 처음 만난 여자 상사와 줄곧 일하며 된통 당한 이후로 '여자들은 울고 짜고 슬쩍 책임을 떠넘길 뿐 제대로 일하려는 마음과 자세를 갖추고 있지 않다'라고 단정하게 된 하 대리. 영이 또한 그럴 거라 단정 짓고 경계하고 있는데, 영이는 오자마자 하 대리의 보고서를 평가해댄다. 그 일 이후로 하 대리는 영이를 더욱 고깝게 보게 된다. 그래서 남자를 대할 때보다 더 모질고 거칠게 대한다.

강해준 대리(30세) │ 오민석

철강팀 대리. 장백기의 직속상관이다. 차갑고 냉정한 성격으로 철두철미한 업무태도를 보인다. 부서에 배치된 장백기를 투명인간 취급하거나 배추 숨 죽이기 등의 방법으로 기세를 꺾으며 업무 능력과 됨됨이를 성장시킨다. 처음엔 나쁜 선배로 보이지만, 알고 보면 꼭 필요한 제대로 된 선배이자 상사.

성준식 대리(32세) │ 태인호

섬유팀 대리. 한석율의 직속상관이다. 둥글둥글 사람 좋아 보이는 웃음으로 두 팔 벌려 한석율을 환대하고, 회사에서 가장 행복한 신입 직딩으로 만들어준 뒤 얼마 지나지 않아 본성을 드러낸다. 그는 '후배는 내 봉이자 막 써먹기 위한 존재'라고 생각하는, 그야말로 멱살 잡고 싶은 선배 1순위다. 끝까지 한석율과 각을 세우다가 사생활 문제로 자멸한다.

박용구 대리(35세) │ 최귀화

어리숙해 보이는 외모이지만 우직하고 따뜻한 박 대리. 그러나 셈이 빠른 거래처들은 박 대리의 이런 점을 쉽게 생각하기도 한다. 이런 뒷면을 알 리 없는 박 대리는 윗선에 거래처의 입장을 배려하고 대변하느라 늘 욕먹기 일쑤다. 프로젝트 진행이 더딘 거래처에 점검 차 들른 박 대리는 자신이 쉬워 보인 탓에 원인터내셔널의 업무가 이제껏 신규 거래에 밀리고 있었다는 사실을 알게 된다.

그래 엄마(50세) │ 성병숙

도무지 한 번에 속마음을 짐작할 수 없는 외모. 4차원 아줌마. 독특한 소통방식에 누가 들어도 안 웃긴 그녀만의 개그 스타일이 있다. 좋은 말로 애써 포장하자면 고차원 개그인데 어쩌다 1년에 한 번쯤 알아듣는 사람이 있다. 겉으론 아들에게 퉁명스럽지만 속정 깊은 어머니. 그래가 바둑 하는 것을 적극적으로 말리지 못했던 점에 대해 미안함을 갖고 살아왔다. 아들이 연거푸 입단에 실패하는 와중에 남편이 죽고 가세가 기울면서 경제적으로 어려운 생활을 해오고 있지만 힘든 내색을 하지 않는다. 큰 욕심 없이 소박한 삶을 이어가고 있다.

그래 바둑 사범(50대) | 남명렬

어린 시절 그래의 바둑 사범. 그래의 바둑 입문부터 입단 실패까지 함께하면서 많이 조언해준 스승이다. 그
래는 원인터내셔널에서 생활하며 중요한 순간마다 그와 함께했던 때를 떠올리고, 그것은 상황을 통찰하게
하는 원동력이 된다.

하정연 선생(28세) | 이시원

선 차장 지녀 소미의 유치원 교사. 일파 우민을 지향한나. "맞팔해요." "우리 술 한잔할래요?" "연상 연하 커
플이 대세 아니에요?" 맘에 드는 남자에겐 거리낌 없이 먼저 다가가는 적극적인 여자. 시원시원한 성격과
화끈한 말투 속에 숨어 있는 다정다감한 성격으로 어딜 가나 인기 만점이다. 능수능란하게 아이들을 돌보
는 일당백 교사지만 좋아하는 남자와의 연애는 번번이 실패하고 마는 허당미 있는 그녀. 장그래를 본 순간
두 눈에 하트가 뿅 떠올라 매일같이 트위터로 장그래를 검색하는 중이다.

Episode 1

제1국

S#1 —— 페트라 협곡로, 밤

길 양쪽으로 늘어선 촛불들 사이로 밤의 페트라 협곡로가 펼쳐져 있다.

그래　　(Na) 길이란,
　　　　　　걷는 것이 아니라 걸으면서 나아가는 것이다.
　　　　　　나아가지 못하는 길은 길이 아니다.

S#2 —— 암만 시가지, 낮

4~5차로의 큰 도로를 사이에 두고 양쪽으로 빼곡하게 늘어선 상가들. 낯선 아랍 문자들이 적힌 무질서한 각양각색의 간판들. 시장 안 다양한 상인들의 다양한 모습들과 소음. 달리는 차들의 시끄러운 엔진 소리와 뒤섞여 활기를 준다. 그 사이를 다급한 걸음으로 걷는 남자의 모습들 얼핏얼핏 보이며.

그래　　(Na) 길은 모두에게 열려 있지만
　　　　　　모두가 그 길을 가질 수 있는 것은 아니다.

S#3 —— 다운타운 삼거리 삼각지대, 저녁

다운타운 삼거리 중앙으로 건너간 그래, 시장 안내판을 보며 방향을 가늠하다가 고개를 들어 둘러본다. 무질서하고 복잡한 다운타운의 사방이 빙글빙글 눈에 들어온다. 난감한 얼굴이 되는데 그때 울리는 휴대전화 소리! 급히 전화를 받는다. 입을 떼기도 전에 다급히 들려오는 수화기 너머의 남자 목소리.

조 대리　　(E) 장그래 씨!
그래　　　　(다급) 찾았습니까?
조 대리　　카이로 호텔입니다!

재빨리 안내판에서 카이로 호텔을 찾아 손가락으로 탁! 집는 장그래.

그래　　(다급) 호텔 앞에서 만납시다.

전화를 끊으며 급히 걸어가는 그래, 발걸음이 점점 빨라지더니… 뛴다. 달리는 그래의 옆으로 해
질 녘 암만 다운타운 풍경들이 힘 있게 지나간다.

S#4 ─── 호텔 근처 골목 앞 + 호텔 앞, 저녁

호텔이 있는 골목 앞까지 달려온 그래.

조 대리	(Off) 장그래 씨!
그래	(돌아보면 조 대리 급히 뛰어온다. 눈인사하면)
조 대리	(다가오며) 본사에서 연락 갔죠? 영업3팀, 전부 뜬눈으로 기다리고 있답니다.
	이거 잘못되면 원인터에서 줄줄이 모가지예요.
그래	(걸으며) 걱정 마세요. 오 차장님도 곧 오실 겁니다.
조 대리	(호텔을 보며) 하루에 만 원이면 잘 수 있는 곳입니다. 특급 호텔에서
	호사 떨고 있을 줄 알았는데…
그래	(호텔을 쳐다보면)
조 대리	이러니 요르단 호텔을 다 뒤져도 안 나오지. 하여튼 머리 하난 비상한 놈입니다.
그래	(호텔을 보며 담담하게) 물건을 아직 못 판 거죠.
조 대리	(어…? 아… 싶은… 끄덕이며) 좋게 말로 끝나야 할 텐데 말이죠…
그래	…

S#5 ─── 호텔 안 계단, 저녁

긴장한 얼굴로 입구를 살피고는 다급하고 조용한 발걸음으로 안으로 들어서는 그래와 조 대리.
좁은 계단을 급히 올라가는데 요르단 남자 하나가 내려오며 흘끔거린다. 한쪽으로 몸을 피해주
며 올라가는 그래와 조 대리.

S#6 ─── 호텔 안 2층 카페, 저녁

다급히, 그러나 조용히 안으로 들어서는 그래와 조 대리. 천장의 조악한 붉은색 조명등 장식과 낡
은 이슬람식 모자이크 벽면이 눈에 들어오는 허름한 이슬람식 카페. 벽면 한쪽에는 큰 장식용
유리 물 담뱃대가 있고, 그 옆으로 실제 사용하는 청동 물 담뱃대가 수십 개 진열되어 있다. 여기
저기서 물 담배를 피우며 중동식 마작을 하고 있는 남자들도 보인다. 두리번거리던 조 대리는 발
코니에서 물 담배를 피우고 있는 남자를 본다.

조 대리　　　잠시만요.

다급히 남자에게 가서 인사를 건넨 후 짧게 얘기를 나누고 다시 돌아오는 조 대리.

조 대리　　　502호랍니다.
그래　　　　(끄덕하면)

S#7 ── 502호 앞, 저녁

502호 앞에 선 그래와 조 대리. 문이 반쯤 열려 있다. 다소 불안한 얼굴로 서로를 바라보는 그래와 조 대리. 안을 보면 하우스키퍼가 청소 중이다.

조 대리　　　(당황, 난감) 체크아웃한 건가…?
그래　　　　헬로!
하우스키퍼　(돌아보면)
그래　　　　이 방 주인, 체크아웃했습니까?
하우스키퍼　(뚱한 얼굴로 청소 도구함을 안고 나온다)
조 대리　　　미스터 서라고,

두 사람을 쳐다보던 하우스키퍼의 시선이 둘 너머를 향한다. 돌아보면 막 다가오던 비리비리해 보이는 젊은 한국인 남자. 밈칫하고 서서 상황 파악 안 되는 얼굴로 멍하게 그래와 조 대리를 번갈아 본다.

그래　　　　서진상 씨!

진상, 머뭇거리더니 휙 돌아 냅다 계단을 올라 도망간다. 쫓아가는 그래와 조 대리.

S#8 ── 호텔 옥상, 밤

옥상 밖으로 나오는 진상, 궁지에 몰린 쥐처럼 이리저리 왔다 갔다 하는데 뒤이어 쫓아온 그래와 조 대리. 숨을 고르며 이리 오라고 한다. 겁이 난 진상, 왔다 갔다 하다가 그대로 냅~다 옆 건물 옥상(호텔 옥상보다 낮다)으로 뛰어내린다.

그래/조 대리　!

돌아보는 진상, 여유를 찾은 얼굴로 약 올리듯 보며 혀를 길게 쭉 빼고 '메~에롱' 하는데… 갑자기 그쪽으로 달려가는 그래. 진상, 혀를 뺀 채 설마 하는 표정으로 보는데, 그대로 휘~익! 긴 다리로 옥상을 건너뛰는 그래.

조 대리   (깜짝!) 자… 장그래 씨!

혀 내민 모습 그대로 눈을 휘둥그레 뜨고 서 있는 진상. 탁! 내려서는 그래. 진상, 놀라 일그러진 얼굴로 도망가 다음 옥상으로 건너가는데 쫓아가서 또 휘~익 점프하는 그래!

S#9 ── 목욕탕, 밤

목욕탕 벽에 뜬 "몇 년 전…" 자막 위로 물이 확 끼얹어진다. 이어서 고무장갑 낀 손으로 비눗물에 담근 걸레를 들어 벽을 박박 닦는 그래. 슥슥슥슥 힘 있고 꼼꼼하게 닦다가 "어?" 하며 솔을 들어 틈새의 잘 보이지도 않는 얼룩을 박박 닦는다. 그때 "그래야~" 하며 들어서는 목욕탕 주인.

목욕탕 주인   마무리해라~ 꼼꼼한 것도 그만하면 병이다아~
그래   (웃으며) 네에, 사장님.
목욕탕 주인   저기 그리고… (머뭇거리다가) 장 씨 다리가 다 나았다네.
그래   네? (조금 당황해서) 아… 네에… 그럼 내일부터…
목욕탕 주인   (끄덕이며 미안한 듯) 그렇잖아도 그만둬야지. 언제까지 이런 허드레 알바나

            할 거여? 제대한 지가 얼만디…

그래   (씁쓸하게 웃으며) 네에…
목욕탕 주인   직장은 구하고 있냐아~?
그래   아… 네.
목욕탕 주인   쉽잖지? 어떻게, 내, 기원 자리라도 하나 알아볼까?
그래   (멈칫하지만 곧 내색 안 하고 계속 닦는다) 아녜요.
목욕탕 주인   그래도 할 줄 아는 일을 하는 게,
그래   (OL, 애써 웃으며 돌아보며) 괜찮습니다.
목욕탕 주인   그려~ 일당 챙겨 가고… (나가려다) 요즘도 새벽에 대리 뛰는 겨?
그래   아… 네.
목욕탕 주인   (끄덕이며) 그려… (간다)

그래, 인사하고 다시 돌아서면, 드문드문 거품 괸 거울에 비친 자신의 모습… 잠시 응시하다가

물동이를 들어 물을 확 끼얹는다.

S#10 — 자동차 안, 밤

대리운전 하는 그래. 뒷좌석에 취해 널브러져 있는 차주.

S#11 — 아파트 앞, 밤

차에서 흔들흔들 내리는 차주를 부축하는 그래. 취한 차주, 알아듣지도 못할 말을 뭐라 뭐라 하며 5만 원짜리 지폐를 주고 팔뚝을 툭툭 치며

차주   (혀 꼬부라진 소리로) 열심히 살아.

굽신하고 받은 그래, 거스름돈을 챙겨주려는데 팔을 휘휘 저으며 가버리는 차주. 잠시 머뭇거리다가 꾸벅 인사하고 돈을 챙겨 넣는 그래. 전화 온다.

그래   (받으며) 엄마, 왜 안 주무시고.
그래 엄마   (E) 더 해야 하니?
그래   들어가요. (콜 들어오는 소리) 끊어요. 콜 들어와요.
그래 엄마   (F) 그래야.
그래   네.
그래 엄마   (E) 저녁에 거기서 연락이 왔다. 내일부터 한번 나와보라는데…
그래   (당황하는) …
그래 엄마   (E) 어쩔 거니.
그래   …

S#12 — 그래의 집, 낮

양복 윗도리를 입고 거울 앞에 선 그래. 조금 헐렁한 느낌, 품은 크고 소매와 다리는 좀 짧다. 응시하고 있는데

그래 엄마   (E) 이전 양복은 작아져 못 입겠지? 그게 좀 나을 거야.

그래 엄마	구식이라도 아버지 것 중에 제일 고급이야. 하루만 입어. 오늘 사둘게.
그래	(넥타이 받아 목에 걸며) 싼 거 사세요.
그래 엄마	싼 거 사야지. 싼 새빠시 신상으로다.
그래	(피식 웃으며 넥타이 매듭 당긴다)
그래 엄마	주눅 들지 말어. 니가 보통 머리니? 학교 다닐 때 얼마나 공불 잘했어,
	하날 가르치면 백을 아는 앤데.
그래	(말없이 할 일만)
그래 엄마	혹시나 와이루라도 멕인 거 아닌가 생각하지 마. 와이루 절대 아냐.
그래	(본다)… 엄마… 와이루 스펠링 대봐.
그래 엄마	스펠링? (끔벅끔벅 보다가) 영어야?
그래	(OL) 됐어.
그래	(힘없이 웃으며 계속 매무새 잡기만)
그래 엄마	니가 엔간한 애였음 성원실업 사장님이 그 대단한 회사에다 다릴 놔줬겠니?
	거기도 이리저리 재보고 맞으니까 오라고 했겠지. 기죽지 말어.
그래	(…보고 빙긋 웃는)

S#13 — 원인터 외경, 낮

S#14 — 영업3팀, 낮

이리저리 전화하는 사람들, 서거나 앉아서 컴퓨터를 들여다보는 사람들, 한쪽에 모여 회의하는 사람들, 서류를 들고 바쁘게 왔다 갔다 하는 사람들… 빈 영업3팀 안에서 바쁘게 돌아가는 원인터 풍경을 멍~하게 바라보고 앉아 있는데, 서류를 들고 다급히 걸어가는 영이가 눈에 띈다. 예사롭지 않게 섹시한 차림에 조금 놀란 얼굴로 또 멍~하게 보는 그래.

동식	(Off) 아저씨.

그래, 보면 조금 찌푸린 얼굴로 동식이 내려다보고 있다. "네" 하며 벌떡 일어나는 그래. 한숨 쉬듯 보던 동식.

동식	(무뚝뚝하게) 좀 와봐요. (휙 돌아서 간다)
그래	… (따라간다)

S#15 ── 원인터 옥상, 낮

옥상 문을 열며 나오는 동식. 뒤따라 나와서는 그래를 흘깃 본다. 다소 깡총한 바지 길이와 팔 길이에 조금 헐렁해 보이는 양복 차림이 눈에 들어온다. 동식, 답답~한 얼굴로 주머니를 뒤져 담배를 꺼낸다.

동식	(익숙한 손짓으로 빈 담배를 쪽 빨고 후~ 뱉은 뒤) 이름이 장⋯ (흘깃 본다)
그래	그래입니다.
동식	? (피식) 그래? 빙그레 할 때? 큭큭.
그래	아이(ㅐ)⋯인데요⋯ (혀를 정확히 움직여 발음한다) 래.
동식	(멈칫) 큼. 몇 살이라고?
그래	스물여섯⋯
동식	(끄덕끄덕하고) 근데 (또 쪽 빨고 푸~ 뱉고) 그⋯ 고졸 검정고시가 끝이라고?
그래	네.
동식	고등학곤 그만둔 거야~? 안 간 거야?
그래	⋯ 안⋯ 갔습니다.
동식	왜?
그래	⋯
동식	(알겠다는 듯 한숨 쉬고) 직장생활 경험은?
그래	⋯
동식	(한숨) 그럼, 영어나 뭐⋯ 제2외국어 좀 할 줄 아는 거 있나?
그래	⋯ 없습니다. (얼른) 컴활 2급 자격증 있습니다.
동식	(답답) 컴활 2급⋯ 또?
그래	⋯
동식	끝?
그래	네에⋯
동식	(답답한 듯 보다가 다시 담배 후~) 알았어요. 난 영업3팀 김동식 대리야.
	(담배를 쪽 빨고는 후~ 하며 픽 던지고 발로 눌러 끄는 시늉까지 한다) 내려와요.
	(문 쪽으로 가면서 뭉얼) 스물여섯 개나 뵐 농안 뷜 했길래 할 줄 아는 게 하나도 없대? 거참 요즘 보기 드문 젊은일세.

나가고 쾅 닫히는 옥상 문을 바라보고 서 있는 그래. 중얼거린다.

그래	그러게요⋯

짓이겨진 담배를 내려다보다가 주워 휴지통에 넣고 옥상 너머를 멀리 본다. 빌딩 숲이 빽빽하게

그래   (중얼거리듯) 스물여섯 살이 될 동안 뭘 했을까요? 난…?

S#16 ── 탕비실 안, 낮

철컥, 철컥, 소리 속에 문밖에서 안절부절못하는 얼굴로 탕비실 안을 들여다보고 있는 섬유3팀 과장, 사원1, 사원2. 복사기가 경쾌하게 작동하고 있는데, 그 앞에서 복사하고 있는 여자의 뒷모습. 10센티미터 하이힐의 미끈한 다리, 잘록하게 강조된 허리, 풍만한 엉덩이가 아찔하다.

사원1   (어이없는 듯) 대다나다…

여자, 복사된 용지 챙겨 돌아서는 동시에 남자들, 깜짝 놀라 문밖으로 휙~ 나간다. 문을 향해 선 여자, 서류를 확인하는데 다시 빠끔히 보는 남 셋. 도발적인 스모키 메이크업에 빨간 립스틱, 쫙! 붙는 하얀 블라우스 위로 풍만한 가슴, 그 아래로 쫙 붙는 검은 하이웨이스트 스커트를 입은 영이다. 옆 탁자에 둔 파일철을 쥐려고 한 발 움직이는데, 쭉 파인 치마 사이로 허벅지가 아슬아슬하게 보인다. 순간 남자 셋, 눈을 깜빡이며 시선을 어디다 둬야 할지 모른다.

사원2   아악! 전 못 보겠어요. (하며 문밖으로 빠진다)

소리에 영이 고개 들면 당황한 남자 둘. 영이, 아무 표정 없이 서류를 들고 탕비실을 나간다.

S#17 ── 탕비실 밖 + 사무실 통로, 낮

밖에 우왕좌왕 서 있는 남자 셋. 사원1은 작은 상자를 들고 있다.

영이   준비 다 됐습니다.
섬유3팀 과장   꼭 이렇게 할 거냐?
영이   (보는)
사원2   (울며 겨자 먹기로) 그러니까 이 방법밖에 없단 게 안영이 씨 생각인 거지?
영이   네, 제 생각은 그렇습니다.
섬유3팀 과장   내 생각은 달라. 럭스앤리치 사장, 이런 식의 접근은 불쾌하게 생각할 거라고.
영이   해보겠습니다.
일동   (어휴…)

사원1	저… 저기 그… 그럼 안영이 씨.
영이	(보면)
사원1	(풀린 블라우스 단추를 소심하게 가리키며) 그거라도 잠궈어…
영이	(무표정하게) 왜요? 이게 포인튼데.

'어휴~' 하는 표정으로 앞선 남자 셋, 그 뒤를 서류 들고 또각또각 따르는 안영이. 지나가던 직원들, 무심결에 가다가 놀라서 영이를 핵핵 돌아본다. 과장, 주변의 눈길에 열이 받는다.

섬유3팀 과장	꼭 저렇게 할딱 벗고,
사원1	할딱 벗은 건 아니죠.
섬유3팀 과장	꼭 저렇게 몸으로 들이대야 하냐구.
사원2	여자니까 쓸 수 있는 전략이라잖아요. 우린 (가슴과 엉덩이 불룩불룩 강조하며) 이게 없으니까.
사원1	그러니까 애초 그런 전략안을 내밀었을 때 말리셨어야죠.
섬유3팀 과장	인턴 스터디용 아이템이었을 뿐이잖아. 2년이나 끌다가 썩은 거.
사원2	하기야 저희도 당연히 팀장님이 킬 하실 줄 알았죠.
섬유3팀 과장	하여튼, (주변의 눈길 의식하며) 이렇게 요란 떨고 성과 없으면 세트로 개망신이다. (자못 비장 결연해지는 눈빛)
사원2	(주변의 웃는 눈길 보며 좌절) 아아아~ 난 튀는 거 정말 싫은데…
사원1	전 진짜 쟤 무서워 죽겠어요.

S#18 —— 중회의실 앞, 낮

문 앞에 선 영이, 가슴의 단추를 하나 더 푼다. 남자 셋, '아이고~!'를 삼키며 눈을 꾹 감고 만다.

| 영이 | 들어가시죠? (회의실 문을 연다) |

남 셋, 긴장한 얼굴로 들이가고 심호흡을 한 영이, 들어간다.

S#19 —— 회의실 안, 낮

큼지막한 1인 사무용 가죽의자에 누군가 앉아 있다. 들고 있는 브로셔의 절반이 의자 옆으로 보인다. 의자의 뒷모습만 보이는 상태라 누군지 알 수 없다. 그 앞에 가서 서는 영이. 남자 셋, 적당한 곳에 조르르 선다. 긴장한 얼굴로 상대를 쳐다보던 영이, 이윽고 서류를 놓고 허리를 쭉 펴며 가슴을 더 강조해서 선다. 여전히 긴장한 얼굴로 상대를 보는 영이.

의자에 앉은 사람이 브로셔를 까딱하며 돌아보라고 제스처 한다. 영이, 천천히 옆태와 뒤태를 보여준 후 책상을 잡고 엉덩이를 강조한 자세 우~! 어이없는 얼굴로 "허~" 하며 보는 남자 셋. 럭스앤리치 사장이 들고 있는 브로셔로 다시 다가오라고 제스처 한다. 긴장한 얼굴로 다가가는 영이, 의자 앞에 선다. 브로셔, 돌아보라는 제스처. 영이, 돌아서면 영이의 엉덩이에 손을 얹어 슬쩍 만지는 손. 무안한 듯 외면하는 남 셋. 동시에 의자에서 일어나는 럭스앤리치 사장, 여자다.

럭스 사장	(엉덩이 손짓하며. 이하 영어) 볼 수 있을까요?
영이	(명쾌하게. 이하 영어) 네.

섬유3 과장, 들고 있는 작은 상자를 얼른 열어 뭔가를 꺼내려는데 영이, 치마 안에서 엉덩이 뽕을 빼서 내민다.

남자 셋	(입을 찍!) 헉!
사원1	(꺼낸 엉뽕 들고 울상) 야, 인마. 입던 걸…
영이	내구성 확인이 우선이라고 생각해 직접 입고 며칠 테스트해봤습니다.
	볼륨이 꺼지는지, 세탁 후 변형이 있는지.
럭스 사장	(뽕을 꼼꼼하게 조물조물 만져보고) 꺼짐은 없군요. 가슴 쪽은?
영이	(돌아서서 가슴 뽕을 척척 꺼내 내민다)
럭스 사장	(영이를 슥 보더니) 착용 전후 태가 확실히 다르네요. 전문 모델을 썼으면
	별 감흥이 없었을 겁니다. (뽕 보며) 가슴에 맞춰 패턴화한 것도 좋고.
영이	템퍼는 라텍스보다 고밀도 고탄력이면서도 수선이 쉬운 장점이 있습니다.
섬유3팀 과장	(얼른) 특히 저희 섬유공장에서 생산한 템퍼는 촉감이 부드럽고 쓸림 방지 효과도
	탁월합니다.
영이	(서류 착착 내밀며) 내구성, 촉감, 마찰도에 대한 테스트 결과입니다.
	(또 내밀며) 최근 템퍼로 뜨고 있는 다른 제품과의 비교 자료입니다.
	미리 보내드렸던 자료지만,
럭스 사장	(OL. 손 까딱하며) 검토했어요. 확실하더군요.
영이	(서류 거두고)
섬유3팀 과장	저희가 템퍼를 제안드린 게 2년 전입니다. 이제 양사 간 좀더 발전적인 관계로
	나아가길 희망합니다.
럭스 사장	(영이에게) 템퍼로 소파나 침대 쪽은 제안이 많아도 뽕은 처음입니다.
	2, 30대 섹시한 여성을 겨냥한 우리 쇼핑몰 니즈도 정확히 파악했고,
	내 취향까지… (영이를 보며) 어떻게 알았죠?
영이	솔직히 말씀드려도 됩니까?
럭스 사장	(까딱)

영이	대표님 디자이너 시절의 작품을 다 봤습니다. 여성의 바디를 살리고 남성들의 시선을 머무르게 하는 디자인에 집착하신단 걸 읽었습니다.
럭스 사장	(보다가 피식 웃고) 내 주변을 매수한 건 아니구요?
영이	그렇다면, 그 계약이 과연 유지가 될까요?
럭스 사장	(빤히 보다가 옅은 미소 보이며) 엉뽕, 내 사이즈도 있나요? 미스 안?
영이	(미소로 받으며) 대표님은 뽕이 필요 없으실 것 같습니다.
럭스 사장	(하하하하~ 웃는다)

S#20 ─ 회의실 밖, 낮

상기된 표정으로 나오는 남 셋을 따라 속눈썹 툭툭 뜯어 버리면서 나오는 영이, 주머니에서 휴지를 꺼내 입술을 쓱 닦아 지우며 섬유3팀 과장에게

영이	곧 가겠습니다.
섬유3팀 과장	어… 어…
영이	(꾸벅하고 화장실 쪽으로 간다)
사원2	오자마자 뽕으로 십억 수주… 쟤 열흘 된 인턴 맞아요?
섬유3팀 과장	(싱글벙글 달라진 자세로) 쟤가 인턴 수석 아니냐? 니들, 오늘 영이 비주얼은 눈에서 다 지우는 거다?!
사원1	남사스럽게 그걸 어떻게 담아둬요?!

S#21 ─ 화장실 안, 낮

화장실 칸 위에 척척 걸쳐지는 영이의 블라우스와 스커트. 잠시 후 부스럭 슥슥 소리 나더니 걸쳐진 블라우스와 스커트를 슥 걷고 문을 열고 나오는 영이. 평범한 정장 차림에 쇼핑백. 세면대로 간 영이, 쇼핑백에서 메이크업 클렌저를 꺼내 눈 화장을 지우고 비누로 세수한다.

S#22 ─ 원인터 사무실 밖 복도 일각, 낮

시선을 떨구고 걸어오는 그래. 맞은편, 화장실에서 나오는 영이, 까만 고무줄을 입에 문 채 머리를 한쪽으로 올려 묶으며 걸어오는데, 서로 지나칠 때 머리를 묶으려던 영이 손에서 튕겨져 나가는 고무줄이 그래의 뒤통수에 맞는다. 돌아보다가 고무줄을 반 밟는 그래.
영이도 돌아본다. 묶으려다 만 머리가 풀어진 채 자연스러운 웨이브로 흘러내려 있는데, 화장 지

운 맨 얼굴과 어울려 청아하면서도 섹시한 느낌이다.

"어…" 하며 고무줄을 찾는 영이. 뭘 찾는지 모르겠지만 영이의 시선을 따라 찾는 그래, 못 찾은 영이는 그냥 가고, 영이가 간 줄 모르고 계속 바닥을 훑던 그래, 밟고 있는 걸 보고 "어?" 하며 얼른 고무줄을 주워 든다. "저기" 하는데 없는 영이, 돌아보지만 사라진. 으쓱하고는 주머니에 넣는다.

S#23 —— 영업3팀, 낮

정신없이 통화하고 있는 동식.

동식   네, 사장님 B/L 드래프트* 보내주세요. 확인하고 어멘드 할 내용 없으면
컨펌 드릴게요. (다른 전화 울리자 쳐다보며 다급히) 예예, 수고하세요.
(끊고 울리는 전화 얼른 받고) 감사합니다, 원인터… 아! 차장님!
어제 잘 들어가셨습니까?! 아휴~ 전 끄떡없죠…

그때, 어색하게 굳은 몸짓으로 들어오는 그래를 본다. 눈으로 쫓으며

동식   오 과장님이요? 내일 들어오세요. 아! 수요가** 측에서 다음 달 최초선적으로
물량 요청한다는데 얼마나 가능할까요? 네? 아! 예~ 그럼 다시 전화 주십쇼!

끊고 이메일 보내는 동식, 그래는 뭘 해야 할지 몰라 엉거주춤 서 있다. 동식, 두리번거리다가 근처 책상에서 서류 발견, 다급히 가지러 가다 그래의 발에 걸려 넘어질 뻔한다.

동식   아~ 참~! 왜 그러고 섰어요?!

깜짝 놀라 얼른 자리에 앉는 그래. 동식, "어후~" 하며 서류를 갖고 와 앉아 챙기는데 뭔가 또 빠졌다. 다시 급히 일어나는 동식. 그래도 벌떡 따라 일어선다. 동식, 난잡한 상식 책상 위, 엎어져 있는 액자 앞 성인용품 브로셔를 얼른 들어 다시 앉는다. 그래도 앉는다.

동식   (획획 넘기며) 아~ 뇨… 이것만 보낸 거야?

동식, 다시 벌떡 일어나자 그래도 벌떡 일어난다. 그런 그래를 성가신 듯 거슬리는 눈빛으로 보고 서랍 속을 여기저기 뒤지면서 전화 거는 동식. 그 분주한 동선을 그래의 시선이 불안하게 따라다닌다.

•   선사나 포워더 쪽에 전달하는 B/L의 구성안으로 가격, 기한 등의 주요 정보를 담고 있다.
••   필요로 사거나 얻고자 하는 사람.

45   **동식**   (통화) 팀장님, 원인터 김동식인데요, 브로셔를 요것만 보내시면 어떡해요?

                      (서랍을 빌로 닫으며) 네?! 그럼 잠깐 계세요. 지금 갈게요! 예!

전화 끊고 다시 앉아 서류를 챙기는 동식. 그래도 쭈뼛쭈뼛 앉는다.

동식   (문서 몇 장 챙기며) 오 과장니~임. 어떻게든 오늘 오셨어야죠오~

챙긴 문서 들고 자리에서 일어나자 또 얼른 따라 일어서는 그래.

동식   (벌컥!) 왜 자꾸 일어났다 앉았다 해요? 정신 사납게?

그래   아… 죄… 죄송합니다. 뭘 해야 할지 몰라서…

동식   (답답한 듯 후~ 보다가 들고 있던 문서를 획 주며) 복사 좀 해 와요.

그래   네? (얼른 받으며) 아, 네!

동식   (앉으며 구시렁) 26년 동안 복사 한 번은 해봤겠지.

그래   (두리번거리다 동식 뒤통수에 대고) 저기… 복사기는 어디에…

동식   (헐. 꾹 참고 복사기 방향 가리키며) 저기.

그래   아… 네, 몇 장씩 하면…?

동식   (울컥하지만 꾹 참고) 한. 장. 씩.

복사하러 가는 그래의 뒷모습을 허~ 하는 눈으로 보고 있는데 전화 울린다.

동식   (받으며) 감사합,

상식   (E, OL) 나다. 보충인력 왔냐?

동식   (울컥)

상식   (E) 안 왔어? 인사팀에서 오늘 보낸다 했는데?

동식   예에, 과장님~! 왔어요! 왔어!

상식   (E, 반색) 왔어? 어느 부서에서 왔어? 누가 왔어?

동식   네에~ 스카이팀에서 왔네요. 낙하산 타고 똑 떨어졌네요!

상식   (E, 어이없는) 뭐라는 거냐?

동식   (점점 크게) 인터이 왔다구요, 낙하산 인턴,

상식   (E) 뭐?! 인터~언?!

동식   네! 요즘 아~주 보기 드문 청년이 왔네요…

상식   (E, 다시 좋아하며) 그~으래?

동식   (흥분) 진짜 인사팀 너무하잖아요!

Episode 1

S#24 ── 탕비실 안 복사기 앞, 낮

용지 없음을 알리는 복사기 앞에 서서 난감한 그래, 종이를 찾아 두리번거리는데… 마침 들어오는 이상현, 판에 박힌 미소를 지으며 목례하고 커피를 탄다.

그래	저기… 복사용지 어디서 채우면 됩니까?
이상현	? (친절하게) 거기 밑에 수납장 열어보세요.
그래	아. 네… (열어 보는데 없다) 저… 없는데…
이상현	(웃으며) 그럼 비품실에서 갖고 오셔야죠…
그래	아… 저… 비품실이 어디…
이상현	? (웃으며) 나가서 왼쪽으로 죽 가서 오른쪽.
그래	고맙습니다. (나가는데 들어오던 인턴2(오리발1)과 지나친다)
인턴2	(돌아보며) 저 친구가 그 친군가 봐요.
이상현	그 친구요?
인턴2	(속닥) 낙하산.
이상현	! 아~! 어쩐지이~ (다시 그래 쪽 보는)

S#25 ── 비품실, 낮

열린 상자에서 하나 남은 A4 용지 한 세트를 들고 가려다가 머뭇… 다시 A4 상자들을 본다. 새 상자 통째로 들고 "끙!" 하며 일어나는 그래.

S#26 ── 탕비실 안, 낮

서류봉투 들고 급히 걸어오는 동식.

동식	아, 진짜, 무슨 복사를 한나절이나 (없다) 어디 갔어?
그래	(무거운 A4 상자 안고 급히 들어오다 멈칫하면)
동식	(어이없는) 아니 그걸 다 들고… 아~ 아~ 빨리.
그래	(다급히 A4 상자를 놓고 상자를 개봉한다. 용지 한 통을 꺼내려는데 손가락이 안 들어간다)
동식	(복사기의 용지함 빼면서) 아, 뭐해요~!
그래	예. (상자를 통째로 들어 거꾸로 솟자 와르르~ 쏟아진다)

동식, 어이없이 보는데, 마침 커피 타러 들어오던 영이가 멈칫 선다. 그래, 다급히 용지 한 통을

들어 북 찢는데, 좌르르~ 흩어지는 종이들. 복장 터지는 동식, 당황해서 얼른 앉아 종이를 주워 모으는 그래. 종이를 밟지 않으려고 살짝 건너가는 영이의 다리. 그제야 영이를 보게 되는 그래, 아… 하며 얼른 몇 장만 주워 빈 용지함에 넣는다.

영이, 별말 없이 종이컵을 몇 개 꺼내 능숙한 듯 커피를 탄다. 그래, 복사 한 장 넣고 커버 덮고 복사 누르고 철컥 나오면 다음 문서 넣으려는데

동식	아이, 뭐 합니까아~? (답답해하면서 문서를 낚아채 일괄 기능으로 작동시키며)
	정말 복사도 안 해봤어요? 26년 동안?
그래	죄… 죄송합니다.
영이	(흘깃 볼 뿐 별 관심 두지 않는 얼굴로 커피만 탄다)
동식	(원본과 복사지들 서류봉투에 바삐 넣으며 나가려다가 멈추고) 아, 저기. 안영이 씨라고
	했나 섬유3팀? 우리 팀 새 인턴이에요. 장그래 씨라고. (안영이 가리키며)
	안영이 씨. 섬유3팀 인턴.

영이, 그래 보면 그래 어설픈 인사, 영이도 어설프게 인사.

동식	점심시간 좀 챙겨줘요. 딴 인턴들한테 인사도 시키고. 내가 지금 외근 나가야 돼서.
영이	아… (난감하지만) 예…
동식	(그래 보고 얕은 한숨 쉬며) 안면들 터놓고 궁금한 거 있음 묻고.
그래	예.

동식, 개운치 않은 얼굴로 나간다. 둘만 남은… 그래, 멋쩍게 영이를 쳐다보는데 영이, 별 반응 없이 쟁반에 커피들 담아 들고 나간다. 혼자 남은 그래, 주저앉아 흩어진 종이들을 주워 모은다.

S#27 ─ 사무실 통로, 낮

탕비실에서 나온 그래. 영업3팀 자리를 향해 걸어간다. 옆으로는 죽~ 업무에 한창인 사무실 분위기… 그들을 쳐나보면서 걸어가는 그래… 여기저기 각 나라 언어로 바쁘게 통화하는 사람들의 모습과 소리가 보이고 들린다.

(E, 영어) 헤이! 아 유 크레이지? 내가 지금 우리 이익만 차리자고 이러냐고!
(E, 중국어) 30퍼센트는 T/T 하고 나머지는 D/A 90일 괜찮지?
(E, 아랍어) 너희 나란 복잡해서 SGS 검사하고 SASO 인증도 받아야 한다고.
(E, 프랑스어) 내가 너한테 CIF 주려고 하는데 너는 왜 CFR로 받으려고 하냐?

보면서 걸음이 점점 느려지는 그래. 어느 순간 멈춰 서서 사무실 전경을 본다.

#일각1

사원1 (파티션 위로 고개 빼들고) 이 대리님. PI* 보낼 때 만약 L/C** 거래하면 쓰루뱅크 굳이 넣지 않아도 되죠?

#일각2

사원2 L/C도 특정은행으로 지정된 거 있으면 any bank in Korea로 어멘드 해서 진행할게요.
사원3 지난번에 L/C 까다로운 은행으로 지정받아서 아직도 네고 안 되는 하자 건 있으니까 이제 그런 일 없도록 하자고.

그래, 멍~하니 그 풍경들을 보는데, "잠시만요" 하며 살짝 밀고 지나가는 사원4 카페 커피 여러 잔 들고 가까운 #일각3에 가서 모여 앉은 팀원들에게 나눠준다.

실무직1 어제 소개팅 성공? 웬 커피를 쏴?

웃는 팀 사람들의 화기애애한 분위기. 팀장, 서류 들고 와서 앉으며

팀장1 태국이랑 필리핀 두 건은 레귤러고 나머지 다 스팟이지?
사원4 네, 그중 하나는 월말 선적이라 다음 달로 넘어갈 수도 있겠는데요.
팀장1 셧다운 있어서 장기계약분이 이번에 안 실릴 수도 있으니 생각해놓고. 중동 쪽은 UBAF 은행이 한국 지점 있으니까…

돌아서는 그래, 굳은 얼굴로 다시 걷는다. 뒤로 회의하는 소리 계속 깔리고…

팀장1 (On+Off) 이 은행으로 L/C 컨펌 전부 받도록 하는 거 잊지 말고.
(다이어리와 달력 번갈아보며) 상순아, 미국 쪽에 가격이 FOB*** 360불이라고?

S#28 ─ 영업3팀, 낮

"후~" 하며 앉은 그래. 텅 빈 영업3팀을 돌아본다. 복잡하고 알 수 없는 종이와 지도, 서류 더미

• 해상운송에서 선주의 손해를 보장하기 위한 보험.
•• Letter of Credit. 신용장. 은행의 조건부 지급 확약서.
••• 매도인이 선박의 적재부터 본선 상 화물 인도를 끝까지 책임지고 이후부터는 매수자가 책임지는 무역 상거래 조건.

등등. 그래에겐 전부 낯선 풍경들이다. 그래, 동식의 책상에 있는 종이를 본다.

그래 (읽어본다) 수요가 측에서 제품 백십● 요청 중인 바, 인근 수요가향
　　　　전매 검토 요청… (낯설고 어렵다) …

상식의 책상 쪽을 본다. 파티션 앞에 빼곡히 붙은 포스트잇, 쌓여 있는 서류에 샘플에 이것저것 복잡, 다단, 난잡하기까지 한 책상 위. 그 틈에 엎어져 있는 액자. 그래, 액자를 세워주려는데 갑자기 울리는 전화벨! 깜짝 놀라 보면 동식의 책상에서 울리는 전화. 안절부절못하며 보는 그래, 잠시 후 끊어진다. 한숨 돌리는데 다시 울린다. 계속 울린다. 어째야 하나… 어쩔 줄 모르는데 옆 팀 파티션 너머 황 대리.

황 대리 (E) 거! 전화 좀 받으십시다!
그래 (용수철처럼 튀어가 전화 받고) 여보세요?
상대 (E) … (당황한 듯 잠시 침묵하다…) 어… 김 대리님 좀 부탁합니다.
그래 어… 어… 지… 지금 안 계신데요?
상대 (E) 그럼 오 과장님 좀 바꿔줘요.
그래 네?
상대 (E, 날 선 목소리) 거기 영업3팀 아니에요?
그래 마… 맞는데… 오 과장님이… 잠시만요. (파티션 너머 황 대리에게)
　　　　저… 오 과장님이 누구신지…
황 대리 (건성으로 자리 가리키며) 그 자리요. 해외출장요!
그래 (얼른 다시 전화를 붙잡고) 오 과장님 해외출장 중이시랍니다.
상대 (E) 언제 오시나요?
그래 아… 그. 그게… 저… 잠시만요. (급하게 황 대리에게 물으려는데)
상대 (E) 됐습니다! (뚝! 전화가 끊어진다. 뚜뚜뚜뚜~)
그래 … (내려놓는데 이번엔 상식의 전화벨! 얼른 받는다) 여보세요?
러시아어 (E) 알로?
그래 (당황하는)
러시아이 (E) 알로? 일로?
그래 여… 여… 여보세요? … (소심하게) 헤… 헬로?

상대 러시아인이 우르르 말을 쏟아낸다. 얼굴이 하얘지면서 당황하는 그래, 자기도 모르게 전화를 끊으려다 멈칫한다. 주변을 헤매는 시선으로 어쩔 줄 몰라 하고 있는데 손수건으로 머리 묶은 영이가 서류를 들고 옆을 지나간다. 전화기를 내려놓고 급히 따라가는 그래.

●　　backship. 반송.

뒤에서 영이의 옷자락을 자기도 모르게 와락 잡는 그래.

그래	저… 저기요.
영이	(깜짝 놀라 보면)
그래	(수화기 얼른 내밀며) 전화 좀.
영이	(의아한 듯 보기만) 네?
그래	전화가 왔는데 제… 제가 못 알아들어서요.
영이	(상식 책상에 놓여 있는 수화기를 본다) 저도 영업3팀 일은 잘 몰라요.
	다른 분께 말씀하세요. (가려는데)
그래	(다시 와락 잡는다) 저기.

영이, 찌푸리며 돌아보면 엄마한테 매달린 어린애같이 절박하고 애처로운.

그래	부탁해요…
영이	(보는)

S#30 ── 영업3팀 안, 낮

책상 위 전화를 들어 받는 영이.

영이	… (전화기를 받는다) 네, 죄송합니다. 영업3팀입니다.
러시아인	(E) 알로?
영이	(조금 당황한 얼굴로 그래를 봤다가 능숙한 러시아어로) 이즈비니쩨 빠짤스똬(미안합니다).
그래	(보는)
영이	(러시아어로) 네… 영업3팀 맞습니다만 담당자가 자릴 비워서요, 아…
	(얘기를 듣는 듯 자연스럽게 끄덕이다 얼른 메모한다) 게르마늄 밥그릇 샘플… 네…
	셀바이오의 미셀 쵸스도프스키 씨. 네, 최대한 빨리 연락드리겠습니다.
	(끊고 메모 주며) 오시면 전해드리세요. (눈인사하고 간다)
그래	(뒤에 대고 중얼) 고맙습니다.

그래, 손에 든 메모를 만지작거리다가 상식의 책상 파티션에 붙여두고 "휴우~". 한바탕 폭풍이
지나간 듯한 기분이다. 그 위로.

그래   (Na) 끝인 줄 알았더니

상식의 의자에 털썩 앉는다. 엎어진 액자가 보인다. 세워두려는데 또 울리는 전화!

그래   (Na) 시작이었다.
그래   (놀라 받으며) 여보… 아… 아니 감사합니다. 여… 영업3팀입니다.
미국인   (E) 헬로?
그래   !
미국인   (E) 헬로?

그래, 황 대리를 보는데 눈도 안 마주치려는 기색으로 열심히 일만. 다시 그 팀 실무직 여직원에게 다급하게

그래   저기 여기 전화 좀…
실무직 여직원 (바쁘다. 흘깃 보곤 퉁명스럽게) 모르겠네요.

당황한 그래, 반사적으로 영이를 찾는다. 가까운 곳에 있다.

그래   저… 저스트 어 모… 모먼트. 프… 플리즈. (전화기 내려놓는데)
미국인   (E, 서툰 한국어로) 여보세요? 여보세요? 오 과장 없어요?

S#31 ── 영이 쪽, 낮

한달음에 영이에게 가서 옷자락을 잡는 그래.

영이   (놀라) 왜요?
그래   저기… (잡아끈다)
영이   (얼결에 따라가며) 뭐예요?

서류 들고 지나가던 백기 앞을 지나가는 영이와 그래. 백기, 그러는 두 사람을 의아하게 보는데

S#32 ── 영업3팀 안, 낮

예의 절박한 얼굴로 영이에게 전화기를 내미는 그래.

영이	(화가 좀 난다. 찡그리고 그래를 본다)
그래	죄송합니다. 이번엔 영어…
영이	(얕게 한숨 쉬며 영어로) 헬로? 영업3팀입니다. 아 네… 오 과장님 출장 중이십니다. 네, 전해드릴게요. 스미스 브라운 씨. (메모한다)
그래	(그런 영이를 쳐다보는) …
그래	(Na) 체면도

#영업팀 밖 Dis. 영이를 쫓아가는 그래.

그래	(Na) 위신도

#통로 일각1 Dis. 또 영이를 쫓아가는 그래.

그래	(Na) 자존심도

#통로 일각2 Dis. 영이 뒤를 졸래졸래 따라다니는 그래.

그래	(Na) 뭣도 생각할 때가 아니다. 그런 건 닭한테나 던져주라지.

#탕비실 + 통로 일각3 Dis. 영이, 그래를 이리저리 피해 다니다가. 그래에게 급기야 화를 내는 영이와 미안하다며 꾸벅꾸벅하는 그래. 영이, 돌아서서 가면 또 따라다니는 그래.

그래	(Na) 나는 오리다.
어린 그래	(E) 오리 말예요.

S#33 ― 그래의 집(그래의 회상)

마당에서 일하고 있는 엄마 옆에서 동물 동화책을 보고 있는 어린 그래.

그래	오리는 태어나서 제일로 먼저 본 걸 엄마라고 생각한대요. 정말이에요?
엄마	(일하는 데 열중하기만) 오리 아침밥은 줬냐아~?

S#34 ─ 영업3팀, 낮

화난 영이 앞에서 숙이고 있는 그래.

그래	(Na) 새끼 오리다…
영이	장그래 씨, 이제 그만하시죠? 제 업무도 바쁘고요.
그래	(숙이는) 죄송합니다.
영이	(후~) 전화가 오면요, 전부 외근 중이라 하고 이름하고 연락처만 받아두세요.
그래	그렇게만 해도,
영이	(OL) 네, 그렇게만 해도 돼요.
그래	외국에서 온 전화는,
영이	외국에서 온 전화는… (말문이 막힌다) …
그래	(보는)
영이	(단호하게) 끊어요.
그래	(깜짝) 끊어요?
영이	네, 그냥 끊어요. (간다)
그래	(멍~하게 보면)

S#35 ─ 자원팀 사무실, 낮

컴퓨터 앞의 정 과장, 통화 중인 하 대리, 각자 바쁜 분위기다. 어려운 용어를 타이핑해가며 능숙한 솜씨로 PT 자료를 만들고 있는 장백기.

정 과장	(모니터 주시하며) 야, 하 대리. 이거 메일 뭐냐.
하 대리	(전화 끊으며) 아, 그거 카메룬에서 클레임,
정 과장	(짜증, OL) 아는데, 저번달 건 아니냐고오~ 정말 더럽게 찌질하게 구네.
하 대리	(달래듯) 담배 한 대 피러 가시겠습니까?
백기	(일어나며) PT 준비 마무리했습니다. 두 분 메일로 지금 보내놨습니다.
하 대리	벌써?
정 과장	무슨 PT? (메일 들어가 파일 연다)
하 대리	전무님 보고 때 쓸 아프리카 수출 아이템 요약이요. 뭐 대학 때 PT 마스터라 불렀다길래 한번 해보라고 시켰죠.
백기	컴퓨터 간 버전 호환이 안 될까 봐 PPTX 파일과 PPT 파일 두 개로 저장했구요. 출력하시기 편하게 PDF 파일까지 해서 압축파일로 보냈습니다. 본문 글자 포인트는 11포인트. 휴먼굴림체. 소제목은 한 사이즈 키운 고딕체로 통일시켰는데

	마음에 안 드시면 말씀해주세요.
하 대리	뭐야. 너 혹시 말로만 듣던 3D프린터냐. 뭐가 그리 줄줄 나와.
정 과장	(확인하며) 오! 제법이네? 쓸 만하다. (나가며) 담배 한 대 피고 오자.

S#36 — 통로, 낮

걸어가는 정 과장과 하 대리, 따르는 백기.

하 대리	점심, 칼국수 하실 거죠?
정 과장	그러자. 여덟 명이면 미리 예약해야 하지 않아?
백기	오씨네랑 씨알면옥 예약해뒀는데 어디로 하시겠습니까?
정 과장/하 대리	(어? 하며 놀란 듯 보면)
백기	아침에 말씀하시는 거 듣고 일단 잡아놨습니다. 정하시면 한쪽 캔슬하겠습니다.
정 과장	하! 장백기, 너 회사생활 진짜 잘하겠다. 인턴 PT 꼭! 통과해서 꼬~옥 우리 팀 와라?
백기	(웃는)
하 대리	아~ 저기 저 친구가 그 친군가 봐요.

정 과장, 백기 보면 영업3팀, 끔벅끔벅하며 앉아 있는 그래.

하 대리	이번에 오 과장님네 온 인턴이요. 누구 줄인지 모르겠는데 낙하산,
정 과장	(OL) 옛~날에 모 명문대에, 총장한테 편지 써서 합격한 애가 있었거든?
하 대리/백기	?
정 과장	꼭 입학해야만 하는 절절한 이유가 총장 마음을 움직였지. 걔 어떻게 됐는 줄 알아?
하 대리	? 대입 점수도 안 되는데요?
정 과장	한 학기 다니고 자퇴했어. 따라가질 못하니까.
하 대리/백기	네?/?
정 과장	저 친구, 고졸 검정고시가 최종이라는데, 특별한 이력도 없고…
하 대리	(놀라) 어떻게 아세요?
정 과장	인사팀에서. (백기 돌아보며) 잘해줘라. 어차피 오랜 못 버틸 테니까.

백기, 그래를 보면 문득 뭔가 생각난 듯 양복 주머니에 손을 넣어 뭔가를 꺼내 보는 그래. 영이 쪽을 보더니 간다. 쳐다보는 백기.

S#37 ─── 섬유팀, 낮

일하고 있는 영이에게 다가온 그래.

그래	저기…
영이	(본다) 네?
그래	아, 저기. (주머니에 손을 넣으려는데)
영이	(OL) 저기요, 점심 말예요. 전 원래 점심 혼자 먹어요.
그래	(당황) 아… 네에… 그리고 (주머니에서 고무줄을 꺼내려는데)
백기	(E) 안영이 씨.
영이/그래	(보면)
백기	(다가와) 한 건 했다면서요? 혼자 100미터 달리기하기예요?
영이	(웃고 마는)
백기	(그래 본다. 악수 내밀면) 장백기예요. 자원팀 인턴이죠.
그래	(당황해서 얼른 손 내밀며) 장그랩니다.
영이	말씀 나누세요. (서류를 들고 나간다)
백기	입사가 늦었네요? 우린 열흘 전에 들어왔어요.
그래	아… 네… 전 (머뭇거리다가) 그렇게 됐어요.
백기	어려운 점 있음 물어봐요. (웃으며) 복사실 위치라든가 복사지 행방이라든가.
그래	아… (멋쩍게 웃으며) 보셨군요.
백기	(웃으며) 여기선 다 보여요. 보여도 안 보이죠. 각자 자기 일이 바쁘니까.
그래	네… 그렇더라구요.
백기	근데… 긴장 많이 하셨나 봐요. 양복 윗옷은 벗으셔도 돼요.
그래	네? 아. (둘러보면 전부 와이셔츠 차림이다) 아… 제가… 그랬나 보네요.

양복을 벗어 드는 그래. 팔에 걸친다.

S#38 ─── 백화점 남성정장 코너, 낮

마네킹이 입은 다양하고 멋진 양복들에 감탄하며 돌고 있는 그래 엄마. 마음에 드는 마네킹 정장 앞에 서서 쓰다듬어보고 안감을 보고 한다.

점원	(다가와) 고객님, 어느 분이 입으실 겁니까?
그래 엄마	이거 신상이지? 얼만가?
점원	(가격표 보며) 위아래 합해 102만 4,000원입니다

그래 엄마   (땅!) 뭐어?

S#39 — 마트, 낮

주르륵 걸려 있는 양복들을 뒤적이는 손. 그중 하나를 꺼내보는 그래 엄마. 한층 풀이 죽은 얼굴이다.

그래 엄마   (구시렁대며) 금실로 떴나~? (이리저리 보며) 여기나 거기나 별반 다를 것도 없네.

(가격 보며 내심 안심하면서도 카트에 옷을 담으려다 멈춘다) … (다시 힘을 북돋우며)

그깟 라베루가 뭐가 중요해?! (카트에 툭 담기는 양복)

S#40 — 영업3팀, 낮

"오늘은 뭐 먹지~" 하며 웅성웅성 떼 지어 나가는 사람들을 보며 앉아 있는 그래. 고개를 돌려 영이가 부산하게 다니면서 일하고 있는 모습을 보다가 눈이 마주친다. 얼른 아닌 척 고개 돌리는 그래. 영이, 신경 쓰이지만 지나가다가… 돌아본다.

영이   (찡그리고 다가가며) 장그래 씨.
그래   아… 네.
영이   (가시 돋지만 애써 참고) 점심 식사 하러 안 가세요?
그래   아… 네. 전… 배가 안 고파서…
영이   장그래 씨, (하…) 마마보이예요? 혼자선 아무 일도 못 합니까? 혼자선 밥도,
그래   (OL) 저 그렇게까지 바보는 아닙니다.
영이   (멈칫)
그래   (보다가…) 정말 배가 안 고파서 그래요. 긴장해서겠죠.

쳐다보는 영이… 시선 받는 그래… 그러고 있는데 배에서 나는 꼬르륵 소리… 그대로 돌이 되는 그래… 보다가 가버리는 영이.

S#41 — 엘리베이터 앞, 낮

승강기 복도로 나오는데 가까운 엘리베이터가 닫히려고 한다. 달려가는데 안에서 가차 없이 닫힘 버튼 누른다. 머쓱한데 옆에 엘리베이터 오고 기다리던 백기와 인턴들이 우르르 탄다. 황급히 가는 그래, 마지막으로 이상현이 타고 뒤따른 그래도 타려는데 꽉 차 있는 내부. 머뭇거리는 그

래… 사람들, 그래의 포기를 기다리듯 보고 있다. 뒤쪽에 선 백기도 말없이 보고 있다.

이상현   어쩌죠? 자리가 없네요.
그래   아, 네. 먼저.

그래, 물러서면 닫힘을 누르는 이상현. 그래의 눈앞에서 닫히는 문.

S#42 — 엘리베이터 안, 낮

이상현   그 친구네요.
인턴2(오리발2) 얼마나 빽이 좋길래 시험도 안 치고 인턴에 뽑혔을까요?
석호   스펙이 엄청난가 봐요. 특채 될 정도면.
이상현   뭐, 아이비리그라도 나왔나?

인턴들, 불만이 약간 섞인 소리로 수긍한다. 그 와중에 묵묵한 백기.

S#43 — 계단, 낮

터벅터벅 내려가는 그래.

S#44 — 식당 안, 낮

넥타이맨으로 빽빽해 와자지껄한 식당 안이다. 얘기 중인 백기 일동 자리에 음식이 나오고 있다.

이상현   (불만 가득) 어쨌든 불공평해요. 이건 공정한 경쟁이 아니라구요.
백기   (묵묵히 먹기만) …
석호   (찜찜하지만) 설마 정식 입사 때도 그런 특혜를 주겠어요?
인턴2   (한숨) 넘사벽은 안영이 씨 하나면 족하다구요~
이상현   (문 쪽 보며) 양반은 아니네요.

모두들 이상현의 시선을 쫓아 보면 혼자 들어온 그래, 빈자리에 앉는다. 그래에게 집중하는 인턴들. 그래, 두리번거리다가 그들을 본다. 인턴들 가식적인 미소. 백기는 편안한 표정. 그래, 꾸벅하면

백기	장그래 씨, 이리 오세요.
일동	(당황해서 백기를 본다)

Cut to.

어색하게 앉아 있는 그래와 인턴들…

인턴들	(어색한 웃음만…)
석호	(헛기침 후) 난 김석호입니다.
그래	장그랩니다.
일동	(역시 어색)
백기	장그래 씨, 인턴 스터디 모임에 나오세요.
일동	(당황해서 백기를 본다)
그래	아… 네… 전 뭐…
이상현	(미소) 장그래 씨가 뭐가 아쉬워서 스터디를 합니까?
그래	네?
인턴2	맞아요. 안영이 씨도 안 나오잖아요. 스터디란 게 1등은 얻어갈 게 없는 거거든요.
이상현	(웃으며) 근데, 장그래 씬 대학 어디 나왔어요? 하버드? 스탠포드? 아님, 스카인데 집안이 빵빵한 건가?
일동	(웃으며 보는데)
이상현	(역시 웃으며) 하하, 궁금한 건 못 참는 성격이라.
그래	전 고졸 검정고시가 답니다.
백기	(보는)
이상현/일동	(어이없는 얼굴)/(당황) !

S#45 — 식당 밖, 낮

영이, 식당 쪽으로 오는데, 마침 인턴들이 나오고 있다. 어색하거나 찜찜하거나 어이없거나 한 표정들.

이상현	어이없네. 원래 원인터가 학력철폐 시범기업이었어요?
석호	어? 안영이 씨, 늦었네요?
백기	이제 와요?
영이	네.
석호	오늘 김치찌개 맛있어요.
영이	(웃으며) 네. (문 쪽으로 들어가려는데 뒤에 들리는 소리)

　　　인턴2　　　(Off) 아, 아까 그래서 영이 씨 뒤를 그렇게 졸졸졸 따라다녔구나.

식당 안으로 들어가는 영이.

S#46 — 식당 안, 낮

들어서는 영이, 사람들 빠져나가고 드문드문한 식당 안. 다른 인턴들 밥이 아직 치워지지 않은 탁자에 홀로 앉아 묵묵히 밥을 먹고 있는 그래가 보인다. 영이, 보다가 한쪽에 앉는다. 주문 받는 직원에게 "김치찌개요" 하고 다시 그래를 본다.

영이　　　　…

#그래 쪽. 묵묵히 먹고 있는 그래.

　　　　　　[Flashback] S#44
　　　　　　그래　　　전, 고졸 검정고시가 답니다.

　　　　　　당황하고 싸해지며 곧 어색해지는 분위기의 인턴들. 헛기침하기도…
　　　　　　외면하기도… 이상현은 기가 막힌. 백기는 묵묵…

영이　　　　(Off) 앉아도 돼요?

그래, 보면 영이 서 있다. 앞에 앉으며.

영이　　　혼자서도 잘 먹네요.
그래　　　(보면)
영이　　　아깐 미안했어요.
그래　　　네…
영이　　　"네"요? (웃으며) 보통 '아뇨, 괜찮습니다' 하는데요.
그래　　　잘못한 게 없을 땐 '네', 하죠.
영이　　　(보는)
그래　　　(숙이고 묵묵히 먹기만)

Episode 1

S#47 ── 외경, 밤

S#48 ── 회사 근처 거리, 밤

퇴근하는 직장인들의 풍경. 그 사이를 창백한 얼굴로 묵묵히 걸어가는 그래.

이상현   (E, 열받은) 아오~ 좀 열받네.

S#49 ── 회사 휴게구역, 낮(회상)

커피 마시는 인턴들. 그 사이에 자원팀 하 대리.

이상현   우리가 여기 인턴으로라도 들어오려고 얼마나 열심히 공부했어요?
대학 4년이 고등학교 연장이었다구요. 안 그래요? 장백기 씨?

백기   (가볍게 커피 마시며 피식 웃으며) 입시 연장이었죠.

석호   (한숨) 그놈의 스펙 8종 쌓느라고… (한숨)

이상현   (하 대리 보고) 형님도 그러셨잖아요? 저 입학했을 때 형님 4학년이었죠?

하 대리   (웃으며 끄덕끄덕) 그랬지.

석호   은근 끼리끼리 동문 많네요? IT팀 이 과장님은 우리 과 선밴데.

인턴2   아, 근데 저 사람은 대체 무슨 대단한 빽일까요? 그렇게 있어 뵈진 않는데…

이상현   빽은 빽이고요, 액면가는 견적 딱! 나오는데 뭐,

인턴2   (하 대리에게) 요즘엔 회사도 사회배려자 전형 같은 게 있나요?

이상현   좀 건방진 말이지만요, 솔직히 기분 나빠요.

일동   (보면)

이상현   저런 급의 사람도 올 수 있는 데를 내가 뭐 하러 오나…
형님, 솔직히 우리 학교 정돈 아니어도 인 서울은 기본 아닌가요?

하 대리   너 인마 건방진 말 맞고, 잘해줘라. 쟤 오래 못 있는다. 이 빌딩 어디에
쟤 있을 자리가 있겠냐?

#일각. 창백해진 얼굴로 듣고 있는 그래…

S#50 ─ 회사 인근 먹자골목, 밤

음식점 유리 안으로 보이는 샐러리맨의 모습들, 술 먹고 건배하고 격려하고 위로하는 모습들. 골목 곳곳엔 다투고 토하고, 등 두드려주고, 취해서 어깨동무하고 가는 샐러리맨들의 모습들⋯ 멈춰 서서 그 모습을 보는 그래⋯

S#51 ─ 집으로 가는 길, 언덕 공원, 밤

언덕배기를 오르는 그래⋯ 언덕 공원에 서서 아래를 보는 그래. 서울 빌딩의 수많은 불빛⋯ 그 불빛들을 말없이 보는 그래.

하 대리	(E) 이 빌딩 어디에 재 있을 자리가 있겠냐?
그래	⋯

S#52 ─ 그래의 방, 밤

어두운 방에 들어서는 그래. 불도 켜지 않고 우두커니 서 있다. 책상 옆 구석에 둔 바둑판과 바둑알을 쳐다보다가⋯ 점점 일그러지는 얼굴. 옷장 문을 확 열고 바둑판과 바둑알을 옷장 구석에 확! 쑤셔 박고는 문을 쾅! 닫는다. 일그러진 얼굴로 돌아서는 그래.

S#53 ─ 옷장 안, 밤

쑤셔 박힌 바둑판과 쏟아진 바둑알⋯ 검은 바둑알에서⋯

S#54 ─ 한국 기원 내국상, 낮(과거)

검은 바둑돌을 집어 드는 아홉 살 소년의 손. 어린 장그래다. 그 뒤로 걸려 있는 '1997년 1회차 한국기원 연구생 선발전' 현수막. 영특해 보이는 그래, 고심 끝에 한 수를 놓으면 CA. 상대 쪽으로 팬 해서 다시 장그래로. 열네 살이 되어 있고 뒤에는 '제93회 연구생 입단대회' 현수막. 그래, 한 수를 놓고 고개를 떨구면 CA. 상대 쪽으로 또 팬 해서 다시 장그래로. 열일곱 살의 장그래. 뒤에는 '제106회 연구생 입단대회' 현수막이다. 상대가 마지막 수를 두자 고개를 떨구는 열일곱 살의 그래⋯

그래 　　　(Na) 길이란, 걷는 것이 아니라 걸으면서 나아가는 것이다.
　　　　　　나아가지 못하는 길은 길이 아니다.
　　　　　　길은 모두의 것이지만,
　　　　　　모두가 그 길을 가질 수 있는 것은 아니다.

S#55 ── 기숙사 복도, 밤(과거)

방문이 열리고 나오는 그래, 현관으로 걸어가며 후드를 뒤집어쓴다. 시계를 보고 주변을 살핀 뒤 몰래 현관문을 여는데,

사범 　　(E) 이것 때문이란 생각은 안 해본 거냐?
그래 　　! (돌아보면)
사범 　　그 기재를 갖고도 번번이 입단 문턱에서 실패하는 이유 말이다.
그래 　　사범님…
사범 　　아르바이트, 이제 그만둬라.
그래 　　(당황해서 숙이는)
사범 　　집안도 어렵고, 아버님도 편찮으신 거 안다. 하지만 그래야…
　　　　　너 이렇게 해선 계속 어려울 거다.
그래 　　사범님…
사범 　　모두들 학교도 그만두고 바둑에만 매달리는 이유, 알잖니. 너도 그래왔고.
그래 　　(고개만 떨구고) …

S#56 ── 편의점, 밤(과거)

창고에서 박스 들고 나와 물건을 진열대에 채워 넣는 그래… 일하면서도 자신이 정리한 기보를 꺼내 보는 그래. 얼마나 봤는지 너덜너덜하다.

사범 　　(E) 한국기원 연구생 신분은 올해로 마지막 아니니? 올해 입단하지 못하면
　　　　　더 어려워질 거다… 아르바이트는, 그만두거라. 그래야.

어두운 얼굴로 한숨 쉬는데 전화 온다. 액정에 뜨는 '엄마'. 불길한 느낌의.

S#57 ── 장례식장, 낮(과거)

붉어진 눈으로 상복에 상주 띠 두른 그래, 조금 열린 방문 앞 툇마루에 앉아 있다. 안에서는 엄마의 울음소리가 쏟아진다.

그래 엄마   (E) 이런 법이 어딨어요, 이런 법이~ 이렇게 혼자 가는 법이 어딨어~

붉어진 눈으로 방 안을 본다. 문틈으로 보이는 웃고 있는 아버지 영정 사진.

그래   (Na) 내 길은 거기서 끝났다.

S#58 ── 한국 기원 대국장, 낮(과거)

'제107회 연구생 입단대회' 현수막 앞에서 어린 상대와 대국 중인 그래. 상대가 마지막 수를 두자 고개를 떨구는 열여덟 살의 그래.

그래   (Na) 기재가 부족하다거나 운이 없어 매번 반집 차 패배를 기록했다는 의견은
         사양이다.

S#59 ── 기숙사 안, 낮(과거)

그래, 잔뜩 쌓인 기보집과 복기록 등 자료들을 배낭에 넣는다. 그러고도 한참 남은 기보집을 노끈으로 묶는 그래.

그래   (Na) 바둑과 알바를 겸한 때문도 아니다.
         용돈을 못 주는 부모라서가 아니다.
         아버지가 돌아가시고 어머니가 자리에 누우셔서가 아니다.

S#60 ── 기숙사 밖, 낮(과거)

양손에 기보집 묶음을 들고 나오는 그래. 후드에 깊이 가려진 그래의 참담한 눈빛이 비로소 드러난다.

그래   (Na) 그럼 너무 아프니까.

그래서 난 그냥 열심히 하지 않은 편이어야 한다.

열심히 안 한 것은 아니지만 열심히 안 해서인 걸로 생각하겠다.

난 열심히 하지 않아서 세상으로 나온 거다.

난 열심히 하지 않아서 버려진 것뿐이다.

S#61 ─ 그래의 방, 밤(현재)

어두운 방 안… 팔을 두르고 누운 그래…

S#62 ─ 그래 엄마의 방, 밤

걸어둔 양복을 쳐다보고 앉아 있는 그래 엄마, 한숨 쉬는데…

S#63 ─ 그래의 집 방, 이른 아침

어제와 같은 양복 차림의 그래, 넥타이를 목에 거는데 들어오는 모.

그래 엄마   하루 더 입어야 되겠다. 바빠서 못 샀어.

그래   천천히 사세요. (보고) 눈은 왜 빨개?

그래 엄마   너 때문에 잠을 못 자 그래. 밤새 왜 그렇게 뒤척이니?

그래   엄마 코 고는 소리 때문에 잠을 잘 수 있어야 말이지.

그래 엄마   큼…

그래   다녀오겠습니다. (간다)

그래 엄마   (그 뒷모습을 보는) …

S#64 ─ 출근길, 아침

출근 인파 사이에 섞여 걸어가는 그래… 어색하다.

S#65 ─ 원인터 외경, 아침

S#66 — 원인터 사무실 안, 아침

들어서는 그래. 이른 시간이라 사람이 드문드문한 사무실을 본다. 낮밤이 바뀐 일부 해외 영업팀은 해당 나라 언어로 통화 중이다.

직원1   스웻 데미지(Sweat Damage)가 심한 지연인데요, 전위험 담보 조건으로
          바꿔야겠는데? 괜찮으시겠습니까?
직원2   (영어) 거기보다 한국이 유리할 것 같은데 그래도 좀더 신중하게 알아봐야겠습니다.
직원3   (스페인어) 아, 예. 공장장님 잘 지내시죠? 우리 쪽에서 받은 인콰이어리
          확인 부탁드린 건 어때요? 가능하겠어요?

S#67 — 영업3팀 안, 아침

윗옷을 벗고 앉는 그래. 차분히 3팀 안 이곳저곳 둘러본다. 여전히 엎어져 있는 상식 책상의 액자도 풍경 속에 묻혀 있다. 그래, 상식의 책상에 붙은 비상 연락망에 눈길이 머문다. 이름과 전화번호를 보고 전화의 번호판을 유심히 본다. 전화번호 순서대로 번호판의 모양을 외우는 중이다. 몇 번 반복하고…

S#68 — 원인터 로비 + 엘리베이터 앞, 아침

출근하는 영이 곁에 백기가 나란히 와 걷는다.

백기   회사 로비가 좀 익숙하네요, 벌써.
영이   안녕하세요.
백기   생각했던 것보다 힘들 거다, 각오도 했었는데. (미소) 안영이 씨는 어때요?

영이 휴대전화 진동 울린다. 받으려고 본다. 액정에 뜬 발신인은 '…'. 멈춘다. 굳어지는 표정의 영이. '거부'를 터치해 끈다. 백기, 그런 영이를 약간 의아하게 보는데 아무렇지 않은 얼굴로 다시 걷는 영이. 전화가 또 온다. 안 받는 영이. 보는 백기.

S#69 — 원인터 사무실 안 + 영업3팀 안, 아침

전화 받으며 허겁지겁 오는 동식, 다급한 얼굴이다.

동식	오 과장님 공항 도착하셨을 겁니다. 네? 바로요? 네, 알겠습니다 부장님.
	(전화 끊고 급히 영업3팀 쪽으로 걸으며) 아~ 진짜 미치겠네! 아니, 헨리 걔는
	내일 오기로 해놓고 오늘 오면 어쩌자는 거야?! (영업3팀 안으로 들어오며 다급히)
	아! 장그래 씨!
그래	(일어나 인사하며) 안녕하십니까?
동식	(다급히 서류 챙기며) 오 과장님 전화 좀 돌, 아 참, 모르지. 아~ 나.
	(자기 휴대전화로 걸려는데)
그래	(책상 위 전화를 들어 거침없이 번호를 누른 후 넘겨준다) 여기 있습니다.
동식	(멈칫) 어? 어… (받으며 그래를 흘끔 보며) 내가 가르쳐줬었지?

S#70 — 공항 밖 혹은 공항 주차장, 낮

출입문이 열리고 여행용 캐리어를 끌고 통화하며 나오는 오 차장. 머리는 부스스, 뒷머리는 눌리고, 충혈된 눈에 수염이 자라 까칠한 턱.

상식	야! 인마! 내가 오늘 온다 했는데 걜 오늘 보내면 어떡해!

S#71 — 영업3팀, 낮

동식	그쪽하고 커뮤니케이션이 꼬였나 봐요. 9시 30분까지 킹스호텔 커피숍이요.
상식	(E) 인마! 그 시간까지 무슨 수로 가! 출근 시간대야!
동식	부장님이 무슨 수를 써서라도 가시랍니다. 네? 전 좀 이따 다렌 가요.
	네, 오징어 때문요. 저녁 비행기로 올 거예요.

S#72 — 도로, 낮

꽉 막힌 출근길 도로.

S#73 — 상식의 차 안, 낮

상식, 막힌 도로 상황에 거의 패닉 상태로 앞을 노려보고 있다.

라디오	(E) 출근길 교통 상황입니다. 오늘 유난히 교통량이 많은데요. 서울 시내 주요 도로 양방향 모두 꽉꽉 막혀 있습니다. 먼저 올림픽 도로입니다.
상식	(전화 오자 받자마자) 30분 동안 500미터.
동식	(E) 네에~?! 어떡해요!
상식	날으랴?

#영업3팀 동식 + 상식의 차 안 상식 (분할 화면)

동식	지금 어디신데요?!
상식	동식아… 우린 익숙한 것, 친숙한 것으로부터 낯설어지기를 연습해야 한다. 그래야 우린 좀더 우리 삶을 새로운 차원에서 경험해볼 수 있지. 낯설게 보기 위해 우리는 공포에서 한 발짝 떨어져 볼 필요가 있다.
동식	과장님, 아까 부장님이 과장님 정신 줄 놓으시면 해고 예고 수당 드린대요.
상식	(정신 번쩍) 지금 올림픽 도로, 평균 진행속도 시속 12킬로미터. 미팅 장소까지 8킬로미터. 예상 소요시간 50분. 미팅 시간 30분 오버 예상.
동식	30분이나요?! 일단 끊어보세요.

S#74 —— 영업3팀, 낮

동식	아~ 미치겠네. (전화기 열며) 부장님 핸폰 번호가…
그래	(또 유선전화를 들어 거침없이 번호를 누르며) 연결했습니다.
동식	(놀란다) 어? 어… (전화 받으며) 부장님. 동식인데요. 과장님이… (놀란) 예? (그래를 보며) 아니, 그래도 앨 어떻게… (전화에 작게) 부장님, 앤 아무것도 모릅니다아. (난감한) 예… 예… 예, 알겠습니다. (전화 끊고 그래를 본다)
그래	(네? 하듯 쳐다보면)
동식	(하~ 어이가 없지만…) 장그래 씨, 그래 씨가 좀 가야겠어.
그래	(놀란) 네?
동식	말 안 되지? 다른 방법도 없어. (인삼절편 샘플 챙기며) 무슨 수를 써서라도 오 과장님 가실 때까지 잡아둬. 알았지?! (샘플 주며) 자, 인삼절편 샘플 (발음이 안 돼 몇 번 시도 애드리브 후 할 수 없이 또박또박) 인.삼.샘.플.절.편.
그래	(긴장한 얼굴로 받는)
동식	(단단하게) 26년 동안 한 일은 없어도 쓸 만한 놈이란 걸 보여줘라.
그래	(보다가) 네. (꾸벅하고 가면)
동식	(그래의 뒷모습을 보며) 꼭 보여 (허물어지며) 줄 리가 줄 리가 없잖아~! 무슨 수로~ 무슨 수로오~

Episode 1

걸어가는 그래의 뒷모습.

S#75 — 도로, 낮

꽉 막혀 있는 도로에서 여기저기 빵빵~

S#76 — 호텔 카페 안, 낮

샘플이 든 쇼핑백을 들고 긴장한 얼굴로 들어서는 그래.

그래   (Na) 나라고

　　　　　　[Flashback] S#74
　　　　　　동식   무슨 수를 써서라도 잡아둬.

한눈에 창가에 앉아 있는 외국인이 보인다. 더더욱 긴장으로 굳어서 쳐다보는 그래.

그래   (Na) 무슨 뾰족한 수가 있겠냐…

S#77 — 호텔 주차장, 낮

차에서 사색이 되어 내리는 상식.

상식   그렇다고 걔를 보내면 어떡하냐아~! 영어도 못 한다며?!
동식   (E) 활 떠났고요, 저도 떠났구요, 나머진 진인사대천명이죠.
상식   (한숨) 끊자. (끊고) 그래, 싹수가 노란 놈인지 파란 놈인지 보자구.

S#78 — 호텔 카페 입구, 낮

초췌한 매무새를 다듬으며 다급히 카페 안으로 들어서는 상식. 카페 안이 비었다. 조금 일그러지는 표정. 휴대전화를 꺼내며 시야를 가린 기둥이나 벽을 천천히 지나는 상식. 서서히 나타나는 풍경에 멈칫한다. 창 옆에 자리한 그래와 헨리. 헨리는 고심하는 표정과 자세로 탁자 위 흰 종이를 뚫어져라 보고 있고, 그 앞에 앉아 담담하게 쳐다보고 있는 그래.

상식　　(의아하게 보며) 뭘 하고 있는 거야…?

앉아 있는 그래를 호기심 어린 눈으로 보는 상식.

S#79 ― 카페 안 그래의 자리, 낮

상식　　헨리?
헨리　　(이하 헨리 대사 영어로) 헤이! 미스터 오!

일어나며 목례하는 그래와 눈이 마주치는 상식. 다시 헨리에게.

상식　　(영어) 미안해요, 오래 기다리게 해서.
헨리　　오! 괜찮아요. 미스터 장 때문에 지루한 줄 몰랐어요.
상식　　네?

그래를 보면 의연한 얼굴의 그래. 상식, '얘 봐라' 하는 표정으로.

S#80 ― 호텔 주차장, 낮

차 앞에서 헨리를 배웅하는 상식과 그래.

상식　　그럼 현장 방문하시는 날에 다시 뵙겠습니다.
헨리　　그러죠. (인사하고 가려다가) 아! (그래에게) 아까 그 퀴즈 이름이 뭡니까?
상식　　(의아하게) 퀴즈?
그래　　…바둑입니다.
상식　　바둑? 아! 고! (다시 그래에게) 고 맞지? (헨리에게) 고라고 합니다.
헨리　　고?
그래　　아뇨. (또박또박) 바둑.
상식　　(그래를 본다)
헨리　　바둑. (끄덕끄덕하며) 재밌었어요. (인사하고 차 뒷좌석에 타면 출발한다)

상식	(그래를 힐끔 보며) 바둑 가르쳐주고 있었어?
그래	네. (주머니에서 헨리가 쳐다보고 있던 종이를 꺼내준다)
상식	(보며 피식 웃고 종이 주며) 잘 둬?
그래	아뇨.
상식	(응? 하듯 본다)
그래	그냥, 어쩌다 딱 거기까지만 아는 거라서요.
그래	(Na) 배운 게 도둑질이라고…
그래	더 늦으셨음 밑천 털릴 뻔했습니다.
상식	(허! 하며 헛웃음 짓고는) 재밌는 녀석이네? (웃으며 차 쪽으로 간다)
그래	(Na) 싫다. 정말.

일그러지는 얼굴로 손에 쥔 종이를 화악 구긴다.

S#81 — 상식의 차 안, 낮

빨개진 눈으로 운전에 집중한 상식, 단단한 옆모습이다. 그래, 상식이 눈치채지 못하게 차 안을 슥~ 본다. 서류, 파일, 샘플들이 마구 던져진 채 쌓여 있는 난잡하고 복잡한 차 안. 할 말을 잃는 그래.

상식	고졸 검정고시는 그렇다 치고, 외국어 전무, 특기 전무, 스펙 전무, 요즘 애들답지 않네. 여기 오기 전엔 뭐 했어?
그래	…아무것도 안 했습니다.
상식	(흘깃 봤다가 다시 정면) 그럼, 이제부터 시작하겠다는 거냐? 스물여섯에?
그래	네. (흔들림 없이 정면 본다)
상식	(그런 그래를 보다가) 너, 억세게 운 좋은 놈인 거 알아?
그래	네?
상식	내가 있었음 안 받아 인마. 오바마 줄 타고 내려왔어도 안 받았다.
그래	(숙이는…)
상식	당장 바이어랑 맞장 떠서 계약서 사인 받아 올 수 있는 놈이 필요하거든. 키워서 잡아먹을 놈, 필요 없어 우리 팀엔.
그래	죄송합니다.
상식	들어가는 이 길로, 너 도로 가져가라고 할 수도 있다.
그래	과장님.
상식	너 나 홀려봐.
그래	네?
상식	홀려서 널 팔아보라구. 너의 뭘 팔 수 있어?

그래	(쳐다보는, Na) 나의 무엇, 내게 남은 단 하나의 무엇.
상식	없어?
그래	(Na) 내가 가장 잘할 수 있는 무엇.
상식	없지?
그래	노력이요.
상식	(본다)
그래	(당황) 그… 그러니까… 전 지금까지 제 노력을 쓰지 않았으니까… 제… 제 노력은 새빠시 신상입니다!
상식	뭐… 뭔 신상?
그래	열심히 하겠습니다. 무조건 열심히 하겠습니다.
상식	안 사, 인마!
그래	!

S#82 — 도로, 낮

부웅~ 달리는 상식의 차.

S#83 — 영업3팀, 낮

인사하며 급히 책상으로 오는 상식, 그 속도에 맞춰서 뒤따라오는 그래.

상식	(전화 거는) 동식아. 아, 잘 해결됐어. (사이) (그래 흘깃 보며) 하여튼 잘됐어. 그리고, 말레이시아 클레임 건 말야, 우리가 부담 못 하지. (컴퓨터 조작하며) FOB 계약했을 거야. 맞네. 목포장• 불완전 여부 충분했잖아. 운송인 상업과실•• 여부 따져야 하고, 사유 충분하니까 들어오는 대로 쪼아! 이 새끼들, 호구 잡겠단 거야? 끊어. (윗도리를 벗으며) 왜 안 사겠다는 건지 알아?
그래	…
상식	(의자에 걸으며) 흔해 빠진 게 열심히 하는 놈들이거든, 회사란 데가.
그래	! …
상식	(의자 끌어 앉으며) 고로, 니가 팔려는 물건은 변별력이 없다.
그래	제 노력은 다릅니다!
상식	달라? (어이없어 돌아보며) 뭐가 달라?
그래	질이요.

•   수출용 사각 박스형 포장.
••   운송인이 운송품의 선적, 적부, 운송, 보관, 양하 등을 적절하고 신중하게 행하지 않아 발생한 운송품의 손해.

상식	(찡그리며) 엉?
그래	(Na) 이게 말이냐 막걸리냐.
그래	야… 양도요.
상식	(어이없이 보는, 헛웃음 웃으며 서랍에서 외장하드 하나를 꺼내 툭 주며)
	그래, 얼마나 다른지 보자. 우리 팀 아이템 관련 서류들이야.
	폴더는 만들었으니까 해당 폴더에 정리해서 옮겨.
그래	(받으며) 네… (외장하드를 본다)
상식	할 수 있겠어?
그래	네!
상식	뭐 해? 가서 해.
그래	네! (후다닥 자리로 가서 컴퓨터 컨다)
상식	(어이없이 보며) 질과 양이 다른, 새빠시 신상?

S#84 — 백화점 양복 코너, 낮

포장한 양복을 내어주는 점원.

그래 엄마	(받으며) 신상 맞지이?
점원	예에~ 맞습니다. 카드로 하시면 6개월 무이자 할부 가능하세요.
그래 엄마	카드 읎어~ (만 원짜리, 천 원짜리로 현금 세서 건네며) 신상 확실하지~?

S#85 — 영업3팀, 낮

그래의 컴퓨터 안. IT제품군 수출입 관련 제안서, 기안서, 매출현황들이 뒤죽박죽 널려 있다. 유심히 쳐다보고 있는 그래.

| 그래 | (Na) 뒤죽박죽이네. 하지만, |

A4 용지 한 장을 펼치고 펜을 든다. 화면을 보며 조금 생각하는.

[Flashback]
컴퓨터에 기보 정리 폴더 작업을 하고 있는 어린 그래. 대회별, 개인별, 나라별, 포석, 행마, 사활, 끝내기, 초반, 중반, 종반, 시대별, 인물별, 수형, 신형 등으로 정리된 폴더들.

그래 　　　　(Na, 자조적으로) 이런 것도 써먹을 데가 있긴 하네…

종이에 마인드맵 형식으로 분류를 시작한다.

그래 　　　　(Na) 일단 분류를 하려면… (종이 가운데 동그라미를 그려 뭔가를 적으며) 중심 주제를
　　　　　　　정하고, 가지는 생각의 흐름에 따라 만들어가면 될 테니까…

다시 화면을 보며 약간 갸웃하는 얼굴이더니 클릭해서 폴더명들로 빠져나와 죽 본다. 고심하는…

그래 　　　　(Na) 과장님이 만들어주신 폴더에 욱여넣으려니 판단이 안 되는 몇몇 파일이
　　　　　　　걸리는데… 음…

그때 휴대전화로 전화 온다. 보는.

S#86 ─ 윈인터 로비, 낮

다급히 엘리베이터에서 내리는 그래, 돌아보면 로비 한가운데 서 있는 그래 엄마.

그래 　　　　(다급히 가며) 웬일이세요? (난감한) 제가 지금 좀 바빠서,
그래 엄마 　　(옷을 툭 주며, OL) 갈아입어라.
그래 　　　　(당황) 엄마.
그래 엄마 　　너도 부모 돼봐라. 자식 놈 개운찮은 꼴로 있는 걸 보믄, 요 눈꺼풀에
　　　　　　　착 달라붙어 종일 암 일도 못 해.
그래 　　　　(받으면)
그래 엄마 　　드가라. 간다.
그래 　　　　(얼른 돈 꺼내며) 엄마, 택시 타세요.
그래 엄마 　　지랄 옆차기 한다아~ (휘적휘적 간다)
그래 　　　　(그 뒷모습 보는…) …엄마! 밥 드셨어요?!
그래 엄마 　　(쳐다보지도 않고) 먹었지 그럼! (휘적휘적 걸어 나가는)

엄마의 뒷모습을 보고 서 있는 그래.

S#87 ── 통로, 낮

영이가 남긴 전화 메모들 들고 싱글벙글하며 걷는 상식.

상식   안영이… 안영이가 받아줬단 말이지?

S#88 ── 영이의 자리, 낮

영이, 혼자 일하고 있는데 어슬렁어슬렁, 매의 눈으로 다가온 상식.

상식   섬유3팀 큰 건 올렸던데.
영이   (일어나며) 과장님.
상식   (메모 보이며) 이거 땡큐고.
영이   네, 아닙니다.
상식   (미소 띠고 쳐다보고만 있다) …
영이   …
상식   (흐뭇하게 보고만) …
영이   …? 저… 하실 말씀이라도.
상식   (정신 들고) 어? 어… 어. (가려다가) 내가 무슨 팀인지 알지?
영이   (어리둥절) 네에…
상식   우리 팀은 별거 별거 다 하는 거 알지? 그만큼 일 배우기 좋은 팀이거든?
영이   (어리둥절) 네…에.
상식   인턴 끝날 때 콕 박아두라고. 희망부서 영업3팀. 그럼 또 봐. (간다)
영이   ?

S#89 ── 통로, 낮

상식   (걸으며) 꼭 우리 팀에 왔음 좋겠는데… 신상이 저 정도는 돼야 질을 평하든
                양을 논하든 하는 거지. (갸웃) 근데, (영이를 돌아보며) 쟨 왠지 신상 같아
                보이질 않단 말이지.

상식의 시선 끝에 열심히 일하고 있는 영이. 상식과 마주 오던 백기, 상식과 부딪힐 듯하자 비켜
주며 목례한다. 인사 받고 가는 상식, 다시 걸어가는 백기.

S#90 ── 영이의 자리, 낮

책상 위 영이의 전화 진동 울린다. 보면 발신자는 또 '…'. 얼굴이 굳어지는 영이, 지나가던 백기가 영이를 캐치한다. 보면, 전화를 받을 생각 없이 쳐다만 보고 있는 영이. 한없이 차가운 표정이다. 영이 옆을 지나가다가 돌아보는 백기.

S#91 ── 영업3팀, 낮

화면과 종이를 번갈아가며 슥슥 작업을 하다가 잠시 멈춘다. 책상 밑 쇼핑백에 슈트케이스째 담아둔 새 양복. 다시 슥슥 작업을 하다가 다시 양복을 본다. 한숨 쉬는 그래.

그래 엄마	(E) 자식 놈 개운찮은 꼴로 있는 걸 보면 요 눈꺼풀에 착 달라붙어 종일 암 일도 못 혀.
그래	…
상식	(들어오며) 잘되고 있는 거야? (흘깃 보며 앉으며) 뭐 할 줄은 아는 거야?
그래	(돌아보며) 최선을 다하고 있습니다.
상식	최선은 학교 다닐 때나 대우받는 거고, 직장은 결과만 대접받는 데고.
그래	네. (하며 다시 돌아앉아 작업 모드)
상식	(전화 온다. 받으며) 어, 동식.
동식	(E) 오늘 들어간 젓갈공장 오징어 말이에요. 확인을 좀 해봐야겠는데요.
상식	왜? 설마, 또 꼴뚜기 섞었대?
그래	(상식을 돌아본다)
동식	(E) 그랬을 가능성이 큰 거 같아요.
상식	또오?! 진짜 이 꼴뚜기 같은 자식들!
동식	(E) 애들은 발뺌을 하는데요, 아무래도 장난질 친 거 같아요.
상식	자동화 공정이니까 확인 어려울 거다 이거지? 알았어! 오늘 수작업 분류 들어간다고, 한 포대라도 나오면 거래 끊을 거라고 해!
동식	(E) 네! 네? 수작업이요? 공장에 그만한 인력 없을 텐데요?
상식	각 팀장들한테 양해 구할 거니까 걱정 마.
동식	(E) 네? 무슨 팀장이요?!
상식	(그냥 전화를 툭 끊으며) 아~ 이 자식들… (전화 다시 터치하며) 부장님이 자리 계시나?
그래	(일어나서) 부장님 연결할까요?
상식	(멈칫 보며) 어?
그래	(책상 위 전화 들어 능숙하게 누른 후 건네준다)
상식	(어라? 하듯 보며 건네받고) 부장님, 자리 계십니까?

그래   (다시 양복을 쳐다본다) ⋯   76

S#92 — 김 부장실 앞, 낮

영업팀 부장실에서 나와 급하게 걸어가는 상식. 지나가던 고 과장과 만난다. 서로 "어" "어" 하며 아는 척하고 걸으며

고 과장	꼴뚜기 건 업무지원 요청 들어오던데?
상식	(정정해주듯) 오징어 건.
고 과장	숨 돌릴 틈이 없겠네? 여권에 입국 도장 잉크도 아직 안 말랐을 텐데.
상식	후후 불어서 말렸어.
고 과장	그 팀은 언제까지 과장님이 사원님 업무까지 커버해야 된대?
	인력 보충 안 해준대? 아! 참, 왔다지?
상식	(한숨) 왔지. 애나 보내줘. (획 간다)

S#93 — 회의실, 낮

새 옷을 입고 있는 그래, 백기 포함 모여 있는 인턴들.

상식	(그래의 옷을 흘깃거리곤) 젓갈 만들어서 미국에 보낼 건데, 꼴뚜기가 섞여 있음
	그게 오징어젓이야? 꼴뚜기젓이야? 그럼, 원인터 망신은 꼴뚜기가 다 시키겠지?
	무슨 일이 있어도 꼴뚜기 찾아내.
인턴들	(당황)
상식	분위기 왜 이래? 시베리아 가서 에어컨 팔아 오란 것도 아닌데?
인턴들	(심란하지만 표정 관리하는)
상식	장백기 씨, 공장 쪽에 연락해둘 테니까 배차 받고 진행해. (급하게 나간다)
이상현	아~ 이거, 아~ 헷갈려. 우리가 이런 거 하는 거예요? 원래?
백기	현장에 일손이 부족하면 나가서 도와주기도 한대요.
석호	하기야 한석율 그 친군 아예 현장 근무 자청해서 갔죠?
이상현	아~ 그래도 젓갈공장, 이런 현장은 아니죠오~
인턴2	근데, 안영이 씬 여자라고 빼나요?
백기	그쪽 팀 팀장님이 안 내주셨어요.
이상현	(짜증) 거봐요! 이런 일 할 사람은 따로 있단 말이죠. (그래를 본다)
그래	⋯

S#94 ── 영업3팀, 낮

상식	(전화, 고분고분) 네, 부장님. 그렇게 처리하겠습니다. 네. (끊고)

보고 서류를 챙기던 상식의 눈에 그래의 컴퓨터 작업물이 들어온다. '뭐야~?' 하듯 가까이 가서 보고 있는데, 들어서는 그래.

그래	과장님.
상식	장그래, 이 폴더트리는 뭐야? 내가 만들어준 폴더들은 어딨어?
그래	아, 몇몇 분류가 애매한 파일을 정하느라 구성을 달리해봤습니다.
상식	(그래를 흘깃 본다)
그래	(조금 자신 있게 보는)
상식	(다시 컴퓨터를 본다)
그래	그렇게 하면 될까요? ('되겠죠?'의 어조로)
상식	아니.
그래	(당황)
상식	(피식 웃으며) 이게 뭐야아? (그래를 슥~ 보며) 너 친구 없지?
그래	(당황) 네?
상식	(자리로 와서 서류 챙기며) 혼자 쓴 일기 보는 느낌이다. (서류 챙겨 나가며) 크게 기대한 건 아니었어.
그래	…

창백해진 얼굴로 모니터 속 자신의 작업물을 멍하게 보고 있다. 점점 화면 속 작업물이 뭉개진다. 떨궈지는 그래의 머리…

석호	장그래 씨, 갑시다.
그래	(보는)

S#95 ── 젓갈공장 + 뒷마당 트럭 앞, 낮

백기, 이상헌과 인턴3은 고무장화에 작업복, 모자, 고무장갑까지 무장. 석호와 인턴2와 인턴4 그리고 그래는 고무장화와 고무장갑만. 난감한 표정으로 복장을 보는 그래.

공장장	작업복이 모자라가 우얍니꺼?
이상헌	(볼멘) 아~ 이러고 어떻게 일을 합니까아~

공장장	방법이 없네예. 최대한 옷 버리지 않게 조심하이소.
그래	(난감한 얼굴로 자기 옷을 보는)
공장장	냉장 트럭이라 쪼매 추우니까네~ 웃도리 입고 해야 할낍니더. 따라오이소.
	(급한 걸음으로 공장을 가로질러 걸어간다)
일동	(각각의 표정으로 뒤를 따르고)
공장장	(걸으며) 우리가 선별할 시간도 음꼬, (뒤에 자동화 기계 손짓으로 가리키면)
	포대 째로 기계에 드가뿌믄 우리가 우찌할 방법이 음는 기라예. 트럭이 네 댄데
	두 분씩 드가, 포대 안을 하나하나 확인해가 꼴뚜기 섞인 포대만 볼가주이소.
	(뒷마당 냉장 트럭 앞에 도착하고) 해산물은 쉬이 상하이까네… 오늘 중으로 최대한
	빨리 볼가야 합니데이~ 두 사람씩 짝지이소.

어영부영 백기와 석호, 이상현과 인턴2, 인턴3과 인턴4가 짝이 되고 그래만 혼자다.

사장	혼자 하기는 힘들 낀데…

트럭 뒷문 열리는데, 인턴들, 순간 윽! 트럭마다 반 이상 차 있는 오징어 포대들. 그 비린내에 다들 코를 확! 막는다.

공장장	갈고리 하나씩 들고 한 트럭씩 올라타이소!

모두 머뭇거리는 중에 트럭 옆에 있는 갈고리를 잡아 트럭 안에 휙 던지고 확 올라타는 그래.

S#96 ── 그래의 트럭 안, 낮

쌓인 포대를 보는 그래, 양복을 쳐다보더니 윗도리를 벗는다. 벗어서 반으로 접어 두리번거리더니 한쪽 포대 위에 조심스럽게 놓고는 미소… 그러나… 점점 찡그려지는 얼굴… 아~ 추워~ 팔로 몸을 감싼다. 빠르게 엄습하는 찬 기운. 추워서 찡그리고 한숨 쉬는 얼굴로 양복 윗도리를 본다.

S#97 ── 백기의 트럭, 낮

쌓인 포대 더미에서 갈고리로 포대 하나를 끌어당기는 석호. (양복 입고 있다) 포대를 열어 확인하고 다시 포대를 묶는 백기, 석호가 끌어주면 백기가 확인하는 시스템. 손발이 척척 맞아 보인다.

S#98 —— 이상현과 인턴2의 트럭, 낮

튀어나와 적당한 곳에 벗어둔 양복 윗도리를 얼른 입는다.

인턴2   으으~ 추워서 못 있겠어요.
이상현   아~씨. 진짜 냄새나서. 내가 이런 일이나 하려고 토익 점수에 매달린 거 아닌데 말이죠.
인턴2   그러게 말입니다. (한숨) 난 이 회사, 안 맞는 거 같아요.
이상현   (담배 꺼내며) 천천히 하죠, 천천히.

S#99 —— 그래의 트럭, 낮

갈고리로 포대를 끌어오는 그래. 결국 다시 윗도리 입고 있는 그래다. 포대를 열어 뒤적뒤적 확인한다. 오징어다. 묶고, 또 끌어와서 확인하고. 둘 몫을 혼자 하며 열심이다. 이미 트럭의 반 정도는 한 상황이다. 포대 하나를 여는데, 꼴뚜기가 섞였다!

그래   (기쁜) 꼴뚜기다!

다시 묶고 포대에 × 표시를 한다. 시린 손에 입김을 불고 다른 포대를 확 열어젖힌다. 그때 와이셔츠 주머니에 넣어둔 전화 진동. 지지지~ 장갑 낀 손으로 어설프게 전화 꺼내려다가 포대 안으로 떨어져 녹고 있는 오징어 위로 툭! 놀란 그래 "어!" 하며 황급히 꺼내려는데 미끄러지면서 그 틈으로 더 빠져버리는 휴대전화, 잡으려고 할수록 미끄러운 오징어 사이로 더 깊이 들어간다. 당황한 그래, 오징어 사이로 손을 숙~ 넣는다. 더 깊이 넣는다. 바둥바둥하느라 옷도 포대 안에 쓸리고 물에 젖어 엉망이 된다. 겨우 손에 닿는 휴대전화, 주워 보면 화면이 검다. 그래 급하게 작동시키지만 먹통.

S#100 —— 영업3팀, 낮

상식, 전화하고 있다. 속 터지는.

상식   어이구~ 이놈 정말⋯ (다시 어딘가로 전화하는)

S#101 ── 백기의 트럭, 낮

전화 온다. 장갑 벗고 전화 보면 모르는 번호.

백기	여보세요? 아, 네! 오 과장님! (듣는다) 네, 알겠습니다. 네, 그렇게 하겠습니다.
	(전화 끊고) 철수합시다.
석호	(깜짝) 철수요?

S#102 ── 이상현과 인턴2의 트럭 앞, 낮

헤벌쭉 웃고 있는 이상현, 인턴2.

백기	중국 업체에서 시인하고 회수한다고 했답니다.
석호	영업3팀에서 회식 쏘신대요, 고생했다고.
이상현	(장갑 벗어 던지며) 아아~
백기	서둘러요. 사우나라도 들렀다 가려면.
석호	그럼 장그래 씨한텐 제가,
백기	(OL, 석호에게) 석호 씨도 일신 사우나 모르죠? (이상현에게 OL) 장그래 씨한테
	알려주시고 그쪽 차로 같이 오세요.
이상현	(찡그리며) 제가요?

S#103 ── 그래의 트럭, 낮

그래의 트럭 안을 빼꼼 보는 이상현, 인턴2. 그래, 포대 더미 뒤에서 일하고 있어 포대들만 움직이는 게 보인다. 한쪽엔 다 살펴본 포대들이 쌓여 있다.

인턴2	와~ 정말 열심히 하네요.
이상현	(비웃는) 열심히라도 해야죠.
인턴2	장그래 씨!

냉장차의 소음에 묻혀 안 들리는 듯 대답 없다. 인턴2가 다시 "장!" 하는데 잡는 이상현.

이상현	(그냥 말하듯) 장그래 씨, 철수해요오~
인턴2	(의아하게 보는데)

이상현	(웃으며 인턴2를 끌고 가면서) 우린 부른 거예요오~
인턴2	어어~ (어째야 하나 끌려가면서 트럭을 돌아보면)
이상현	못 잊을 추억 하나는 만들어줍시다.

키득거리며 가는 이상현과 "아아~" 하며 대강 수긍하는 듯 같이 가는 인턴2.

S#104 ─── 트럭 안, 낮

아무것도 모르는 그래, 완전히 집중해서 일하고 있다. 반쯤 찢어진 장갑 사이로 빨갛게 부어 있는 손.

S#105 ─── 원인터 안 주차장, 낮

차에서 내리는 백기와 석호, 인턴3, 4. 뒤이어 들어오는 이상현과 인턴2의 차. 내린다.

석호	어? 장그래 씨는요?
이상현	(웃으며) 신고식 중이에요.
석호	네? (어리둥절해서 백기 보면)
백기	(이상현을 본다) 너무 심한 거 아니에요? (그래에게 전화 건다. 꺼진 전화)
인턴2	전화 안 받더라구요.
백기	(전화 끊고) 일단 올라갑시다. 공장 전화번호 알아서 그리 해보죠. (가는)

석호와 다른 인턴들도 가고 뒤를 따르는 이상현, 인턴2.

인턴2	(걱정) 우리가 좀 심했나 봐요.
이상현	(픽) 장백기 씨가 모를 줄 알았어요?
인턴2	네?
이상현	(픽 웃으며 백기의 뒷모습을 보는)

S#106 ── 그래의 트럭 앞, 낮

허겁지겁 오는 공장장.

공장장	정말 아직까지 하는갑네. (안에 대고 크게) 보이소! 보소!
그래	(오징어처럼 젖은 모습으로 나오며) 예!
공장장	(몰골 보고) 어마야~ 뒤처리 단디 하고 간다 해서 안 와봤다만. 보소, 다 갔심더. 와 그러고 있심꺼?
그래	(어리둥절) 가다니요?
공장장	안 볼가도 된다꼬 연락 받고 벌~써 철수했는데.
그래	!
공장장	차도 다 가삐고… 우야노 (안된 듯 보며) 우짜다가 그래, 외따로 떨궈졌노.
그래	(당황)

S#107 ── 도로, 해 질 녘

외곽 느낌 황량한 도로에 빈 버스 정류장. 택시를 잡으려는 듯한 그래, 그러나 택시는 없고 차들은 쌩쌩 지나가고

공장장	(E) 공장 차도 빈 게 엄꼬… 여는 택시 잡기도 힘들 텐데…

지친 그래, 정류장 의자에 털썩 앉는다.

공장장	(E) 우짜다가 그래, 외따로 떨궈졌노.
그래	…

몸에서 나는 비린내. 젖고 구겨져서 형편없는 새 양복을 본다. 고개를 떨구는 그래.

S#108 ── 원인터 엘리베이터, 밤

엘리베이터 문이 열린다. 젖은 오징어 같은 몰골로 내리는 그래… 조용한 사무실 쪽을 본다. 영이, 나오다가 깜짝 놀란다. 그래의 몰골에 또 놀란다. 냄새에 찡그렸다가.

영이	장그래 씨.

그래   … (인사하는)

그때 영이 전화 온다. 보면 장백기. 받는

백기	(E) 영이 씨, 아직 안 끝났어요? 빨리 와요.
영이	… (그래 봤다가) 장그래 씨 왔는데요?
백기	(E) … 아! 좀 바꿔줘요.
영이	(주면) 받아보세요.
그래	여보세요.
백기	(E) 장그래 씨! 왜 그렇게 전화가 안 돼요?
주변	(E) 어? 장그래래요. 장그래.
주변	(E, 낄낄대며) 왔나 보네요?
그래	…예, 그렇게 됐습니다.
백기	공장장님께 들었죠? 이상현 씨가 장난을 좀 친 모양이에요.
이상현	(E, 웃음소리) 미안해요, 장그래 씨. 그래도 신고식은 해야지이~
인턴2	(E, 웃는)
백기	안영이 씨랑 같이 와요. 좀 바꿔줘요.
그래	(바꾸려는데)
이상현	(E, 킬킬대는) 지금까지 꼴뚜기 찾았나 봐.
인턴2	(E, 웃는) 보기보다 미련한가 봐요.

크크큭 하는 웃음소리가 전화기 너머로 들린다. 굳은 얼굴의 그래, 영이에게 전화 준다.

영이	(받으며) 여보세요? 네, 네, 알아요. (그래 봤다가) 네. (끊는다) (그래 보다가)
	같이 오라는데, 갈 거예요?
그래	…네.
영이	(의아하게 보면)
그래	끝은, 봐야죠.
영이	(보는)

S#109 ― 회식집 앞, 밤

나란히 걸어가는 그래와 영이. 둘 다 말 없다. 영이, 그래를 본다. 회식집 문 앞에 나와서 담배 무는 이상현과 백기를 본다. 백기가 먼저 아는 척.

백기	아! 영이 씨. (그래를 본다) …
그래/영이	(다가가면)
이상현	(찡그리며) 아~ 냄새. 와~ (웃으며) 아, 장그래 씨. 좀 씻고 오죠.
영이	(그래를 본다)
이상현	(웃으며) 아~ 품삯으로 젓갈 받아 오셨나?
그래	
백기	전화는 왜 안 돼요? 얼마나 했는데.
그래	오 과장님은요? 보고드려야 하는데.
백기	계속 외근 중이셨어요. 곧 오실 거예요

S#110 ── 가까운 일각, 밤

급히 오던 상식, 그들을 본다. "어" 하고 가려다가 그래의 꼴과 표정 보고 놀란다.

상식	저놈 꼴이 왜 저래?

S#111 ── 회식집 앞, 밤

이상현	죠기, 가까운 사우나 가서 좀 씻고 와요. 냄새. (옷 보고) 아~ 씻어도 옷이…
	(비식 웃으며) 그기에 왜 그렇게 열심히 했어요. 좀 요령껏 하지…
그래	…
영이/상식	(그래를 본다)
이상현	하기야 열심히라도 해야죠. 계~속 그렇게 열심히만 하세요. (히죽거리며 들어간다)
영이/백기	…
상식	…
백기	들어와요.
영이	전 가야 돼요, 너무 늦어서. 미안해서 인사하고 가려고 왔어요.
백기	아… (아쉬운)

영이, 백기에게 인사하고 장그래를 본다. 그래에게도 인사하고 가다가 상식 보고 "아, 과장님" 하고 인사하고 가는 영이. 상식, 그래에게 다가간다.

백기	아, 과장님 오셨습니까?
그래	(멈칫, 인사하면)

상식	… (말없이 그래를 훑는다)
영이	(가면서 그래를 다시 돌아보고… 간다)
상식	넌 인마, 꼬라지가 왜 이래?
백기	일이 좀 있었어요.
상식	무슨 일?
그래	저, (백기에게) 저도 다시 사무실 가서 마저 해야 할 일이 있어요.
백기	(조금 당황)
그래	(삐 있다) 미안해서 인사하고 가려고 왔어요.
백기	(당황)
상식	(어리둥절) 니가 인마 해야 될 일이 뭐가 있어? (보다) 너 설마, 그거 하러 가?
그래	네, 잘못해놨으니까 다시 해두겠습니다.
상식	(당황, 미안) 야, 그거 내일 해도 돼. 들어가 배를 채우든 집에 가 씻고 자든,
	하여튼 복귀하지 마!
그래	아닙니다. 내일 출근하시면 보실 수 있도록 해놓겠습니다. (꾸벅하고 간다)
상식	허! 저놈… 야! 인마! 야!
백기	…

각각의 표정으로 쳐다보고 있는 두 사람을 뒤에 두고 걸어가는 그래. 꾹 다문 입, 차가워진 눈매. 분노를 누르며 서늘하게 굳은 얼굴.

그래	(Na) 내가 열심히 했다고? 아니, 난 열심히 하지 않아서 세상에 나온 거다.
	열심히 하지 않아서… 버려진 거다.
	열심히 하지 않아서… 지금, 여기에, 이러고 있는 거다.

걸어가는 그래. 그런 그래를 보는 상식.

S#112 — 영업3팀, 밤

어둡다. 웃웃을 벗어 의자에 거는 그래. 의자에 앉아 컴퓨터를 켠다… 모니터의 파르스름한 불빛을 받는 그래. 마우스를 움직여 아까 살피던 파일을 딸깍 클릭하는 그래. 엔딩.

Episode 2

제2국

S#1 ── 회식집 앞, 밤

상식	넌 인마, 꼬라지가 왜 이래?
백기	일이 좀 있었어요.
상식	무슨 일?
그래	저, (백기에게) 저도 다시 사무실 가서 마저 해야 할 일이 있어요.
백기	(조금 당황)
그래	(뼈 있다) 미안해서 인사하고 가려고 왔어요.
백기	(당황)
상식	(어리둥절) 니가 인마 해야 될 일이 뭐가 있어? (보다) 너 설마, 그거 하러 가?
그래	네, 잘못해놨으니까 다시 해두겠습니다.
상식	(당황, 미안) 야, 그거 내일 해도 돼. 들어가 배를 채우든 집에 가 씻고 자든, 하여튼 복귀하지 마!
그래	아닙니다. 내일 출근하시면 보실 수 있도록 해놓겠습니다. (꾸벅하고 간다)
상식	허! 저놈…
백기	…

각각의 표정으로 쳐다보고 있는 두 사람을 뒤에 두고 걸어가는 그래. 꾹 다문 입, 차가워진 눈매. 분노를 누르며 서늘하게 굳은 얼굴.

S#2 ── 영업3팀 통로 + 영업3팀 안, 밤

어둠 속 사무실 안을 또각또각 걸어오는 그래. 영업3팀 안으로 들어온다. 웃옷을 벗어 의자에 거는 그래.

그래	(Na) 증명해 보이고 싶었다.

의사에 앉아 컴퓨터를 켠다… 모니터의 파르스름한 불빛을 받는 그래. 마우스를 움직여, 아까 살피던 파일을 딸깍 클릭하는 그래.

그래	(Na) 명확한 분류 기준과 효율적인 활용 가능성… 이 모두를 만족시킬 수 있는 방법.

앉아 있는 그래 뒤로 어둡고 빈 사무실의 전경이 그래를 지켜보듯 펼쳐지더니 잠시 후… 창 안으로 여명이 들어온다. 다시 그래의 자리를 비추면, 빈 책상.

S#3 ── 사우나 탕 안, 아침

꼬로로록~ 물 위로 올라오는 수포… 잠시 후 물속에서 그래, 푸하! 올라오며 푸하푸하 켁켁켁켁
숨을 뱉는 그래.

그래 　　　(Na) 나 자신을…

켁켁거리다가 다시 꼬르륵~ 가라앉는 그래.

S#4 ── 원인터 엘리베이터 안, 아침

"띵!" 소리와 함께 엘리베이터가 열린다. 그래가 서 있다. 뽀송뽀송 발그레한 얼굴과 툭툭 털어
말린 머리에서 방금 사우나에서 나온 태가 난다. 아버지의 양복을 입고 있다. 와이셔츠 위 단추
는 풀어져 있다. 양복 주머니에는 급히 넣은 넥타이 끝이 삐죽 나와 있다. 손에 든 쇼핑백 밖으
로 구겨진 새 양복의 소매 하나도 삐죽 나와 있다. 그래, 15층을 누르는데 다다다닥 급한 발소리
가 들린다. 열림 버튼을 잡아주고 기다리는데 밖에서 버튼을 잡으며 영이가 탄다. 당황하는 그
래, 영이도 조금 당황한다.

그래 　　　안녕하세요.
영이 　　　아… 네. 빨리 출근하셨네요.

그래, 대답 못하는데… 닫힘 버튼을 누르던 영이, 그래의 쇼핑백을 흘깃 본다. 구겨져 나와 있는
양복 소매. 반사적으로 그래가 입고 있는 옷을 본다.

그래 　　　(당황해서) 아… 혹시 근처에 세탁소가.
영이 　　　…글쎄요.
그래 　　　(머쓱) 아…
영이 　　　…어제 안 들어가셨어요?
그래 　　　아… 네. 좀.
영이 　　　(다시 앞을 보고 있다가 그래의 주머니에서 삐져나와 있는 넥타이를 본다)
그래 　　　(영이의 시선 모르고 앞만…)

층이 올라가는 엘리베이터. 두 사람 사이 잠시의 침묵…

영이	인턴은 복장 준수 꽤 철저해요.
그래	네? (무슨 소린가 싶어…)
영이	(삐져나온 넥타이를 본다)
그래	아… (당황해서 주머니에 쑤셔 넣으며) 맬 줄을 몰라서요.
영이	(다시 앞을 본다) …
그래	…
영이	…줘보세요.
그래	(깜짝, 본다)
영이	(손을 내민다)
그래	(머뭇거리며) 괜찮습니다.
영이	주세요. 매드릴게요.

그래, 당황. 주저주저하는데 계속 손 내밀고 있는 영이. 그래, 머뭇머뭇 꺼내서 주고는 부끄러워져서 고개를 숙인다. 붉어지는 얼굴,

그래   전 진짜 괜찮은데… 그… 근데, 누가 타면 그게… 좀 민망할지도 모르겠네요…
            (층 표시를 본다. 몇 층 안 남았다. 초조해지는) 그… 그럼 저기, 옥상이라도 가서

하며 초조하게 영이를 확 돌아보면 자기 목에 넥타이를 두른 영이, 능숙한 솜씨로 마지막 매듭을 짓고 있다. 당황하는 그래! 영이, 목에서 넥타이를 확 빼서 주면 멍하게 보고 있는 그래. 문이 열린다. 영이, 그래의 손에 쥐여주고 내린다. 매듭 진 넥타이를 멍하니 보고 있는 그래.

S#5 ── 영업3팀, 아침

동식의 책상 앞에 나란히 앉아 "와아~" 하며 놀란 얼굴로 모니터를 보고 있는 상식과 동식. 상식은 와이셔츠 차림. 농식은 금방 온 듯 양복 차림 그대로. 책상 위에는 장그래가 작업하던 외장하드가 컴퓨터에 연결되어 있다. 모니터에는 '폴더1'의 하위폴더들이 주르륵~ 떠 있는 상태다. 동식, 다시 전 단계 폴더트리로 간다. '폴더1'에서 '폴더5'까지 있는 상태. '폴더 2'를 클릭하면 다른 식으로 분류한 하위폴더들이 주르륵 뜬다. 동식, 또 "와아~" 하며 감탄을 금치 못한다. 동식, 다시 '폴더3'을 클릭하면 또 다른 방식의 하위폴더들이 주르륵~

동식	(보면서) 와아~ 대단하네요… (상식 보고) 밤새 이렇게 삽질한 거예요?
상식	(외장하드 빼서 자기 자리로 가며) 근성은 있네.

동식	근성만 있겠죠. (옷 벗어 옷걸이에 걸며) 뭐가 문젠지 알려주시지 그러셨어요.
상식	뭐 하러? 어차피 여기 사람 되지도 못 할 텐데.
동식	(앉으며) 그렇긴 하죠. 그나저나 최종 PT 면접은 어쩌려나? 누가 파트너 하겠어요?
상식	(주섬주섬 서류 챙기는)
동식	어지간해야 말이죠… 아, 진짜, 누구 낙하산이에요?!
상식	글쎄올시다. 부장님 주간 보고 들어간다. (서류 들고 서다가 보고 깜짝)
그래	(두 사람에게 꾸벅꾸벅하고 상식에게) 제가
상식	(OL) 봤어. (나가면서) 양은 증명됐더라.
그래	(멀어지는 상식을 보는) …
동식	장그래 씨.
그래	(돌아보며) 네.
동식	과장님이 주신 폴더트리는 왜 무시했어?
그래	무시한 게 아니고… 그대로 하자니 넣기 애매한 파일들이 많았어요.
동식	그래 씨, 그건 회사 매뉴얼이야. 무슨 뜻인 줄 알아?
그래	(보면)
동식	모두가 이해했고 약속했단 뜻이야. 근데, 당신이 이렇게 고치면 문제 있을 때 당신한테 문의해야 하나?
그래	(당황)
동식	회사 일은 혼자 하는 일이 아냐. 당신, 얼마나 있을지 모르겠지만,
그래	(굳은 얼굴로 쳐다보는)
동식	있는 동안만이라도 명심하라구.
그래	…네.

다시 돌아앉아 일하는 동식. 그 동식의 등을 쳐다보는 그래.

| 그래 | (Na) 혼자 하는 일이 아니다. |

[Flashback] 제1국 S#85
컴퓨터에 기보 정리 폴더 작업을 하고 있는 10대 그래.

| 그래 | (Na) 대회별, 개인별, 나라별, 포석, 행마, 사활, 끝내기, 초반, 중반, 종반, 시대별, 인물별, 구형, 신형… |

몰입해서 작업하고 있는 10대 그래.

| 그래 | (Na) 나만 보면 되는 세계였다. |

동식의 등을 보고 있는 그래.

그래　　　(Na) 여기선…

사람들 있는 사무실의 풍경을 보는 그래.

그래　　　(Na) 혼자 하는 일이 아니다…

S#6 ─ 김 부장실, 낮

보고 서류 들고 들어오는 상식, 김 부장이 전화하고 있는 걸 보곤 잠시 멈춰 선다.

김 부장	(웃으며) 어~ 최 이사 덕분에 지난번 라운딩 아주 좋았어. 그러엄. 그래. 또 부탁해. (힐끔 보고) 그래. 연락하자고. (전화 끊으면)
상식	(서류 내밀면)
김 부장	(대충 훑으며) 잘돼가지? 새 아이템 진행.
상식	네, 별문제 없습니다.
김 부장	이번 주 일요일엔 뭐 하나.
상식	별거 없습니다만.
김 부장	산에나 가지. 전무님도 오실 건데.
상식	(본다)
김 부장	(서류 훑고 있는)
상식	아. 생각해보니 일요일에 동창 모임이 있는 걸 깜박했,
김 부장	(OL) 챙겨줘도 받아먹질 못하는 건 바꿀 생각이 없는 건가?
상식	…
김 부장	높은 곳에 올라가야 멀리 볼 수 있다고 몇 번을 말해. 내가 일부러 전무님께 당신,
상식	(OL) 아! 그럼 동창들한테 산에 가자고 해봐야겠습니다!
김 부장	(노려보는)

S#7 ─ 김 부장실 밖, 낮

나오는 상식, 가볍게 한숨 쉰 후 별거 아니라는 표정으로

상식　　　산? (갸웃하고 느긋하게 걸으며) 산은 산이고 물은 물이지이~

상식, 깜짝 놀라 영업2팀 쪽을 보면 고 과장에게 깨지고 있는 석호.

S#8 — 영업2팀 안, 낮

열받아 있는 고 과장 앞에 불쌍하게 수그리고 있는 석호.

고 과장   포워딩 업체● 미팅 잡으란 지가 언젠데 아직까지도 그러고 있어?!
석호   죄… 죄송합니다…
고 과장   너 진짜 짤리고 싶어? 인턴은 못 짜를 줄 알아?!
석호   (다급하게 수그리며) 죄… 죄송합니다.
고 과장   어후! (속 터지는 얼굴로 나간다)

S#9 — 엘리베이터 앞, 낮

고 과장, 거칠게 버튼을 누르는데 후다닥 다가온 상식.

상식   숨 좀 쉬어어~ 아침 댓바람부터 애를 잡고 난리야.
고 과장   (짐승 같은 신음소리 낸다)
상식   넌 인턴 올 때마다 이러더라. 적당히 해. 그러니까 뭐 하러 벌써 맘을 줘?
고 과장   맘을 누가… (한숨~) 업체 미팅 하나 잡으라니까 얼마나 재고만 있는지.
상식   (남 말하듯) 철두철미한 놈이네~
고 과장   (인상 쓰고 상식을 보다가 풀며) 그래애, 니 심정만 하겠냐?
상식   (끄덕끄덕) 알면 됐고.
고 과장   알아~? 원래 알았어? 난 오늘 아침에 들었는데.
상식   응? 뭘?
고 과장   걔 누구 낙하산인 줄 아는 거야?
상식   어? (찡그리며) 아 진짜 누구야? 누가 꽂은 거야?
고 과장   (오 과장을 빤히 본다)
상식   누구우?!
고 과장   전무.
상식   (멈칫 본다) 뭐?

●   화물 운송 관련 업무를 취급하는 운송 주선인이 운영하는 업체.

굳어지는 얼굴 위로 요란한 파쇄 소리.

S#10 — 탕비실 안, 낮

요란한 소리와 함께 파쇄기 안으로 빨려 들어가는 종이가 사정없이 분쇄되고 있다. 서류들을 들고 서서 분쇄되고 있는 종이를 보는 그래.

동식	(E) 뭐가 문젠지 알려주시지 그러셨어요.
상식	(E) 뭐 하러? 어차피 여기 사람 되지도 못 할 텐데.
그래	…

'어제 너무 달렸다. 노래방이 어떻다' 하며 이상현의 떠드는 소리가 가까워지며 들어오는 백기와 이상현과 인턴2, 그래를 보고 멈춘다. 그래, 고개로 인사하면 백기와 인턴2 받는다. 이상현은 콧 방귀 뀌듯 받는다. 그래 와이셔츠의 얼룩을 보고 과장되게 킁킁거리며.

이상현	무슨 냄새야? 꼴뚜기 비린내 아냐?
인턴2	(눈치 없이 푸핫! 웃으며) 그래 씨, 어제 안 들어갔어요?
그래	…네. (다시 돌아서서 파쇄한다)
이상현	(비식거리며 인턴2와 함께 커피 몇 개를 탄다)
백기	일은 잘 끝냈어요?
그래	…못 했어요.
이상현	(코웃음 치며) 그러기에 왜 오바야.
그래	(묵묵히 그냥 파쇄만 하는)
인턴2	(그래 의식하며) 그나저나 조별 PT 파트너를 못 정해 큰일이네. 내일까지 정해야 되는 거죠?
이상현	설마 파트너 없어 면접 못 치겠어요? (커피 들고 야비하게 그래의 뒷모습 흘깃 보고) 아… (끄덕끄덕) 그럴 수도 있겠구나…
그래	…
인턴2	조별 PT도 문제지만 끝나고 개별 PT 또 하잖아요. 산 넘어 산이라구요… (커피들 담긴 쟁반 들고) 먼저 갑니다아~ 장그래 씨 또 봐요~ (가고)
이상현	갑니다~ (그래를 또 아니꼽게 흥 보고 간다)

백기, 그래를 본다. 파쇄에 열중하고 있는 그래의 뒷모습.

백기	그거 보고 있음 기분 이상하더라구요.

그래	(돌아본다)
백기	그 꼴 되지 않게 잘해야겠단 생각 같은 거?
그래	(백기를 본다)
백기	(마지막 커피를 꿀꺽 마시고) 최종 PT 면접 통과하지 못하면 결국 그렇게 되겠지만요.
	(컵을 구겨 쓰레기통에 휙 버리고 돌아서서 나간다)
그래	(쳐다보는)

S#11 — 탕비실 앞 통로, 낮

탕비실에서 나와 걸어가는 백기, 뒤에서 그래가 나와 빠른 걸음으로 다가와 옆에 서서 걸으며

그래	그럼 어떻게 하면 됩니까?
백기	(멈춰 서서 본다)
그래	(그대로 두어 발 가다 돌아보고) 그 꼴 되지 않으려면 어떻게 잘해야 되는 겁니까?
백기	(쳐다보다가 웃으며) 농담이에요, 장그래 씨.
그래	(보면)
백기	원인터 입사 못 했다고 인생이 한 방에 가겠습니까? 세상에 할 일이 얼마나 많은데요.
그래	(무슨 뜻인 줄 안다. 굳게 다문 얼굴로 보는)
백기	(씩 웃고) 아, 어쨌든 일단 PT 파트너는 정하셔야 할 거예요. 혼자선 할 수 없으니까요.
그래	… (픽 웃으며) 오늘은 하루 종일 그 혼자 타령이네요
백기	(의아하게 보며) 네?
그래	(흘깃 보고 간다)

S#12 — 원인터 외경, 낮

S#13 — 영업3팀 안, 낮

프린터에서 출력물을 얼른 꺼내는 그래, 동식에게 갖다준다. 동식, 보면서 뭐라뭐라 몇 군데 지적해주고 그래, 얼른 체크하며 받아 적는데. 그런 그래를 굳은 얼굴로 쳐다보고 있는 상식. 그 위로.

고 과장	(E) 최 전무가 갖다 꽂았다니깐 그래.

[Flashback] S#9 이어서

고 과장	아니 꽂을라믄 좀 제대로 된 놈을 꽂아주던가아…
상식	(굳어진 얼굴 그대로)…
고 과장	(위로한답시고) 딱히 다른 의중이 있어서 니 팀에 꽂은 건 아닌 것 같아.
상식	(역성 들지 말란 듯 보면)
고 과장	설마 널 감시하라고 꽂았겠냐아? 니가 뭔데? 애먹일라고 꽂았을 순 있겠는데, 최 전무가 또 그렇게 유치한 사람은 아니잖아? 아무리 니가 싫어도.

동식이 다시 자기 일 하고 그래는 모니터의 엑셀 자료를 다시 손보고 있다. 그 위로.

고 과장   (E) 난감한 청탁이라 그냥 니 팀에 떠넘긴 것 같더라.

그래를 쳐다보는 얼굴이 자기도 모르게 일그러지는 상식, 마음을 정리하고

상식	동식아, 캄보디아 건 견적 서류 정리 아직 안 됐어? 오후에 보고 들어가야 되는데.
동식	장그래 씨, 아직 안 됐어?
그래	다 됐습니다. (얼른 프린트 걸고 프린트 앞으로 간다)
상식	(얼굴 확 굳으며 본다)
동식	(웃으며) 이 친구가 글쎄 엑셀을 띄엄띄엄 다룰 줄 알더라구요. 가격별 나라별로 정리해보라고 했습니다.
상식	뭐 하는 거야 이 새끼야?!
동식	네?
그래	(출력물 집다 말고 당황해서 보면)
상식	누구한테 뭘 시켜? 정신 안 차려?!
동식	(당황) 아… 그…
상식	해보라고 해? 여기가 연습장이야?
동식	(바로 일어나서 정색하고) 죄송합니다.
상식	(당황한 그래는 쳐다보지도 않고 동식만 노려보고 있다)
그래	(상식을 본다)
상식	(동식에게) 똑바로 해서 2시까지 올려.
동식	네 알겠습니다.

상식, 날숨을 뱉고는 나온다. 그래를 툭 치고 지나가면서도 눈길 한 번 안 준다.

그래	…

| 동식 | (벽시계를 본다. 11시 45분쯤) 점심 먹어. (상식을 쫓아가듯 급히 나간다) | 98 |
| 그래 | … | |

S#14 — 엘리베이터 앞, 낮

화난 얼굴로 엘리베이터 기다리고 있는 상식. 동식이 급히 오다가 본다.

동식	… (다가가서) 과장님.
상식	…
동식	무슨 일 있으셨어요?
상식	(그냥 엘리베이터 보고만 있는)

S#15 — 옥상, 낮

옥상 난간에 서서 멀리 보고 있는 그래. 옆에는 식은 커피와 샌드위치.

| 그래 | … |

[Flashback] 제1국 S#94
상식　　(E) 너 친구 없지? 혼자 쓴 일기 같잖아.

| 그래 | (Na) 혼자 하는 일이 아니라면서… |

[Flashback] S#13
상식　　누구한테 뭘 시켜? 정신 안 차려?!

| 그래 | (Na) 결국 혼자이게 만들고 있잖아… |

[Flashback] S#13
상식　　해보라고 해? 여기가 연습장이야?

| 그래 | (Na) 어차피 가르쳐줄 마음도 없으면서. |

옥상 너머로 버럭 소리를 지르는 그래.

S#16 — 옥상 아래 원인터 앞, 낮

동식과 함께 들어오던 상식, 뭔가 왕왕하는 소리에 멈칫한다.

상식   무슨 소리야?
동식   네?

상식, 저 멀리 옥상 위를 올려다보는데 뭔가 실루엣이 휙 사라진다.

상식   ?

S#17 — 옥상, 낮

식겁한 얼굴로 옥상 난간 밑에 착 붙어 앉아 있는 그래.

S#18 — 원인터 외경, 낮

S#19 — 로비 + 엘리베이터 앞, 낮

영이, 긴 롤 형태의 검은색 섬유 샘플 잔뜩 들고 어깨에 휴대전화를 겨우 받쳐서 통화한다. 로비를 가로질러 엘리베이터 앞으로 천천히 걸어가면서,

영이   여름용 차도르 천은 세 종류밖에 없었습니다. 어떤 걸 말씀하시는지 몰라서 종류별로 다 가져왔습니다. 네, 팀장님, 올라가는 중입니다.

전화를 끊고 낑낑 휴대전화를 빼내려 하는데 누군가 쏙 빼서 준다. 놀라 보면 백기가 웃고 서 있다.

영이   아, 고마워요.
백기   (샘플 보고 받으려고 하며) 좀 들어드릴게요.
영이   (슥 피하면서) 왜요?

백기	(멈칫) 아… (당황, 악센트 다 달리해서 유머랍시고) 1번 무거울까 봐?
	2번 무거울까 봐, 3번 무거울까 봐. 하하하하하하!
영이	(안 웃고 끔벅끔벅 본다)
백기	(웃던 얼굴 그대로 무안해지며 얼른 가며) PT 파트너는? 정했어요?
영이	(가며) 아! 맞다. 언제까지죠?
백기	(짐짓) 너무하시네. 내일까진 정해야 해요. 저도 고민 중이에요.
영이	(끄덕 끄덕) 예에. 다른 분들은요?
백기	아마도… (보며) 한 사람 두고 피 튀기겠죠. 일단은 살고 봐야 하니까요.
영이	(의아하게 보는)
백기	(보면서 의미심장하게 웃는)

S#20 — 섬유3팀, 낮

영이, 빈 팀 사무실 안으로 들어온다. 마침 전화 온다.

영이 네, 팀장님. 올라왔습니다. 네, 네? 오 과장님께요? 네 알겠습니다.

전화 끊고 자리로 가서 스낵(칼로리바 정도) 하나 입에 물고는 커다란 천을 테이블 위에 올려놓고 가위로 홈집을 착 넣고는 능숙하게 자른다.

S#21 — 김 부장실 앞, 낮

김 부장 방에서 서류철 들고 나오는 상식. 영업3팀 쪽으로 걸어간다. 영업3팀 앞 혹은 안에 있는 나무 화분에 물을 주고 있는 그래가 보인다.

상식 …

S#22 — 영업3팀 앞 + 안, 낮

서류철 들고 들어오는 상식, 나무에 물 주던 그래가 상식을 보고 한쪽으로 비켜서지만 본 체도 안 하고 영업3팀 안으로 들어간다.

그래 …

101 **상식**   (서류철 책상 위에 가볍게 던지듯 놓으며) 동식아, ○○ 건 일단 진행하기로 했으니까 시작해.

동식   네.

그래, 슬며시 들어와서 문구와 종이들로 어지러운 탁자를 치운다.

상식   (서류 주며) 아, 그리고 미안한데 이거, 문서수발실에 좀 갖다줘.

그래   네.

얼른 가서 받으려는데 동식이 가로채듯 받으며 그래에게 눈짓한다. 동식 나가면 그래 다시 탁자를 치운다. 그런 그래를 여전히 안 좋은 얼굴로 힐끔 보는 상식. 그때 차도르 천과 복사할 서류들 들고 들어오는 영이.

영이   과장님.

상식   (보며) 어!

그래, 쳐다보다가 영이와 눈이 마주친다. 둘 다 어색하게 눈인사하고.

영이   차도르 천 샘플 갖고 왔습니다. (준다)

상식   땡큐. (천 살펴보면서) 파트너는 정했고?

그래   (슬쩍 영이를 본다)

영이   아뇨, (웃음 머금고) 안 그래도 방금 장백기 씨한테 차였어요.

그래   (쳐다보는)

영이   묻지도 않았는데 저랑은 파트너 안 하겠다고 하네요. (옅은 웃음)

상식   (옅은 웃음) 그 친구가 똑똑하긴 하네.

영이   네?

상식   어쨌든 잘 구해야 돼. 잘못하면 동반 익사야.

영이   (웃음 머금고) 누구든 상관없습니다.

상식   자신감이야?

영이   (당황) 아, 그건 아니구요.

상식   준비 잘해서 꼭 붙으라구.

영이   (미소)

그래, 슬며~시 일어나 나간다. 그런 그래를 보는 영이.

Episode 2

그래, 들어오면 다 먹은 테이블에 컵라면 용기와 쓴 종이컵들이 어지럽게 널려 있다. 물을 마시는 그래. 쓰레기들을 본다. 얕게 한숨 쉬고 분리수거 시작하는 그래. 복사하러 들어오던 영이가 본다.

영이	한심하네요.
그래	(멈칫) 네? (당황)
영이	(당황) 아, 아뇨. 장그래 씨 말고, 쓰레기 두고 간 사람들요.
그래	아, 네… (당황한 게 당황스러워서 또 당황하는)

영이, 서류를 올려두고 쓰레기를 같이 치워준다. 그래, 쓰레기를 치우며 영이를 슬금 쳐다본다.

영이	(E) 누구든 상관없습니다.

고개 숙이고 쓰레기 치우는데 여념이 없는 영이… 그런 영이를 쳐다보고 있던 그래가 뭔가 결심한 듯한 표정으로 낮고 단단하게 묻는다.

그래	영이 씨.
영이	네?
그래	(단단하게) 나랑, 파트너 합시다!
영이	(당황) 네?
그래	누구든 상관없다고 했죠? 당신 애먹이지 않게, 나도 최선을 다할게요.

당황한 얼굴로 보는 영이를 단단하게 쳐다보는 그래. 그런 그래를 쳐다보던 영이의 표정이 의아하게 변한다.

영이	장그래 씨?
그래	(각 잡고 그런 영이를 본다)
영이	내 얼굴에 뭐 묻었어요?
그래	(정신이 번쩍 든다) 네? (당황) 아… 아뇨. 미안합니다 (당황) 뭐… 뭘 좀 생각하느라고요.
영이	(마지막 쓰레기마저 치우며) 무슨 생각인데 그렇게 사람을 빤히 보고…
그래	(당황) 네? 아… 네… (뭐라 해야 하나… 하다가 영이의 묶은 머리가 보인다) ! (얼른 주머니에 손을 넣는다. 있다!) 아, 그… 그게 이거요. (영이의 고무줄을 꺼내 불쑥 내민다)
영이	(놀란) 어?
그래	(어색하게 웃는) 전해드린다는 게 너무 늦었네요

　　　영이　　　　어어? (그래를 보며 웃는)

　　　　　　　그래　　　　(긁적)

S#24 ─ 통로1, 낮

걸어오는 영이, 손바닥 위에 고무줄을 다시 본다. 피식 웃고 주머니에 넣는 영이.

S#25 ─ 통로2, 낮

뒤를 흘끔 돌아보며 후회하는 얼굴로 걸어오는 그래.

　　　그래　　　　그냥 말이라도 해볼 걸 그랬나…?

자원팀 쪽에서 안 과장과 하 대리와 웃으며 회의하고 있는 백기가 보인다.

　　　백기　　　　(E) 뭐 어쨌든 일단 파트너는 정하셔야 할 거예요. 혼자선 할 수 없으니까요.

그래, 멈춰 선다. 결심한 듯 다시 돌아서는데

　　　인턴2　　　(Off) 장그래 씨!

그래, 돌아보면 인턴2가 환한 웃음과 함께 걸어온다.

　　　그래　　　　?
　　　인턴2　　　(앞에 와서) 한참 찾았네. (휴대전화 보며) 내가 동기 전번도 몰랐더라구요.
　　　그래　　　　(뭐야? 하듯 보면)
　　　인턴2　　　파드너 아직 못 구했죠? 나랑 해요.
　　　그래　　　　(깜짝!) 뭐요?
　　　인턴2　　　우리, 의기투합 한번 해봅시다! (웃는 얼굴)
　　　그래　　　　(E. 멍하니 보며) 뭐지?

S#26 —— 영업3팀 안, 낮

갸웃하며 들어오는 그래. 자리에 앉는다. 그때 샌드위치와 커피 든 인턴3이 들어오며

인턴3	장그래 씨!
그래	(보며) 네
인턴3	(상식에게 꾸벅) 안녕하십니까?
상식	(힐끗 본다)
인턴3	(샌드위치와 커피 내밀며) 먹어요. 아까 보니까 점심도 거르던데…

멍~한 그래, 자기도 모르게 상식을 보면 외면하는 상식. 그때 동식도 들어오면서 흘깃 본다.

인턴3	(안 받자 책상 위에 올려두고) 저기, 파트너 아직 안 정했죠?
그래	네.
인턴3	(웃으며) 그래요. (간다)
그래	(E, 멍~ 보며) 저건 또 뭐야?
동식	(다시 흘깃 본다)

S#27 —— 몽타주, 낮

#통로. 그래, 프린트 된 계약서와 다른 자료를 잔뜩 들고 3팀으로 돌아오는데, 이번에는 인턴4가 앞에서 기다리고 있다가 들고 있는 파일을 받아 들어준다.

그래	(당황한) 어…

#탕비실. 물을 마시려는데 누군가가 컵을 뺏는다. 인턴5. 품에서 두유를 꺼내 손에 쥐여준다. 벙~ 하며 보는 그래에게 "파트너" 하고 웃어주며 나가는 인턴5. 동식이 들어오면서 흘깃 본다.

S#28 —— 영업3팀, 낮

그래의 책상 위에 점점 쌓이는 먹을거리들. 그 앞에 서서 내려다보고 있는 그래. 두리번두리번하면 앞의 인턴들이 여기저기서 웃으며 그래에게 아는 척하고 있다. 끔벅끔벅 그들을 보는 그래.

그래	(E) 뭐냐고요…

영업3팀 앞을 지나가던 백기, 그래를 본다.

백기   인기 많네요 장그래 씨.
그래   (보면)
백기   (웃고 간다)
그래   (보는)

S#29 — 영이의 팀, 낮

책상에 앉아 바쁘게 일하는 영이, 한 가지 끝냈다. "후~" 하고 한숨 돌리려다 탁상 달력 날짜에 "PT팀 구성 제출"이라고 동그라미 쳐진 게 보인다.

영이   아 참! … (갸웃) 이상하다… (주변을 둘러보며) 왜 아무도 말이 없지?

그때 건들거리며 오는 이상현.

이상현   안영이 씨, PT 파트너 못 구했지?
영이   (본다. 별로 좋지 않은 얼굴)
이상현   나랑 해. (잘난 척하며) 내가 구해주는 거야~ 아무도 안영이 씨랑 안 하려고 하거든.
영이   (당황) 네? 왜…요?
이상현   왜긴? 당신이 너무 넘사벽이니까 그렇지. 1차 과제가 팀워큰데 보나마나 혼자
               독주할 거 아냐?
영이   (굳는 얼굴)
이상현   나두 바빠서 아직 못 구했거든. 잘해보자구요. (건들건들 간다)
영이   (찡그리고 보나가 다시 달력을 본다) 어쩌지… (한숨 쉬며 깍지 끼고 기지개 좍 펴며 신음하다가
               깍지 손 그대로 묶은 머리에 댄다. 고무줄이 만져진다) 어… (고무줄을 뺀다. 가만히 보는) …

S#30 — 영업3팀, 낮

책상 위 구석에 간식거리 잔뜩 쌓여 있고, 서류의 오탈자를 체크하고 있는 그래. 들어오다 보는 영이, 풋 웃고 다가가서.

영이   장그래 씨?
그래   (깜짝 놀라 일어난다. 영이 보고 벌떡 일어나며) 아… 안영이 씨.

그래   (놀란. 끔벅끔벅)

S#31 ─── 중앙 정원, 낮

끔벅끔벅한 얼굴 그대로. 손에는 커피 들고

그래   파… 파트너요?
영이   네. 제가 바빠서 아직 팀을 못 짰어요.
그래   하… 하지만 전.
영이   저도 부족한 거 많아요. 같이 마음 맞춰서 잘해봐요. (웃고 가는)
그래   (가는 영이 보며 멍) 마음… 맞춰서…?

S#32 ─── 영업3팀 안, 낮

여전히 책상 위에 먹을거리들. 서류의 오탈자 체크하고 있는 그래. 그러나 서류를 내려다보는 얼굴은 딴생각 중.

        [Flashback] S#31
        영이   네. 제가 바빠서 아직 팀을 못 짰어요.

그래   (E) 팀… (싱긋 웃으며) 팀…이라고요?

그래를 흘깃 보는 동식. 혼자 웃고 있는 듯이 보인다.

그래   (E) 그럽시다. (전화 꺼내며) 마음 맞춰 (영이 번호 찾으며) 잘해봅시다.

막 통화를 터치하려는데

동식   장그래 씨.
그래   (깜짝! 전화기를 거두고) 네.
동식   오탈자 체크 다 했어?
그래   (당황) 아, 네… 거의 다 돼갑니다. (다시 서류로)
동식   (미간을 모으고 그래를 본다) …장그래 씨.

그래	(돌아보며)
동식	나 좀 봐. (일어나 나간다)

그래, 의아하게 보다가 따라 나간다. 쳐다보는 상식.

S#33 ── 소회의실, 낮

마주 앉은 동식과 그래.

동식	PT 파트너 짰어?
그래	네? (얼굴이 발그레~해지면서 미소가…)
동식	(찡그리며) 뭐야? 왜 얼굴은 벌겋게 만들어?
그래	(당황) 아, 아닙니다. (얼른 인상 확 쓰는 얼굴로 만든다)
동식	(어이없이 보다가) 전부 장그래 씨만 찾아대지?
그래	(깜짝, 쑥스럽다…) 네… 갑자기 왜들 그러는지 모르겠지만.
동식	(OL) 당신은 다른 인턴들이 좋아할 모~든 걸 갖췄어.
그래	네?
동식	자신감 부족.
그래	?!
동식	업무 이해도 부족, 스킬 부족.
그래	(당황해서 보는) 그… 그런데 왜 다들 저를…
동식	한 팀에서 둘 다 좋은 평가를 받는다면 더할 나위 없이 좋겠지만 그게 불가능하다면… (보고) 확실한 폭탄과 함께하는 게 좋겠지.
그래	! …폭탄…이라고 하셨습니까?
동식	그래, 폭탄을 안은 희생자는 쉽게 돋보이는 경향이 있거든.
그래	(굳은 얼굴로 보는) …
동식	심사위원들 앞에서 자기라도 빛날 수 있으니까, 안는 거야.
그래	(굳게 나문 입술에 더더욱 힘이 들어간 채 굳은 눈으로 동식을 본다)
동식	당신한테 먼저 접근하는 사람을 잘 가려서 보라고. (일어나서 나간다)

움직이지 않고 그대로 앉아 있는 그래…

그래	(Na) 그랬던 거다…

S#34 — 대로변, 아침(과거)

낡은 청바지에 후드 티 차림으로 걸어가는 그래. 그래와 반대 방향으로 무심히 지나쳐 가는 출근 길의 직장인들, 등교하는 학생들.

그래   (Na) 밤샘 아르바이트를 끝내고 집으로 돌아가는 아침마다
                      내가 마주쳐야 했던 익숙한 풍경…

초라한 행색, 피곤한 모습의 그래.

그래   (Na) 표정도, 옷차림도, 걸어가는 방향조차도
                      일사불란하리만치 나와는 정반대였던 사람들…

세련되고 깔끔한 차림, 활기찬 모습의 사람들.

그래   (Na) 학생이든, 직장인이든
                      철이 든 이후엔 한 번도 속해본 적 없던

첫 출근할 때 사람들 속에 섞여 걷는 어색한 표정의 그래.

그래   (Na) 그들 속에 섞이고 싶은 마음이 너무나 간절해서
                      보지 못했던 불편한 진실…

S#35 — 통로, 낮

굳은 얼굴로 걸어가는 그래. 걸어가는 그래의 시선 안으로 웃으며 아는 척하는 인턴들의 얼굴이 보인다.

그래   (Na) 결국 난 여전히
                      혼자 다른 방향으로 가고 있었던 거다.

걸어가는 그래의 시선 안으로 그래를 흘깃 봤다가 무심하게 외면하는 원인터 직원들의 얼굴도 보인다.

그래   (Na) 이곳에서도 나는

변함없이 혼자였던 거다. 그리고

서서 일하다가 냉하게 쳐다보는 백기의 얼굴도 보인다. 열심히 전화 통화하다 그래와 눈이 마주치자 살짝 미소 짓는 영이의 얼굴도 보인다.

그래   (Na) 모두가 다 아는 그 사실을 나만 모르고 있었던 거다.

고 과장에게 혼나고 있는 석호도 보인다. 파티션 너머로 황 대리와 얘기하고 있는 동식도 보인다.

그래   (Na) 저런 암묵적인 일사불란함과

그리고… 서서 분주하게 서류를 챙기는 상식도 보인다. 상식, 저만치서 걸어오는 그래와 눈이 마주치자 휙 외면한다.

그래   (Na) 동의…는…
            무엇을 얼마나 나눠야 가능한 것일까?

걸음을 멈추는 그래. 상식이 다시 흘깃 본다. 쳐다보는 그래, 휙 돌아서서 성큼성큼 되돌아간다. 쳐다보는 상식.

S#36 ── 엘리베이터 앞, 낮

불이 들어온 호출 버튼 앞에 서 있는 그래…

영이   (E) 저도 부족한 거 많아요. 같이 마음 맞춰서 잘해봐요.

그래, 차갑게 굳는 얼굴. 상식, 서류봉투 들고 나오다가 그래를 본다. 굳은 얼굴로 옆에 와 선다. 그래, 기척을 느끼고 본다.

그래   …

엘리베이터가 온다. 타는 상식, 잠시 머뭇거리더니 그래도 탄다. 닫히는 문.

상식	업무 시간에 어딜 가는 거야?
그래	…
상식	내 말 안 들려?
그래	혼자라서…
상식	뭐?
그래	할 수 있는 일이 없네요…
상식	(기가 막혀) 너 지금 뭐 하자는 거야?!
그래	(본다) 혼자 하는 일이 아니라면서요? 회사 일은.
상식	(멈칫)
그래	친구가 없냐고 하셨죠? 혼자 쓴 일기 같다구. 잘 보셨습니다. 네, 혼자 해야 했죠. 혼자 싸우고 결과도 책임도 혼자 져야 했죠.
상식	너 지금 뭐 하는,
그래	(OL) 그래서 혼자 하지 않는 법을 모릅니다. 모르니까, 가르쳐주실 수 있잖아요. 기회를 주실 수 있잖아요.
상식	기회에도 자격이 있는 거다.
그래	무슨 자격이요?
상식	몰라서 물어?
그래	묻습니다. 제가 학벌이 짧은 것 때문이라면,
상식	(OL) 여기 사람들이 이 빌딩 로비 하나 밟기 위해 얼마나 많은 계단을 오르락내리락했는 줄 알아?
그래	(멈칫)
상식	여기서 버티기 위해 또 얼마나 많은 땀과 눈물과 좌절을 뿌렸는 줄 알아? 기본도 안 된 놈이 빽 하나 믿고 에스컬레이터 타는 세상, 그래, 그런 세상인 것도 맞지. 그런데, 나는 아직 그런 세상을 지지하지 않아.
그래	(본다) … (보며 말하지만 혼잣말하듯) 땀, 눈물, 좌절…

땅, 엘리베이터 문이 열린다. 상식, 그래를 본다. 그래, 상식을 본다. 엘리베이터에서 내리는 상식. 문이 닫힌다.

그래	도대체 얼마나 더 뿌려야 하는 겁니까? (이를 악문다)

S#38 — 로비, 낮

걸어가는 상식, 멈춘다. 돌아본다. 여전히 화난 얼굴로 굳어 있다.

S#39 — 15층 엘리베이터 앞, 낮

엘리베이터 한 대가 올라온다. 층수가 점점 바뀌고, 드디어 15층. "띵" 소리와 함께 문이 열리면 벽에 머리를 박고 있는 그래. 괴로운 얼굴이다.

그래   (작게 신음 소리를 내며) 미친놈아… 대체 무슨 짓을 한 거냐…

또 쿵! 박는 그래.

S#40 — 영업2팀 안, 낮

꾸벅꾸벅 졸고 있는 석호, 못마땅한 얼굴로 보고 있는 고 과장.

실무 여사원   (화난) 김석호 씨!

번쩍 잠이 깨는 석호. 영업3팀, 동식의 서랍에서 파일을 꺼내던 그래도 깜짝 놀라 본다.

S#41 — 영업2팀, 낮

화난 걸음으로 석호에게 가는 실무직.

실무 여사원   L/C 케이블 오픈된 건 나한테 말을 해줘야죠!
석호   아, 지금 말하려 했는데.
실무 여사원   대체 밤에 뭐 하기에 맨날 그렇게 졸아요 사람이?
석호   (당황해서 우물우물)
고 과장   (냉랭) 김석호. 잠깐 와봐.

고 과장 자리로 후다닥 가다가 의자에 걸려 넘어질 뻔.

고 과장	(한심한 듯 보다가) 박람회서 만난 애들 정리한 건 왜 안 줘.
석호	그게… 이제 곧 마무리될 것 같거든요.
고 과장	(짜증) 일 시키면 한 번에 주는 게 왜 없어? 어? 니 나이에 대리 단 사람이 천지야!
	입사는 늦었어도 일머리는 같이 가야 하지 않아?

고개를 조아리고 있는 석호. 주머니에 있는 휴대전화가 계속 울린다.

고 과장	긴장 바짝 해. 인턴 됐다고 다 합격 아닌 거 알지?
석호	네, 시정하겠습니다!
고 과장	(짜증) 그런 말도 하지 마. 여기가 군대야? 지금이 쌍팔년도야?
석호	(우물우물)
고 과장	(깝깝~한 얼굴로 보다가) 담배 한 대 피러 가자.
석호	담배 끊었습니다.
고 과장	바람 좀 쐬란 소리야!

"으이그~" 하며 나간다. 따라 나가는 석호. 파티션 너머로 쳐다보는 그래… 축 처진 석호의 뒷모습.

S#42 —— 중간 정원, 낮

담배를 꺼내는 고 과장, 그 앞에 와서 서는 석호.

고 과장	잔머리 안 굴리고 열심히 하는 건 좋은데, 조금만 더 **빠릿빠릿**해지란 말이야.
	내가 니 사정 알고 제대로 지원사격 해주잖냐. 알지.
석호	네. 감사합니다.
고 과장	(담배 한 개비를 꺼내며) 담배는 너 한 2년 있으면 도로 피게 될 거다.

담배 물고 라이터를 꺼내는데 석호, 전화가 오자 얼른 휴대전화를 꺼내 배터리를 뺀다.

고 과장	(물었던 담배를 빼며) 왜 오바야 오바는.
석호	아… 죄송합니다…
고 과장	(헛기침) 밤에 힘들지? 계속 깨서.
석호	아… 아뇨… (머쓱하게 숙이는데)
고 과장	(전화 온다. 받고) 응, 황 대리야. 어? (석호 보며) 어. 있어. (주며) 그러니까 왜
	오바는 해서.
석호	(얼른 받으며) 네, 황 대리님.

황 대리	(E) 야, 잘 들어. 내 컴에 남해화학 건 계약서 띄워놨거든? 거기서, 4번 조항만 지우고 팀장님 사인 받아서 남해화학으로 빨리 갖고 와. 두 부!
석호	네. 알겠습니다.
황 대리	(E) 아, 너 인턴 주간업무 보고서도 갖고 와. 오늘까지 사인해줘야 하지?
석호	네 알겠습니다!

S#43 — 영업3팀 사무실, 낮

멍~하니 앉아 있는 그래. 동식, 통화하면서 급히 들어온다.

동식	(통화) 네, 네 바로 해서 갖다드릴게요. 아 네 미안해요. 네네. (책상 서랍에서 영수증을 한 뭉치 꺼내 주면서) 장그래 씨, 이거 빨리 종이에 붙여서 총무팀 갖다줘. 빨리빨리.
그래	(급히 받으며) 네!

이면지 한 움큼 들어 책상 위에 두고 그 위에 영수증 풀칠하고 있는 그래. 그때, 외근 갔던 오 과장 들어온다.

동식	잘 다녀오셨어요?
그래	(멈칫, 본다)
상식	(힐끔 보고 동식에게) 응. (자리로 가고)
동식	어? 장그래 씨, 밑에 그거 뭐야?
그래	네? (보면서) 운송장 이면지들입니다.
동식	그럼 안돼애! 잘못하면 다른 종이에 들러붙어서 같이 돌아다닌다구.
그래	아, 네. (이면지 문서들 빼낸다)
동식	서류들 함부로 이면지함에 넣지 말고, 꼭 업무 기밀 체크한 담에 버려. 웬만하면 파쇄하고.
그래	네.
동식	요즘 문서 보안 문제 때문에 분위기 아주 안 좋아. 얼마 전에 큰 사고 한번 있었거든? 팀장부터 대리급까지 전무님한테 단체로 불려가서 옴팡 깨졌다구.
그래	네. 알겠습니다. (영수증 붙인 종이들 들고) 총무팀 다녀오겠습니다. (급히 나가는)

S#44 ─ 영업3팀 앞 통로, 낮

서류봉투와 인턴 주간업무 보고서와 보고서에 첨부할 표 그림을 들고 급히 들어오는 석호. 그래를 보고 다급하게

석호	그래 씨, 나 풀 좀 빌릴 수 있어요?
그래	아, 제 책상 위에 있어요.
석호	우리 팀은 비품함을 왜 열쇠로 잠가놓는지… 매번 구걸해요.
그래	(웃으며 책상 가리키고 간다)

S#45 ─ 영업3팀 안, 낮

석호, 들어서며 상식과 동식에게 꾸벅꾸벅

석호	안녕하십니까, 인턴 김석호입니다.
상식/동식	(본다)
석호	풀 좀 빌리겠습니다. (그래 책상으로 가며) 아, 여기 있다.

이면지 위에 인턴 주간업무 보고서 중 하나를 뒤집어 올려놓고 풀칠을 한 후 들어서 후후 분다. 다시 이면지 위에 "제안1"이라고 쓰인 빈 종이를 놓고 그 위에 풀칠한 종이를 바로 놓아 붙인다. 꾹꾹 눌러 붙이는 석호. 결재 내역이 있는 영업3팀의 운송장이 석호의 제안서 뒷면에 척 붙는다. 모르는 석호, 상식과 동식에게 "가보겠습니다" 꾸벅하고 서둘러 간다.

S#46 ─ 원인터 로비, 낮

엘리베이터에서 급히 내리는 석호. 손에 든 인턴 주간업무 보고서를 다시 보다가 딸려 온 종이가 풀럭풀럭하는 게 보인다.

석호	어? 이건 또 뭐가 딸려 온 거야? (다른 응대 하고 있는 안내데스크에 건성으로 올려두며) 죄송한데, 이거 좀 버려주세요 (허둥지둥 가는 결에 종이가 팔랑 바닥에 떨어진다)

S#47 — 탕비실, 낮

그래, 서류를 파쇄기에 넣는다. 드르르르 갈리는 서류들.

S#48 — 원인터 로비, 낮

떨어져 있는 문제의 이면지… 그 앞으로 슥 나서는 고급 신사화. 바닥의 문서를 내려다보고 있는 최 전무. 뒤에는 수행부장. 최 전무, 기안서에 기재된 '영업3팀' 명을 말없이 쳐다본다.

S#49 — 15층 사무실 입구, 낮

최 전무와 수행부장이 들어선다. 눈앞에 쭉 펼쳐진 사무실 풍경. 주저 없이 영업3팀 쪽으로 저벅 저벅 걸어가는 최 전무. 마주 오던 사원들이 깜짝 놀라 멈춰 서며 급히 인사한다. 웃으며 받는 전무. 전무를 본 사람들, 벌떡벌떡 일어나서 인사하면 웃으며 까딱까딱 받는다. 탕비실에서 나오는 그래 앞으로 휙 지나가는 전무와 수행부장.

S#50 — 영업3팀, 낮

이면지들과 분구로 너절한 회의 테이블 위를 치우는 그래를 기분 안 좋은 얼굴로 쳐다보고 있는 상식.

[Flashback] S#37
그래   모르니까, 가르쳐주실 수 있잖아요. 기회를 주실 수 있잖아요.
상식   기회에도 자격이 있는 거다.
그래   무슨 자격이요?

일그러지는 상식. 테이블 다 치우자 모아둔 이면지 위에 '이면지' 도장을 꽝꽝 찍고 있는 그래를 또 본다.

고 과장   (E) 난감한 청탁이라 그냥 니 팀에 떠넘긴 것 같더라.

기가 막힌 상식, 헛웃음이 뱉어진다. 다시 찡그리고 그래를 쳐다보는데 영업3팀 입구에서 걸음을 멈추는 최 전무. 멈칫하고 일어나는 상식… 책상 밖으로 나온다.

Episode 2

| 동식 | (봤다. 벌떡 일어나며) 전무님 오셨습니까? |
| 그래 | (얼결에 숙이고 본다) |

상식을 보고 끄덕하며 들어서는 전무. 상식 앞에 선다. 긴장한 얼굴의 상식과 동식. 영업3팀을 둘러보는 전무, 그래를 보지만 별다른 기색 없이 다시 상식을 본다.

상식	전무님, 무슨 일로 여기까지.
수행부장	(상식 앞으로 좀 전에 주운 이면지를 내민다)
상식	(받아 본다. 영업3팀의 운송장이다. 당황하는데)
수행부장	로비에서 주웠네.
상식/동식	!
그래	(본다. 영업3팀의 운송장 이면지다. 당황) !
상식	죄… 죄송합니다.
동식	(화난 얼굴로 그래를 노려보듯 본다)
그래	아… 그게 왜… (전무에게) 제가 잘못
상식	(무섭게) 가만있지 못해!
그래	(움찔하고)
전무	(그래를 쳐다본다) …
그래	(숙이는)
전무	(빙긋 웃으며 상식에게) 잘하자.
상식	예.
동식	(난처하고)
그래	(눈 질끈 감는다)

찬물을 끼얹은 듯한 15층 사무실 전체의 시선이 영업3팀에 쏠려 있다. 나가는 최 전무. 그래를 흘 깃 보고 간다. 그래, 고개 들어보면 전체 사무실 사람들 일어나서 또 인사하고 있다.

동식	(화난) 너 새 대가리야?
그래	죄송합니다.
동식	내가 문서 보안 몇 번 말했어?! 엉?!
그래	죄송,
상식	(OL) 나가.
동식/그래	(놀라 보면)
상식	(버럭) 나가라구! 이 새끼야!

섬유3팀의 영이도 놀란 얼굴로 본다. 자원팀의 백기도 본다.

상식	이제 분명히 알겠지? 너한테 기회도 안 주는 이유, 니가 자격 없는 이유!
그래	(하얗게 된 얼굴로 숙이고 있는…)
상식	(노려보며) 안 나가?!
동식	장그래.
그래	(보면)

굳은 얼굴로 그래를 보는 동식.

S#51 — 옥상, 해 질 녘

옥상에서 뛰고 있는 그래를 굳은 얼굴로 보고 있는 동식.

그래	정신 집중! 업무 집중! 정신 집중! 업무 집중! …
그래	(Na) 바보 같은 놈…
동식	두 바퀴 더 돌고 내려와.
그래	네…

확 나가버리는 동식. 멈추는 그래. 고개를 떨군 채 그대로 있다. 뭐라 말할 수 없이 비루한 마음이다.

그래	바보 같은 놈…

오리걸음으로 걷는 그래. 한 바퀴 돌고 Dis. 돌고 Dis. 돌고 Dis. 또 도는 그래… 하늘 너머로 뉘엿뉘엿 해가 지고 있다.

S#52 — 영업3팀 안, 밤

잔뜩 굳은 얼굴로 책상에서 돌아앉아 있는 상식. 동식, 앉아 일하면서 그런 상식을 쳐다본다. 그때 영업2팀 쪽에서 들려오는 환호, 짝짝짝~! 보면 고 과장과 실무 여직원이 하이파이브 하고 있다. 상식, 쳐다보면 기분 좋은 얼굴의 고 과장이 팔을 불끈불끈하며 상식에게 기분 좋단 제스처 취한다.

동식	(화난) 진짜 너무하시네. 분위기 파악 좀 하시지.
	(복사할 서류 쟁겨 나가며 빈 그래 자리를 보며 심란한 얼굴로 본다)
	이 자식은 왜 안 와? (심란한 얼굴로 가면)

상식, 역시 그래 자리를 심란한 얼굴로 보다가 눈길을 거둔다. 책상 위에 문제의 운송장 이면지가 눈에 들어온다. 기분 안 좋은 얼굴로 보던 상식의 표정이 미세하게 바뀐다. 미간을 찌푸리며 이면지를 들어서 보는 상식. 운송장 아랫부분쯤에 찢어진 채 붙어 있는 작은 종이가 눈에 들어오고. 그 종이에 적힌 찢겨 나간 글씨 "주간보고… 인턴십 김석호". 뚫어져라 쳐다보는 상식. 미간에 힘이 팍 들어가는데, 고 과장, 싱글싱글 들어서며

고 과장	오 과장아, (담배 피는 시늉하며) 한 대?
상식	(쳐다보는)

S#53 ── 중간 정원, 밤

정원 입구에서 재떨이 있는 쪽으로 걸어가며 상식과 들뜬 고 과장. 상식 뒷주머니에 문제의 이면지가 접혀서 꽂혀 있다.

고 과장	우리 석호 그놈이 느려 터져서 문제지 꼼꼼하긴 해. 제안서를 얼마나 잘 만들었는지 몰라. 전무님도 칭찬하실 정도였다니까.
상식	…
고 과장	그놈 없었음 솔직히 이 건 어떻게 됐을지 몰라. 번역에 통역에,
상식	(심기 불편해진 얼굴로 본다) 근데 고 과장아, 아까 비품 빌리러 왔는데,
고 과장	(OL, 서서 담배 꺼내며 떠벌떠벌) 그랬어? 키 하나 준다는 게 자꾸 잊어먹네. 하여튼 얼마나 열정적인지 집엘 안 들어가 애가. 신혼인데.
상식	신혼?
고 과장	장손이라 결혼을 빨리 했대. 나름 가장이다 야, 걔가.
상식	…어쨌든 살펴줘. 불필요한 실수 안 해도 되게. 다 평가받는 거잖아.
고 과장	실수는 뭐… 걘 느려 그렇지 실수 안 해. (혼자만 좋아 웃는)
상식	…

S#54 ── 일각, 낮

절뚝거리며 겨우 걸어오는 걸음걸이. 그래다. 땀에 흠뻑 젖어서 달라붙은 와이셔츠에 맥이 쭉 빠진 채 온다. 힐끔거리는 사원들.

S#55 ── 영업3팀 안, 밤

절뚝이며 들어오는 그래. 빈 상식의 자리와 빈 동식의 자리를 차례로 본다.

그래   …

자기 자리로 가서 앉는 그래. 팔뚝으로 이마의 땀을 닦는다. 잠시 그대로 앉았다가… 가방을 들어 책상 위에 올린다.

S#56 ── 15층 엘리베이터 앞 + 15층 통로, 밤

"띵!" 엘리베이터 소리와 함께 내리는 누군가의 빤짝 구두. 아래부터 훑듯이 올라오는데 보면, 부담스럽게 타이트한 양복, 블링블링한 손목시계, 보라색 화려한 무늬의 넥타이. 5:5 가르마의 약간 단발형 헤어. 잡지 정보를 흉내 내 한껏 멋 부린 모습이지만 20퍼센트 부족한 촌스러움. 한석율이다. 15층 입구를 휙 보더니 자신 있게 걸어간다.

S#57 ── 15층 통로, 밤

퇴근하는 영이, 들어오던 석율과 지나친다. 약간 의아한 듯 돌아봤다가 다시 가는 영이.

S#58 ── 영업3팀 앞, 밤

가방을 싸고 있는 그래. 책상 밑의 쇼핑백을 본다. 어두워지는 얼굴.

그래   …

석율, 그런 그래를 표적 삼듯 보며 주저 없이 성큼성큼 걸어와 앞에 서서.

석율	장그래 씨?!
그래	(깜짝. 본다) 네.
석율	(씩 웃으면)
그래	(의아하게 본다)
석율	파트너 정하셨나요?

그래	(멈칫) 네?
석율	(악수 청하며) 섬유2팀 인턴,
그래	(보면)
석율	한석율입니다! (씨익~)
그래	(멀거니 석율이 내민 손을 본다)
석율	(웃으며 내밀고 있다가 점점 무안해지며 손 거두며) 울산 공장 파견 나가 있었죠.
	PT 소식 듣고 부랴부랴 왔답니다. 하하하!
그래	…

S#59 ─ 옥상, 밤

석율, 옥상 너머를 바라보며 흐~음 공기를 마신다. 그런 석율을 뒤에서 무표정하게 보고 있는 그래.

석율	아~ 시원하네요. 전 공장이나 항구 이런 곳이 좋아요.

석율, 살짝 웃음 띤 자신감에 찬 얼굴로 휙 돌아서서 그래를 보는데

그래	됐고요,
석율	(멈칫)
그래	이유나 들어보죠.
석율	네?
그래	절 파트너로 선택하려는 이유요.
석율	(다시 자신감에 차서 일대 웅변을 토해낸다) 전 다른 인턴보다 일주일 먼저 들어왔습니다.
	기계공학을 전공했고, 수많은 공모전에서 입상한 실적을 갖고 있죠.
	허나! 기계를 만지작거리는 것에 흥미가 없어요. 오히려 기계의 원리를 이해하고
	그것을 누군가에게 제대로 전달하는 매력에 더 빠진 겁니다! 바로! 영업, 무역의
	세계 말이죠!
그래	(그냥 표정 없이 본다)
석율	(그래의 표정을 읽을 수가 없고, 살짝 당황) 그래서 이… 이 회사를 찾게 됐고
	(점점 힘을 내어) 제 능력을 높이 산 회사는 저를 울산 공장으로 보냈습니다.
	(확신을 갖고) 왜? 전… 이미… 합격을 한 것이니까요!
그래	네에. 대단하시네요.
석율	(목소리에 더 힘을 실어) 다양한 제조공정을 목격했습니다. 수많은 인터뷰와
	외국 바이어를…
그래	(더 이상은 못 듣겠다는 듯 기운 없이 돌아서서 간다)

석율　　　　(당황해서) 장그래 씨, 나 말 아직 안 끝났어요.

돌아보지 않고 뚜벅뚜벅 가는 그래.

석율　　　　장그래 씨? 장그래 씨! 어이! 장그래!

쾅 닫히는 옥상 문. 황망한 표정의 석율.

S#60 — 통로, 밤

걸어오는 상식, 바지 뒷주머니에 꽂아둔 문제의 운송장 이면지를 뽑는다. 펼쳐본다. 선명한 김석호 이름…

고 과장　　(E) 장손이라 결혼을 빨리 했대. 나름 가장이다 야, 개가.

"후…" 한숨을 뱉는 상식.

S#61 — 탕비실, 밤

파쇄기 안으로 빨려 들어가는 문제의 이면지. 그 앞에 상식.

S#62 — 영업3팀, 밤

들어오는 상식, 얼른 그래의 자리를 본다. 깨끗하게 치워져 있다. 당황하는 상식.

상식　　　　기… 긴 거야? (나납히 그래 자리로 가며) 이 새끼, 가란다고 그새 홀랑 간
　　　　　　　(하며 의자를 확 빼면 의자 위에 얌전히 놓인 가방)… 건 아니군.
동식　　　　(들어오며) 과장님.
상식　　　　(깜짝 놀라 돌아본다)
동식　　　　뭐… 하세요?
상식　　　　어?… 어… 아냐.

약간 허둥지둥하게 자기 자리로 가서 앉고 동식도 자리에 앉는다. 그때 상식의 시선에 통로 쪽에

상식　　　　　…

들어오는 그래, 상식, 얼른 컴퓨터 작업 하는 척한다. 그래, 상식을 보고 멈칫하더니 꾸벅하고는
자기 자리로 간다. 상식, 모르는 척하며 그래의 행동을 보는데 그래, 가방을 꺼내고, 책상 밑에 쇼
핑백까지 꺼낸다. 당황한 상식, 자기도 모르게 큼! 하는데

동식　　　(어이없이 보며) 장그래 씨, 뭐 하는 거야?
그래　　　(숙이며) 죄송합니다.
동식　　　(화난) 장그래 씨 지금,
상식　　　(갑자기 와락) 동식아! 아직 일 안 끝났어?
동식　　　(확 보며) 아, 네. 좀 남았,
상식　　　(OL) 정리해! 한잔하러 가자.
동식　　　벌써요? 저 베트남 NPK* 건 S/R** 마저 처리해야 되는데…
상식　　　왜 이래. 컨테이너로 들어갈 거라 B/L로 처리된다니까.
동식　　　부정기선***으로 보낸다고 다시 말씀드렸잖아요.
상식　　　이 자식들, 자꾸 이랬다 저랬다야. (바로 전화) 오 과장입니다.
　　　　　　원인터내셔널 오상식 과장입니다! (사이) 예, 우리 오퍼 컨테이너로 합시다.
　　　　　　계약한 날짜가 있는데, 뒤로 빼면 우린 뭐가 되냐고. (사이) 그러지 말고
　　　　　　해줍시다! 에이씨! 쥐꼬리만 한 수량이라고 까는 거야 뭐야! 해줘! 해달라고!
　　　　　　합시다! 안 해주면 내일 출근길에 내 얼굴 먼저 볼 거요.
동식/그래　(놀라고 당황한)
상식　　　(나오며) 한잔하러 가자. (보지 않고 툭) 장그래도 나서.
그래　　　네? (동식을 본다)

동식 역시 놀란 얼굴로 그래를 보는데 휙~ 나가버리는 상식. 끔벅끔벅 쳐다보는 동식과 그래.

S#63 — 곱창집, 밤

제법 취해서 쭈욱 술잔을 꺾는 상식을 보는 동식과 그래. 그래는 여전히 좌불안석한 표정.

* 　 복합비료. 질소(N), 인(P), 칼륨(K)의 3요소가 들어 있으며 이 요소들의 함량 비율에 따라 종류가 결정된다.
** 　 Shipping Request. 선적 요청서.
*** 　 일정한 항로나 화주를 한정하지 않고 화물이 있을 때나 선복 수요가 있을 때마다, 혹은 화주가 요구하는 시기와
　　　항로에 따라 화물을 불규칙적으로 운송하는 선박.

동식	고 과장님 실적 낸 거 보고 속상하셨구나.
상식	아냐 인마! 엉 그래. 쫌 그래. 속상해 그래. 그래 안 그래 장그래?
동식/그래	헐~/(당황)
상식	(취해서) 야, 김동식아. 너 그거 알아?
동식	네?
상식	얘 처음에 정리한 폴더 말야. 그거 엄청 합리적인 거다.
그래	(깜짝, 보면)
상식	얘 식대로 하면 업무 연관성 있는 타 부서의 업무 파악도 가능해지거드~은.
동식	네? (그래를 보면)
그래	(그냥 끔벅끔벅)
상식	아이템 조사부터 보고 결재로 연결되는 모든 프로세스를 한눈에 알 수가 있어서 업무 파악이 빨라지지. 하지만! (그래에게 떼끼! 하듯) 결산엔 못 써! 떽! 대신 기획 단계부터라면 훨씬 좋은 정리방식이지. 우리 회사 매뉴얼보다 훨~ 좋다! 훠~얼~
동식	아아~··· (끄덕끄덕)
그래	(끔벅끔벅)
상식	그리고 말야 아까 그 딱풀!
그래	(깜짝! 상식을 본다)
동식	(말리듯) 무슨 지난 걸 또 얘기하세요?
상식	얘가 실수한 거 아니다. 얘가 그런 거 아니라고오. 오해받으면 안 되는 거얌마.
그래	(멍~해서 보는)
동식	그럼 누가 했어요? 그 서류 얘가 만진 건데?
상식	그건! (헤롱~) 비이~미일~ (동식에 대고 트림한다) 끄어어억~
동식	(냄~새) 아휴 과장님!

Episode 2

취한 상식을 부축해서 나오는 동식과 그래.

고 과장　　(E, 이대근처럼) 아니! 오 과장니~임!

일동, 보면 완전 취한 고 과장과 덜 취한 황 대리, 김석호.

동식　　　고 과장님, 오늘 한 건 하시고 회식하셨나 봐요.
고 과장　　(상식에게 팔 벌리고 오며) 오 과장, 다~ 이해해. 당신 마음 이해한다고.
상식　　　(취해서) 뭘 이해해? 내 말으~은. 니네 부서 비품은 니들이 알아서 챙겨 써.
　　　　　　 남의 부서에 빌리러 오게 하지 말고.
고 과장　　(혀 꼬부라져서) 야~ 왜 이래에~ 넌 옛날부터 나 잘되는 거 싫어하더라.
동식　　　고 과장님, 취하셨어요.
고 과장　　(아랑곳 않고 상식에게) 큰 거 했다 왜? 꼽냐? 기분 잡치냐? 꼽냐고오~
상식　　　(취한 소리로) 내 말으은~
고 과장　　그렇게 나오기냐고. 서로 잘하자는데.
상식　　　(얼굴 앞에 대고 눈에 힘주고 강하게) 내 말은!
고 과장　　(순간 깜짝!)
상식　　　(얼굴 댄 채) 내 말은, 딱풀 좀 챙겨주라고 새끼야.
고 과장　　(얼굴 댄 채) 비품 얘기 그만해 진짜!
상식　　　니 애가 실수로 문서에 풀 묻혀 흘리는 바람에 우리 애만 혼났잖아!
석호　　　(깜짝 놀라는!)
그래　　　(역시 놀란 얼굴로 멍~하게 상식을 보는)
고 과장　　(흔들흔들하며 상식을 보며) 우리 애가 뭐어~?
황 대리　　(고 과장 끌고 가며) 과장님 2차 가죠. 저 집에 안 갈게요. 가요.
석호　　　(그제야 잘못을 알고 눈물 찔끔) 죄… 죄송해요. (어쩔 줄 몰라 하며 그래에게)
　　　　　　 미… 미안해요. 장그래 씨. (꾸벅. 후다닥 간다)

그래, 상식을 멍하게 쳐다볼 뿐이다. 상식, 그래를 쳐다본다. 다시 눈이 비실비실 풀리면서

상식　　　정신 잘 차리고 살아 인마. 냠냠~
그래　　　(상식을 멍하게 쳐다보기만)

S#65 —— 몽타주, 밤

#알 수 없는 멍한 표정으로 밤거리를 걸어가는 장그래.

#지하철에 앉아 졸고 있는 김동식.

#인사불성 고 과장을 부축 중인 황 대리와 택시 잡고 있는 석호.

#짐도 아직 다 풀지 않은 허름한 방에 들어서는 안영이.

#치킨을 사 들고 비틀비틀 걸어가는 상식.

#치킨 봉지를 들고 자고 있는 아이들 방문을 열어 비틀비틀 들어가더니 애들을 깨우는 상식. 짜증 내고 뒤척이는 아이들. 와이프 늘어와서 화내며 끌고 나간다.

S#66 —— 석호의 원룸 오피스텔, 밤

문을 열고 조용히 들어오는 석호. 자고 있는 아내의 등이 보인다. 살살 들어가는데

아내	(눈 감은 채 졸린 소리로) 왔…어…?
석호	깼어? 미안.
아내	나 겨우 잠들었어.
석호	(다가가며) 왜? 통 안 자?
아내	자기는…

석호, 아내 등 뒤에 슥 앉아서 넘겨보면 팔다리 흔들며 재롱 떨고 누워 있는 아기. 석호, 너무 좋아 어쩔 줄 모르겠는 얼굴.

아기	(석호 보고) 아뿌~ 아뿌~
석호	그래. 아빠. 아빠.
아내	(눈 감은 채) 어이구~ 아빠 알아보고 더 난리네… 난 몰라~ 당신이 재워.
석호	그래, 알았어. 자 (조심스럽게 아기를 안아 든다…) 그래 · 이빠아.

방긋 웃으며 석호의 손가락 하나를 꽈악 잡는 아기다…

S#67 —— 그래의 방, 밤

불도 안 컨 방에서 가만히 책상에 멍하게 앉아 있는 그래.

상식   (E) 니 애가 실수로 문서를 흘리는 바람에 우리 애만 혼났잖아!

[Flashback] S#64

       상식   니 애가 실수로 문서에 풀 묻혀 흘리는 바람에 우리 애만 혼났잖아!

장면이 다시 리플레이 된다.

       상식   니 애가 실수로 문서에 풀 묻혀 흘리는 바람에 우리 애만 혼났잖아!

또 리플레이 된다.

       상식   니 애가 실수로 문서에 풀 묻혀 흘리는 바람에 우리 애만 혼났잖아!

이번엔 상식의 입 "우리 애" "우리 애"만 비현실적으로 두 번 리플레이 된다. 멍~하게 어둠 속을 응시하던 그래…

그래   (Na) 우리 애…라고 불렀다…
그래   우. 우… (울컥해서 '리' 자는 안 들림) 애…

급기야 히히히히히히 바보처럼 웃는다. 웃으면서 뭔가를 노트에 끄적인다. 다 쓰고 고개를 들어 다시 히히히히 웃는다. 웃으며 촉촉이 젖는 눈. 그런 위로.

그래 엄마   (E) 아니 옷이 왜 이러니~? 아니 애가 하루 종일 뭐얼 하고 다닌 거야~?
           애~ 그래야~ 그래야아~

촉촉이 젖어 든 눈으로 히히히히히 웃고만 있는 그래에서 노트로 가면 노트 위 큼직하게 쓰인 글자. "혼자 하는 일이 아니다."

S#68 — 그래의 집 밖 외경, 밤

그래 엄마   (E) 그래야아~!

개 짖는 소리가 온 동네에 울린다.

S#69 — 원인터 로비, 아침

지금까지와는 좀 달라 보이는 씩씩한 걸음걸이로 거침없이 휙휙 걸어 들어오는 그래. 뒤에서 오던 영이, 그래를 봤다. 따라가며 부른다.

영이　　장그래 씨.

그래　　(못 듣고 엘리베이터 쪽으로 탄다)

영이　　(발걸음 빨라지면서) 장그래 씨!

그래, 못 듣고 닫히려는 엘리베이터에 홀렁 탄다. 닫혀버리는 엘리베이터. 영이, 멈추고 "후"…

S#70 — 섬유2팀, 아침

가방을 싸며 앉아 있는 석율. 그 석율을 향해 똑바로 걸어오는 그래, 그 앞에 가서 선다.

석율　　(그제야 보고) 난 오늘 다시 현장 내려갑니다. 장그래 씨는 좋은 기회 잃,

그래　　(OL) 합시다.

석율　　(엉? 하듯 본다)

그래　　합시다. 파트너.

석율　　(엉? 하듯 보는)

엔딩.

Episode 3

제3국

S#1 — 그래의 방, 밤

어두운 방 안… 눈을 뜨고 손을 펼쳐보고 있는 그래… 잠시 후 울리는 알람. 6시. 탁! 끄는 그래.

S#2 — 몽타주, 이른 아침

#대문을 열고 출근 차림의 그래가 나온다. 몇 걸음 나서다가 어둑한 골목길을 쳐다보는 그래.

그래　　　(Na) 언제나 그랬다.

#그래, 대문을 돌아보면 문이 열리면서 배낭을 맨 열여덟 살의 그래가 나온다.

그래　　　(Na) 매일 새벽같이 일어나 기원에 가는 길에도

열여덟의 그래가 지금의 그래에게 걸어와 나란히 걸어가는데, 맞은편에서 후드 티를 뒤집어 쓴 지친 그래가 걸어온다. 보는 그래.

그래　　　(Na) 야간 아르바이트를 마치고 돌아오는 길에도

후드 티 그래가 지금의 그래 옆을 지나가면서 스르르 사라진다. 옆의 열여덟 그래도 스르르 사라진다. 그래, 골목 끝을 보면 아롱지듯 움직이는 사람의 실루엣이 가물가물하다.

그래　　　(Na) 아무리 빨리 이 새벽을 맞아도

걸어가면서 사람의 실루엣이 점점 확실해진다. 비질을 하고 있는 환경미화원.

그래　　　(Na) 어김없이 길에는 사람들이 있었다.

걸어가는 그래 옆으로 자전거를 탄 아저씨가 지나가고 신문 배달 소년도 뛰어간다.

그래　　　(Na) 남들이 아직 꿈속을 헤맬 거라 생각했지만

골목 밖으로 나서는 그래,

그래　　　(Na) 언제나 그렇듯 세상은 나보다 빠르다.

Episode 3

S#3 ── 원인터 외경, 아침

S#4 ── 원인터 로비, 아침

씩씩한 걸음걸이로 거침없이 휙휙 걸어 들어오는 그래. 뒤에서 오던 영이, 그래를 봤다. 멈춰 서서 보다가 따라 가며 부른다.

영이	장그래 씨.
그래	(못 듣고 엘리베이터 쪽으로 탄다)
영이	(발걸음 빨라지면서) 장그래 씨!

그래, 못 듣고 닫히려는 엘리베이터에 홀렁 탄다. 닫혀버리는 엘리베이터. 영이, 멈추고 "후"…

S#5 ── 섬유2팀, 아침

전화하며 이런저런 서류들을 가방 속에 넣고 있는 석율.

석율	네! 부장님. 말씀하신 서류들 다 챙겼고요,

16층 입구로 들어온 그래, 두리번거리다가 석율을 발견하고 똑바로 걸어간다. 석율 "네! 이따 뵙겠습니다!" 하고 전화 끊는데 그 앞에 가서 서는 그래. 석율, 힐끔 쳐다보곤 늘 그렇듯 자뻑 거만을 떨며

석율	아, 장그래 씨. 난 오늘 다시 현장 내려갑니다. 장그래 씨는 좋은 기회 잃,
그래	(OL) 합시다.
석율	(엉? 하듯 본다)
그래	합시다. 파트너.
석율	(엉? 하듯 보는)

　　S#6 ── 옥상, 낮

옥상 저 멀리를 보고 있는 석율, 가방을 들고 있다. 뒤에서 팔짱 낀 채 벽에 기대 그런 석율을 보고 있는 그래.

석율	(무게 잡고 저 멀리 보며) 마음이 바뀐 이유는요?
그래	바뀐 것 없습니다. 결정을 미뤘을 뿐이죠.
석율	(띵! 씰룩) …그래요, 되묻죠. (돌아서서) 왜 나인 겁니까?
그래	한석율 씨가 가진 경험과 능력이 우리 PT 준비에 도움이 될 것 같아서요
석율	(당연하단 표정 후 피식 웃고) 장그래 씨, 삶이 뭐라고 생각해요?
그래	(뭐…?)
석율	거창한 질문 같아요? 간단해요. 선택의 순간들을 모아두면 그게 바로 삶이고 인생이 되는 거예요. 매 순간 어떤 선택을 하느냐… 결국은 그게 삶의 질을 결정짓는 것 아니겠어요?
그래	(조금 어두워지는 얼굴)
석율	(손목시계를 본다) 우리가 옥상에 올라온 지 5분이 지났군요.
그래	…?
석율	잊지 마십시오. 이 5분이, 오늘 이 옥상에서의 5분이, 당신의 인생을 바꿔줄 최고의 5분이었다는 사실을 말입니다. (무게 잡고 그래를 본다)
상현	(E) 개벽이?!

S#7 ── 탕비실 안 휴게실, 낮

놀란 얼굴로 인턴2를 보고 있는 상현과 인턴3 그리고 백기.

상현	와우! 오지랖 설레발 그 개진상 개벽이요?
인턴2	(끄덕끄덕)
인턴3	허세 쩌는 원조폭탄 그 개벽이 말이죠?
인턴2	(끄덕끄덕)
상현	단발머리 변태 그 개벽이요?
인턴2	그렇다니까요.
백기	(커피 마시며 피식)
인턴2	근데 말이죠.
일동	(보면)
인턴2	개벽이 개벽이 해서 개벽인 줄은 알겠는데… 왜 한석율 씨를 개벽이라고

부르는 거예요?

상현   (푸핫! 웃음 터지며) 그야 개벽이 짓을 하니까요.

[Flashback] 원인터 일각

일각, 벽에 붙어서 고개만 빼꼼 내밀고 있는 석율.

상현   (E) 매일 한 시간씩 빨리 출근하는 게

지나가는 여자들을 관찰하고 있다.

상현   (E) 출근하는 여직원들 구경하려고 그러는 거잖아요.

빼꼼 내민 석율의 얼굴이 개벽이로 뿅!
그 위로 인턴들의 웃음소리 "푸하하하하하하!"

상현   (비웃는) 폭탄이 폭탄을 안았으니까, 핵폭탄이네!
백기   (일어나 컵을 쓰레기통에 던지며) 누가 먼저 터질지

S#8 — 옥상, 낮

휘잉~ 발끝에 날리는 바람을 밟고 서서 마주 보고 있는 그래와 석율.

백기   (E, 재밌다는 듯) 궁금하네요.

S#9 — 엘리베이터 앞, 낮

엘리베이터 열리고 이어서 그래가 내리고 돌아본다.

그래   아이템 선정부터 해야겠군요.
석율   (버튼 잡으며) 전적으로 장그래 씨한테 맡길게요. 진행 과정만 메일로 공유해주세요.
그래   (의아) 아이템을 제 맘대로 정하란 건가요?
석율   아, 물론 민주적인 합의 과정은 필요하겠죠. 저도 할 건 하구요.

사무실 안에서 지나가던 백기가 둘을 본다.

석율	장그래 씨, 난 척 보고 알았죠. 당신한텐 안목이 있어요.
그래	(보면)
석율	(씩 웃으며 버튼을 놓는다. 스르르 문이 닫히려는데 다시 잡고) PT도 장그래 씨 마음대로 만드세요. 얼마든지 본인이 돋보일 수 있게요. (버튼을 놓으면서 이상한 자뻑 제스처를 취하는 동안 서서히 닫히는 문) (자신만만하게) 잘해봅시다. 당신의 안목을 믿습니다. (닫힌다)

피식 웃으며 갈 길 가는 백기. 닫힌 문을 보고 서 있는 그래.

| 석율 | (E) 당신의 안목을 믿습니다. |

별로 공감하지 않는 표정의 그래.

S#10 ── 안영이 자리, 낮

영이, 탁상 달력을 보고 있다. "PT팀 구성 제출"에 동그라미 쳐진 오늘 날짜. 영이, 휴대전화에서 그래 찾아 누르려는데 백기 다가오며

백기	팀 짰어요? 오늘까지예요.
영이	아… 아직요. (저 너머에서 그래가 들어와 가는 게 보인다)
백기	아직요? 남은 사람이 얼마 없을 텐데요… (영이의 시선을 따라 본다. 장그래가 보인다) 장그래 씨도 팀 짰다던데. 한석율 씨하고요.
영이	(깜짝) 네?
상현	(E) 영이 씨~! 헤이~! 안영이! (건들건들 와서) 빨리 제출합시다.
영이	(당황해서 본다) 아… 난,
상현	난이고 넌이고 당신하고 나밖에 안 남았어.

영이, 낭황해서 백기를 보면 백기도 조금 당황해서 상현을 본다.

백기	이상현 씨,
상현	(OL, 건들건들) 내 뭐랬어~ 안영이 씨하곤 아무도 안 한다고 했잖아~ 나나 되니까 감당하는 거야아~ 그럼, 제출해요~ (건들건들 간다)
영이	(말문 막힌 얼굴로 보는데)
백기	저… 영이 씨…
영이	(보면)

| 백기 | 힘내세요… |
| 영이 | (황당~) |

S#11 ── 15층 사무실, 낮

그래, 책상 위 물건들을 반듯반듯하게 놓고 있는데 상식과 동식이 출근한다.

그래	(벌떡 일어나) 안녕하십니까?
동식	어, 일찍 왔네?
상식	(앉아 컴퓨터 켜며) 동식아, 어제 베트남 NPK 건, 컨테이너 관련 메일 넣는다고 했으니까 확인해봐.
동식	네. (컴퓨터 켜며) 근데 어제 과장님 쓸데없이 박력 터지대요? (업무 포털에 로그인하며 흉내 내며) 에이씨! 해줘! 해달라고! 합시다! 안 해주면 (하다가) 어? 이거 뭐야?
상식	(자기 컴퓨터 보며) 뭐야 이거?
상식/동식	(그래를 돌아본다)
그래	(파쇄지 모아 들고 조용히 일어나며) 사내 시스템 계정 생긴 기념으로 한번 보내봤습니다. 그럼. (목례하고 조용히 나간다)

상식과 동식, 어이없이 보다가 다시 모니터 화면 보면 두 사람 메일함에 제목 "안녕하십니까? 장 그래입니다". 상식과 동식, 메일을 클릭해서 읽는다.

동식	안녕하십니까, 장그래입니다.
상식	과장님 덕분에 어제 생전 처음으로 양의 곱창을,
그래	(OL) 양의 곱창을 먹어봤습니다.

S#12 ── 통로, 낮

만족한 얼굴로 파쇄지를 들고 걸어가는 그래.

| 그래 | (E) 저는 원래 육식을 즐기지 않아 양고기는 입에 대지도 않습니다만, 어제는 양의 곱창이라는 특수 고기, 특수 부위를 먹으면서 이것이 바로 동료애의 시작이 라는 걸 느꼈습니다. 또한 과장님의 숨겨둔 진심을 알게 된 시간들이었습니다… |

"우리 애" "우리 애" 하는 상식.

온화하게 미소 짓는 그래.

S#13 ─ 영업3팀, 낮

어이없는 얼굴로 모니터를 보고 있는 상식.

상식	얘 뭐래는 거니? (동식 돌아보며) 양의 곱창…
그래	앞으로 영업3팀의 일원으로서 부끄럽지 않은 장그래가
상식	(삭제를 눌러버린다) 아침부터 정신 사납게시리 (다른 메일 체크하며)
	근데, 곱창집에 쟤도 갔냐?
동식	기억 안 나세요?
상식	2차로 곱창집 간 건 기억이 나는데… 쟤는 왜 갔어?
동식	(헐-) 그럼, 고 과장님 만난 건 기억나세요?
상식	고 과장을 만났어?

S#14 ─ 탕비실, 낮

웃으며 파쇄하고 있는 그래 위로.

동식	(E) 고 과장님하고 딱풀 갖고 싸운 거, 진짜 기억 안 나세요?
상식	(E, 기가 막힌) 얌마! 초딩이냐? 무슨 딱풀 갖고… 근데 진짜 고 과장 만났어?

"아~ 진짜. 고 과장님 실적 낸 거 땜에 과장님 엄청 삐뚤어지셨었다니깐요 " "뭐? 내가 언제? 이 자식 사람 뵐로 보고. 담배나 피러 가. 할 말도 있고." 상식과 동식이 구시렁구시렁 나누는 말소리 위로 좋아하며 미소 짓는 그래.

그래	(E) 좋은 아침이다… 좋은 아침.

S#15 — 중앙 정원, 낮

"후~" 빈 담배를 피고 있는 상식 앞에서 조금 놀란 얼굴로 보고 있는 동식.

동식	에? … 극세사… 먼지떨이 (들고 있는 서류 다시 보며) 지난번에 전무님이 깐 건이잖아요?
상식	(담뱃갑에 다시 담배 넣으며) 조건 바꿔서 다시 해보려구.
동식	(골치 아픈) 이거 전무님이 하지 말라고 해서 깐 거 아녜요?
상식	(화단에 풀 다듬으며) 그래서 조건 바꿔서 다시 해보겠단 거잖아.
동식	아~ 과장니~임! 그 얘기가 아니라 (아…씨) 왜 하필 전무님이 깐 걸, 그리고 이거 금액도 큰 거잖아요
상식	(계속 풀 다듬으며) 야 인마! 그러니까 하겠단 거 아냐~ (동식 보며) 짜친 거면 내가 다시 덤비겠어?!
동식	네.
상식	(멈칫) …빠삭한 놈. (휘적휘적 가면)
동식	(한숨 쉬며 서류를 다시 본다)

S#16 — 영업3팀, 낮

그래, 회의 탁자를 정리하고 열심히 닦고 있다. 들어오던 상식, 그런 그래를 본다.

> [Flashback] 제2국 S#37
>
> | | |
> |---|---|
> | 그래 | 기회를 주실 수 있잖아요. |
> | 상식 | 기회에도 자격이 있는 거다. |
> | 그래 | 무슨 자격이요? |

상식…, 그래의 옆을 말없이 지나간다. 그때 동식도 들어오며

동식	장그래 씨, 하던 일 끝나면 퀵 좀 불러줘. 오성실업 갈 거야.
그래	네! (다시 열심히 탁자를 닦는다)

상식, 자리에 앉아 탁자를 닦고 있는 그래를 다시 본다.

> [Flashback] 제2국 S#50
>
> | | |
> |---|---|
> | 상식 | (버럭) 나가라구! 이 새끼야! |

상식　이제 분명히 알겠지? 너한테 기회도 안 주는 이유,
　　　니가 자격 없는 이유!

상식　… (서류 펼쳐 조금 검토하다가) 장그래, 캐비닛에 3년 전 서류 보관 박스 있거든. 거기서 남해화학 비료 선적했던 거, COO* 좀 찾아와.
그래　네? (명 본다~)
상식　그리고오… (파일철 찾으며 자연스럽게) 그해에 일본이랑 LED 건 MOU 맺은 계약서도 거기 있을 거야. 그것도 찾아와.
동식　(의아하게 돌아보고)
그래　(명~) 어… (캐비닛 쪽을 봤다가 다시 명~하다가)
상식　(흘깃 보고) 뭐 하고 있어?
동식　(다시 제자리로 보며) 뭐 하고 있긴요. 외계어 번역하고 있겠죠.

상식, 한숨 쉬고는 마지못한 듯 탁자 위로 책을 툭 던진다. 『무역용어사전』이다

그래　(들어서 본다) 무역… 용어사전…
상식　콩떡같이 말해도 찰떡같이 알아들어!
그래　네?
동식　(돌아보면)
상식　(서류 챙기며) 같은 건 바라지도 않으니까 있는 동안만큼은 장님 문고리 잡듯 더듬거리는 척이라도 하란 말이야. 복장 터지니까. (서류 들고 나가다가 다시 보고 위협적으로) 앞으론 되묻지 마. (획 나간다)

서로 끔벅끔벅 보는 그래와 동식.

S#17 — 섬유3팀 + 영이 팀, 낮

영이　(통화) 네, 선박 위치 확인 부탁드리고요. 기상 상태가 안 좋다니까 입항까지 예상시간 뽑아주세요. 네 알겠습니다. (전화 끊으면 또 전화 온다) 아, 네 과장님. 법무팀 확인했구요. 문제없습니다. 네.

목이 아파 주무르는데 문자가 온다. 발신인 '…'. 굳는 얼굴의 영이, 입술을 깨문다. 안 받고 보면 한참 후 울리다가 끊기고 문자 온다. 영이, 망설이다가 확인하면 "통화 어렵구나. 회사 앞에서 볼까?"

* Certificate of Origin. 원산지 증명서. 식품 등의 원산지를 증명하기 위한 서류.

다시 오는 전화, 영이 파르르한 얼굴로 있다가 받는다.

영이   …네, 저예요. (말 들으며 인상이 점점 파리해진다) …네, 듣고 있어요. 아뇨, 없어요.
            (벌떡 일어나며) 정말 왜 이러세요!

주변에서 힐끔 본다. 백기도 본다. 영이, 주변을 의식해 보다가 백기와 눈이 마주친다. 영이, 다
시 앉으며 애써 침착하려는 소리로

영이   싫어요. 오지 마세요. 싫다구요!

전화를 확 끊어버린다. 북받치는 감정을 고르고 있는데 또 문자 온다. 휴대전화를 꽉 쥐는 영이,
확인하면 발신자 이상현 "아템 얘기 좀 합시다. 잠깐 봐요." 유치찬란한 이모티콘도 있다.

영이   …

S#18 ── 중앙 정원, 낮

무역용어사전을 넘겨 보고 있는 그래. 빼곡한 내용들. 몇 글자 읽다가 금방 몰입하는데… 문자
온다. 보면 석율. "다시 한 번 말하지만 장그래 씨에게 모든 걸 일임합니다. 하고 싶은 대로 뭐든
하세요." 또 문자 온다. 다시 보면 "왜냐구요? 난 이미 붙은 몸이라고 했잖습니까? ㅎㅎㅎ" 가볍
게 한숨 쉬고 고개를 드는데 영이가 오고 있다. 쳐다보는 그래. 영이도 봤다.

영이   (다가와서) 안녕하세요.
그래   네… 안녕하세요.
영이   한석율 씨하고 파트너 짜셨다면서요.
그래   (딱딱한) 네.
영이   (웃으며) 전 차인 거네요.
그래   (웃는 영이를 본다)
상현   (Off) 헤이~ 안영이 씨이~

파일철 하나 들고 건들건들 영이에게 다가온다. 그래를 흘긋 봤다가 영이에게

상현   아이템 말야, 괜~히 이거저거 쑤시지 말고 울 동아리 선배들한테 하나 받아서 하자구.

영이	(찡그리며) 동아리 선배들이요?
상현	여기 서서 이럴 게 아니고, 휴게실로 갑시다. (손목을 덥석 잡고 끈다)
그래	(멈칫하며 본다)
영이	(손목을 확 뿌리치며) 이상현 씨!
상현	어? 아~ 미안미안, 내가 워낙 여자 후배들하고 막 지내서, 근데 너무 오버 아냐? 이럼 내가 무슨 추행이라도 한 거 같잖아아~
영이	이상현 씨!
상현	이래서 사회 나오면 여자들 조심하랬는데… 사람 우스워지는 거 눈 깜짝할 새야~ 휴게실로 와요. (고개 저으며 건들건들 간다)
영이	(기가 막혀 보다가 그래를 보고 간다)
그래	…

S#19 — 휴게실, 낮

파일철을 펴 들고 기가 막힌 얼굴로 상현을 보고 있는 영이.

영이	자원 선점 방법이요?
상현	우리 24기 선배가 율산상사 갔는데, 이 아이템으로 수석 입사를 했어. 뽀록 안 나아~ 이걸 살짝 변형해서,
영이	(OL) 이상현 씨!
상현	광자원공사 다니는 선배도 있고, 자료는 빵빵할 거야. 영이 씨는 그냥 숟가락만 얹으면 돼요.
영이	(파일철을 탁 접고 내밀며) 싫어요. 숟가락 얹는 거 저도 참 좋아하는데요, 삭은 밥엔 도저히 못 올리겠어요. 구려서.
상현	아~ 나 참. 좀 쉽게 갈 건 쉽게 갑시다. 빡빡하긴. (일어나 건들건들 간다)

영이, 피곤한 듯 "후~" 하며 얼굴을 잡고 숙인다.

영이	…

탁탁탁탁 누군가 다가오는 소리 들린다. 고개 들지 않고 있는 영이. 영이 앞에서 멈춰 서는 발소리. 영이, 고개 숙인 채 힘없는 소리로

영이	그건 싫다니까요…
백기	(Off) 왜 이러고 있어요?

영이	(본다)
백기	(카페 커피 건네며 앞에 앉는다) 어디 아파요?
영이	아… 아녜요. (일어나 가려는데)
백기	(팔을 잡으며) 앉아 좀 쉬어요. 보니까 하루 종일 혼자 정신없대요.
영이	(팔을 빼며) 괜찮아요. (가려는데)
백기	(다시 잡으며) 아~ 거 사람 참.
영이	(본다)
백기	내 말이 아니고 그쪽 과장님 분부예요. (커피 잔을 슥 돌려주며) 1층 카페에서 만났어요. (커피 잔을 보라고 톡톡 치며) 종일 부려 먹고 4,000원짜리 커피로 퉁치시려나 봐요.

영이, 커피 잔 보면 유치한 그림과 함께 "영이 씨 미안. 좀 쉬어 ㅜ.ㅜ" 영이, 피식 웃으며 앉는다.

백기	2차 PT 개인과제 주제는 시험 전날 밤에 알려준다네요. 잔업이라도 남아 있음 죽음이겠어요.
영이	…
백기	장그래 씬 어쩌고 있나 모르겠네요.
영이	(말없이 커피를 마신다)
백기	한석율 씨는 알겠는데, 장그래 씨가 한석율 씨를 선택한 이유를 모르겠어요. 그렇게 많은 사람들이 같이하자고 했는데 말이죠.
영이	(의아) 많은 사람…들이요?
백기	몰랐어요? 아마 장그래 씨랑 하면 돋보일 거라고 생각들 했나 봐요. (웃으며 영이를 보며) 장그래 씨를 이용하려는 거죠.
영이	…

S#20 — 탕비실 밖, 낮

나와서 걸어오는 영이, 영업3팀에 앉아 일하고 있는 그래를 본다…

영이	(중얼) 나도 똑같은 사람으로 본 거네.

가볍게 한숨 쉬고 자기 자리로 간다.

S#21 — 몽타주, 밤

#일하고 있는 그래.

#집에서 밤새 아이템 찾는 그래.

#한석율에게 온 문자 "장그래 씨, 더 분발하세요~ 파이팅입니다~"

#건들건들 손 흔들고 가는 이상현 때문에 속상한 영이.

#오 과장 앞에서 무역용어 시험 보고 있는 그래.

#엘리베이터 앞, 타고 내리는 영이와 그래. 서로 어색하게 인사하고 가는.

#해가 뜨고 지고 바쁜 도심 빌딩 숲 풍경.

S#22 — 영업3팀, 낮

동식, '국산 극세사 먼지떨이 수출의 건' 서류 보면서

동식	이제 울산 공장에 오더만 넣으면 될 거 같아요. 부장님 용케 결재 내주셨네요. 전무님이 뭐라 안 하셨나?
상식	(커피 마지막 모금 꿀꺽 마시고) 끝까지 실수 없이 진행해. 흠잡히지 않게.
동식	지난번에 다 준비됐던 거라 별 무리 없어요. 시간이 좀 밭은 것만 빼면요.
상식	아, 그리고 장그래, 베트남 건 배 정보 받은 거 확인해봐. 로딩 디스차징 레이트• 하고, 뎀데스•• … 아, 뎀데스는 용어사전에 없지? 우리끼리 쓰는 현장 용언데,
그래	압니다. 디머리지 디스패치 말씀하시는 거 아닙니까? 배가 선적이나 하역하지 못해서 정박할 때 내는 돈.
상식/동식	(놀라 본다)
그래	복사 좀 하고 와서 확인해봐도 되겠습니까?
상식	으… 응. 그래, 가봐. (그래 가면 동식을 확 보며) 니가 가르쳐줬어?
동식	아뇨. (놀란 호기심) 장그래 혹시 천재 아녜요? 용어사전도 사흘 만에 다 외워왔지. 그 와중에 PT 아이템 준비하는 거 보세요. 뭘 알고나 하는 건진 모르겠지만.
상식	그게 중요한 거야. 뭘 알고나 하는 거야?
동식	과장님은 장그래가 붙었음 좋겠어요? 떨어졌음 좋겠어요?
상식	(정색하고) 솔직히 말해?
동식	(당황) 아니 뭘 그렇게까지 또 비장하게,
상식	(OL) 솔직히 떨어졌으면 좋겠어.
동식	네? (본다)
상식	…

• loading discharging rate. 물건을 선적(loading), 하역(discharging)하는 양을 가리키는 현장 용어.

•• dimurrage/despatch를 줄여 쓰는 현장 용어. 물건 선적 또는 하역 중 계약한 하루에 선적 또는 하역 물량보다 많거나 적어 원래 예정된 시간보다 작업이 일찍 끝나거나 늦게 끝나 원래 운임에서 돌려받거나(디스패치) 추가로 내는(디머리지) 금액.

S#23 —— 탕비실, 낮

복사기 앞에서 복사하다 말고 "다시"라고 쓰인 석율의 문자 메시지를 보고 있는 그래… 화가 치밀어 오른다. 문자를 보낸다. "이번엔 또 무슨 이유죠?" 바로 답문 온다. "섹시하지 않아요." 황당한 표정의 그래… 다시 문자 오는 소리. 보면 또 석율이다. 터치해 보면 몸매가 드러나는 글래머 여자가 걸어가고 있는 사진과 함께 "섹시한 걸로 다시"라는 문자다. 기가 막힌 그래, 그 위로 찰칵찰칵 사진 찍는 소리.

S#24 —— 서울 시내 거리, 낮

찰칵, 찰칵, 찰칵. 사진기 안에 담기는 섹시한 차림의 거리 여자들. 룰루랄라 한 얼굴로 지나가는 여자들 사진을 찍고 있는 석율. 한껏 멋 냈지만 촌스럽기 짝이 없는 사복 패션 차림이다. 전화 온다. 방해받아 조금 짜증 내며 본다. 그래다. 답답한.

석율	아~ 센스. (받으며) 장그래 씨. (사이) 안 되는 이유요? 문자 못 받았어요?
그래	(E) 지금 장난하시는 겁니까?
석율	못 알아들으시는구나~ (웃으며) 요즘 말들이 다 그래요. (걸어가며) 섹시하단 말이 성적인 매력을 표현하는 단어로만 쓰이진 않거든요, 뭔가 뭔가 (설명이 어려워 손목을 막 돌리며) 아~ 그 뭐냐, 뭔가 막 엣지 있는, 아~ 이 말도 못 알아들으실 거고, 거참 콩떡같이 말해도 찰떡같이 알아들어야 호흡이 척척 맞는단 소릴 들을 텐데 말이죠.

S#25 —— 탕비실, 낮

그래	(욱! 하는데)
석율	(E) 장그래 씨가 좀 고지식한 편이죠? 그럼 이런 급변하는 문화 코드를 받아들이는 데 거부감이 있긴 할 거예요.
그래	지금 그 소리가 아니잖습니까?!

S#26 —— 시내 거리, 낮

석율	(어리둥절~) 네? 아니에요? 그럼 뭐가 문제예요? (듣는 듯) 아~ 그거. (각 잡고) 장그래 씨, 그 아이템으론 택도 없어요. 아시겠어요?

갖가지 입상 경력이 있는 내 경험으로 볼 때,

그래   (OL, E) 제 맘대로 해도 된다고 하지 않았던가요?

S#27 ── 탕비실 + 시내 거리 일각, 낮(분할 화면)

석율   (멈춰 서서 정색) 공유한다고 했죠. 제가 할 일은 한다고도 했고요.

그래   한석율 씨가 다시 하라면 무턱대고 해야 합니까?

석율   장그래 씨, 전 회사의 생리에 밝습니다. 회사가 원하는 인재상에 경험적으로 가까운 사람이구요. 누가 누구의 말을 들어야겠습니까?

그래   (어금니에 힘이 들어간다)

석율   내가 장그래 씨보다 잘났단 얘길 하는 게 아닙니다. 정확한 조언으로 도움을 드리고 있는 겁니다.

그래   (누르고) 그럼… 어떤 아이템이어야 하죠?

석율   본인이 찾으세요. 본인이 가장 잘할 수 있는 걸로. 그리고, 섹시한 걸로.

그래   (화르륵~!)

석율   아, 그리고 나 지금 서울 출장 왔어요. 필요하면 들어갈까요?

그래   (꾹…) 아니, 됐습니다.

석율   그래요, 준비되면 다시 연락 주세요. (전화 끊는다)

S#28 ── 탕비실, 낮

그래, 벌게진 얼굴로 전화기를 노려보다가 "후~" 참고 전화기를 내리는데 띵~ 문자 온다. 확인하면 석율의 문자다. "섹시하지 않다=넘넘 평범하다"에 유치한 이모티콘까지. 기가 막힌 그래.

그래   진짜 이 인간이!

S#29 ── 휴게실, 낮

파일을 보고 있는 백기, 픽 비웃음을 물며

백기   저쪽 폭탄이 먼저 터졌군.

탕비실 쪽에서 화닌 일굴 그내로 확 들어오던 그래, 멈칫한다. 당황하는 그래.

백기	아, 안녕하세요? 장그래 씨.
그래	(굳은) 네.
백기	(파일 보며) 잘돼가요?
그래	…쉽지 않네요.
백기	(파일 보며) 네. 그렇죠?
그래	(쳐다보는데)

휴게실 쪽 문이 열리며 파일 들고 들어오는 종민.

백기	(반갑게) 아, 종민 씨, 우리 둘이 자료가 겹치네요 (일어나며) 나가서 얘기해요.
	찬바람 좀 쐬죠. (나간다)

종민도 나가고 혼자 남은 그래… 굳어진 얼굴.

S#30 ── 회사 앞 거리, 밤

가방을 들고 퇴근하는 그래.
여기저기 취한 회사원들의 풍경.
고개를 들어 맞은편 큰 빌딩의 불빛들을 본다.

그래	…

[Flashback] 기원(과거)
보자기에 기보들을 싸는 그래. 옆에는 묶어둔 기보들.

동기1	정말 그만두려고?
그래	…
동기2	지금까지 해온 게 있는데… 너 한번 하면 끝장 보는 놈이잖아. 한 번만 더 해봐.
동기1	그래 인마, 우리도 입단했는데… 넌 우리보다 잘했잖아.
그래	(빙긋 웃는)
동기1	후회 안 할 자신 있어?
그래	(두 사람을 본다)

S#31 —— 그래의 방, 밤

책들과 자료 문서들을 잔뜩 쌓아놓고 아이템 선정 작업을 하고 있는 그래.
조금 열리는 문, 문틈으로 보는 그래 엄마…

S#32 —— 그래의 방, 밤

문을 닫고 돌아서는 그래 엄마.

그래 엄마　　뭘 저렇게 잔뜩 어질러놓고… (가려다가 다시 돌아보며) 주말 내내 잠도 안 자고
　　　　　　　뭣 하는 짓이야?

S#33 —— 원인터 외경, 낮

S#34 —— 영업3팀, 낮

점심시간 빈 사무실 분위기. 밥 먹고 들어오는 듯 보이는 상식과 동식. 의자에 뒤로 기대 자고 있
는 그래를 보고 "허!" 하며 다가온다.

동식　　　깨울까요?
상식　　　둬.

나간다. 동식도 따른다.

S#35 —— 통로, 낮

동식　　　PT 시험 아이템이 잔뜩이더라구요.
상식　　　혼자 준비하는 거야? 파트너가 누구라고?
동식　　　울산 공장 내려간 친구 있잖아요? 한석율이라고.
상식　　　아~ 그 뺀질이?
동식　　　그 친구 요령이 좀 좋습니까? 장그래가 아마 일을 잔뜩 떠맡은 모양이에요.
상식　　　요령만 있는 놈하고 요령도 없는 놈하고 만난 거군.

동식   (웃으며) 그렇게 되네요.
상식   … (돌아보며 걸어간다)

S#36 — 영업3팀 안, 낮

계속 자고 있는 그래. 꿈을 꾼다.

S#37 — 그래의 꿈속, 낮

바둑판 위에 조용조용 놓이는 흑백 바둑돌들.

그래   (E) 나의 영웅들…

어린 그래가 바둑을 두고 있다. 어린 그래의 손을 잡고 바둑돌을 놓는 한 남자의 뒷모습.

그래   (E) 조남철.

남자, 뒷모습 바뀐다. 여전히 어린 그래의 손을 잡고 바둑을 둔다.

그래   (E) 조훈현.

계속 다른 사람들로 바뀐다. 그래도 청소년으로 바뀌어 있다. 누군가 그래의 손을 잡고 바둑을 두는 건 여전하다. 청소년 그래 옆으로 죽~ 사람들이 겹쳐 늘어져 있다.

그래   (E) 이창호와 유창혁. 천재 이세돌. 조지훈, 세고에 겐사쿠.

사람들이 흐려진다.

그래   (E) 많은 나의 영웅들이… 사라져간다.
            가지 마…
            가지 마요…
            제가 잘할게요… 가지 마요…

S#38 ── 영업3팀 안, 낮

그래의 눈가에 눈물이 맺힌다. 또각또각 발자국 소리가 인근에서 멈춘다. 영업3팀 밖에서 그래를 쳐다보고 있는 영이, 양손에는 서류 잔뜩. 조용히 눈을 뜨는 그래. 영이, 얼른 간다. 영이가 본 줄 모르는 그래, 눈을 뜬 채 S#1처럼 손을 들어 올려본다.

그래   (E) 끝난 지가 언젠데… 아직도 같은 꿈을 꿔. 바보 같은 놈…

떨쳐버리듯 "후~" 하고 컴퓨터로 간다. 메일 수신을 확인하는 그래. 석율, 아직 안 열어봤다.

그래   (인상 쓰는) 진짜! (전화한다)

S#39 ── 울산 대포집 밖, 낮

울리는 전화를 들고 나오는 석율, 받는다.

석율   네, 장그래 씨.

S#40 ── 중앙 정원 + 울산 대포집 밖, 낮(분할 화면)

그래   아이템 보냈다는 문자 못 받았어요?
석율   아~ 예, 받았습니다. 바빠서 아직 못 읽었어요.
그래   바빠도 좀 체크해주세요. 아이템을 빨리 정해야 나머지 준비도 하죠.
석율   (서둘러 끊으려는) 아~ 알았어요~ 알았다니깐요! (확 끊으며) 더럽게 보채네.
             (대포집 안으로 후다닥 들어간다)

S#41 ── 울산 대포집 안, 낮

돼지고기 수육에 한잔하는 나이 든 공장 사람 셋에게 설레발치며 다가가는 석율.

석율   죄송합니다~ 원인터에서 자꾸 전화가 와서요. (수육 집어주며) 자자~
             돈 걱정일랑 마시고 오늘 목에 기름칠 좀 하세요.
공장 직원1   젊은 사람이 목에 기름칠하는 것도 알아? 암튼 물건이야.

| 공장 직원2 | 이걸 멕이구선 내일은 뭘 또 더 가르쳐달랠라구, 미스타 한! | 150 |

공장 직원2   이걸 멕이구선 내일은 뭘 또 더 가르쳐달랠라구, 미스타 한!
석율   아들뻘이구만 말씀 편하게 하시라니까요, 석율아~ 해보세요.
직원들   하하하하.
석율   드세요 드세요! (술 따르며) 석율이가 한잔 올립니다~

S#42 ― 탕비실, 낮

들고 온 서류를 복사하고 있는 영이.

> [Flashback] S#37
> 자고 있는 그래, 눈물이 고여 있는.
>
> 그래   가지 마… 가지 마요… 내가 잘할게요.

영이   … (전화 온다. 확인하며 받는다) 네, 이상현 씨.
상현   (OL) 아! 영이 씨! 나 지금 동아리 선배가 자료 준다고 해서 나가봐야겠네. 우리
           저녁에 미팅하기로 한 건 내일로 미룹시다. 내가 자료 빵빵하게 받아 올게! (툭 끊는다)
영이   (한숨 푹~ 쉬며) 니 마음대로 하세요.

영이, 복사지 챙겨서 안고 나가려는데 그래 들어온다. 마주치는 두 사람. 영이 "아…" 하며 비켜
서는데 그래도 동시에 비켜선다. 머쓱한 그래, 반대로 비켜서는데 영이도 동시에 또. 머쓱하게 웃
는 영이와 그래. 영이, 한쪽으로 비켜서면 그래 머쓱하게 꾸벅하고 지나가는데

영이   저, 장그래 씨.
그래   (보면)

S#43 ― 휴게실, 낮

커피 마시는 두 사람. 그래, 영이 앞에 잔뜩 복사된 서류들을 쳐다본다.

영이   (커피 마시고 웃으며) PT 준비한다고 봐주지는 않네요. 알아서 살아남으라는
           분위기예요. 그 팀도 그래요?

그래, 무심한 상식과 동식을 떠올린다.

그래	(고개를 숙이며 열게 웃으며) 네.
영이	(열게 한숨 쉬며) 솔직히 파트너 때문에도 힘들고요.
그래	네?
영이	(웃으며) 지난번에 보셨잖아요. 막무가내인 거.
그래	아…
영이	누구와 파트너가 되건 내 몫의 역할만 분명히 하면 될 거라고 생각했지만 그래도 이왕이면 대화가 되는 사람하고 했으면 했거든요.
그래	(보는)
영이	(웃으며) 그냥, 말씀드리고 싶었어요. 장그래 씨가 알고 있는 그런 나쁜 의미로 같이하자고 했던 건 아니었어요.
그래	미안,
영이	(OL) 아뇨. 그만두세요.
그래	(당황해서 보면)
영이	사과는 합격하면, 그때 해주세요.
그래	… (웃는다)
영이	(웃는다)

그때 들어오는 백기. 멈칫, 둘을 본다. 자기도 모르게 미간에 살짝 힘이 들어간다.

백기	(아무렇지 않은 듯 다가오며) 뭐예요? 좋은 일이라도 있는 겁니까?
영이/그래	(본다)
영이	(웃으며) 네.
백기	(웃는 영이에 심사가 편치 않다. 그래 보며) 장그래 씬 여기 이러고 있어도 되는 겁니까? 영업3팀에 일 생긴 거 같던데?
그래	네?!

S#44 ― 영업3팀, 낮

상식은 흥분한 어조로 통화하고 있고, 동식은 심상찮은 분위기로 서 있다.

상식	물론 우리가 잘못했습니다. 하지만 그쪽도 초반에 잠깐 구두 계약 상황에서 했던 얘긴데 (듣고) 하지만, (저쪽에서 말을 하는 듯 듣고 있다가 후…) 네, 네 알겠습니다. 일단 해결 방법을 찾아보겠습니다. 네네. (전화 끊고 씩씩…)
동식	과장님…
상식	(버럭) 넌 무슨 일을 그 따위로 해!

동식	(숙이는) 죄송합니다.
그래	(급히 들어온다)
상식	확인, 또 확인하라고 몇 번을 말했어?!
동식	(숙인 채) 죄송합니다…
상식	후… 아니지. 아니다. 그걸 검토해서 결재한 건 나니까 내 책임이지.
동식	아닙니다. 제가,
상식	실수라곤 도통 모르던 놈이 어쩌다 그랬어? 중국 딜레이 건으로 정신없었던 거 알아. 근데 여러 번 얘기했잖아. 너 나 둘만 하는 일이기 때문에 일당백이어야 한다고!
동식	죄송…합니다.

뭘 해야 할지 몰라 엉거주춤 서 있던 그래. 영업2팀에서 막 나가고 있는 석호를 본다. 눈치 보며 나가는 그래.

S#45 ─ 통로, 낮

걸어가는 석호를 다급히 쫓아가는 그래.

그래	석호 씨! 김석호 씨!
석호	(돌아보면)
그래	우리 팀, 무슨 일인지 혹시 알아요?
석호	(걱정스러운) 아… 난리 났었어요. 김대리 님이 진행하던 극세사 먼지떨이 수출 건이요, 이제 와서 바이어 쪽에서 한―EU FTA 조건에 맞춰달라고 했대요.
그래	(의아하게 보면)
석호	그럼 원산지 증명서 다 첨부해야 하거든요.
그래	어…
석호	구두 계약 때 잠깐 나왔던 얘긴데, 김대리 님이 듣고도 놓치셨나 봐요. 한―EU FTA 정식 발효가 내년이니까 크게 고려하지 않으신 거죠. 바이어 쪽에선 녹취가 돼 있다고 나오니까…
그래	어… 근데… (영업3팀 보며) 제가 알기론 그거, 선적 다 끝나서 내일 새벽에 배 뜨는데…
석호	그러니까요, 근데 막무가낸가 봐요. 원산지 증명서 첨부해서 계약된 날짜 안에 인도 안 되면 계약 무효화한다고…

그래, 영업3팀을 돌아본다. 상식과 동식…

　　석호　　　　(Off) 언제 울산 공장까지 가서 원산지 증명서를 만들어요. 배 뜰 텐데.

S#46 ─ 영업3팀, 낮

방법을 강구하며 서성이고 있는 상식, 동식은 침통하게 있다. 그래, 다시 들어오는데.

상식　　　　선적 캔슬하고 다시 부킹해서 나가면 계약 날짜까지 보낼 수는 있나?

동식　　　　다시 부킹이요? 하지만 배가,

상식　　　　쾌속선 있잖아.

동식　　　　3일 안에 원산지 증명서 완료하고, 운이 좋아 쾌속선도 찾을 수 있다면⋯

상식　　　　좋아, 당장 쾌속선 먼저 찾아.

동식　　　　하지만 과장님, 그렇게 되면 비용 초과가,

상식　　　　(버럭!) 지금 그게 문제야?! (상식 자리 전화벨 울린다. 받으면)

김 부장　　(E) 들어와.

S#47 ─ 김 부장실, 낮

화난 얼굴의 김 부장.

김 부장　　쾌속선?

상식　　　　네, 무슨 일이 있어도 3일 안에 원산지 증명서 완료하겠습니다.

김 부장　　쾌속으로 보내는 비용에, 3일간 창고 보관료에, 부킹 캔슬 차지까지,

　　　　　　비용은 어쩔 거야?

상식　　　　(입술을 깨물었다가) 일단은 계약 무효를 막는 게 가장 급선무입니다.

　　　　　　향후 신뢰 관계도 있고

김 부장　　그걸 아는 사람이 일을 이 따위로 해!

상식　　　　⋯

S#48 ─ 영업3팀, 낮

상식, 들어오면 전화 끊으며 벌떡 일어나는 동식. 그래도 덩달아 일어난다.

상식　　　　필요한 거 챙겨. 바로 내려가자. 배는 내려가면서 찾고.

동식	네. (다급히 짐 챙기고) 컨테이너는 일단 창고 보관 조치 해뒀습니다.
상식	(이것저것 챙기며) 지금 가면 몇 시 열차 탈 수 있지?
그래	저… 제일 빠른 게 한 시간 뒤라, 일단 예약해뒀습니다만.
상식/동식	(멈칫하고 그래를 본다)
상식	(가방 들며) 가자. (나서는데)
그래	과장님, 저는 여기서 뭘 할까,
상식	(OL) 니가 하긴 뭘 해? 그냥 하던 일이나 열심히 해. (동식에게) 가!

멀어지는 두 사람을 바라보는 그래, 한숨을 내쉬고는 휴대전화를 본다. 감감무소식…

| 그래 | 하던 일을 할 수가 있어야죠… 이 인간 때문에… |

S#49 — 울산 대포집 안, 밤

부어라 마셔라 요란 떨고 있는 석율, 절반은 취해서 아저씨들 앞에서 별별 재롱을 다 떨고 있다.

S#50 — 울산 공장 외경, 낮

S#51 — 울산 공장 사무실2 안, 낮

상식, 동식, 공장 부장, 서류를 잔뜩 놓고 넘기면서 보고 있다.

공장 부장	그게 참… 원단이 부족해서 반은 중국산, 반은 국내산에 손잡이는 인도네시아. 고리는 대만산이에요.
동식/상식	(낭패…)
동식	(상식에게) 그럼 각각 만들어야 해요. 일이 생각보다 복잡해지는데요…
상식	(공장장에게) 중국 쪽 서류는 준비돼 있어요?
공장 부장	수입할 때 서류야 창고 어디 있겠죠. 찾아봐야 돼요.
동식	(서류 넘겨 보다가 안 되겠다) 이거 아무래도 염료 공장으로 직접 가야 원산지를 알 수 있겠어요. 가서 서류 완료하고 팩스 보내겠습니다.
상식	그래. 쾌속선은 어떻게 됐지?
동식	황 대리가 섭외 중이에요. 곧 연락 올 겁니다.
상식	수입자 정보는 놓고 가.

동식	그거 오 과장님 책상 위에… 뒀는데?
상식	어? (아차 싶다)
동식	장그래한테 팩스 넣으라고 할게요.
상식	아냐, 여기도 일이 많아졌으니까 갖고 내려오라고 해.

S#52 — 영업3팀 안, 낮

심란한 그래, 다시 메일을 확인한다. 아직도 읽음 표시가 안 되어 있다.

그래   이 자식이!

전화를 거는 그래. 한참 울리는데 안 받는 석율. 폭발 일보 직전이 되는 그래, 전화를 확 끊고 문자를 보낸다. "이봐요 한석율 씨! 아이템 보냈으니 확인하세요!" 전송 누르면 전화가 온다. 그래, 멈칫하고 보면 '김동식 대리님'.

S#53 — 울산 공장 외경, 낮

서류를 들고 다급히 들어서는 그래, 문득 걸음을 멈춘다.

그래   아…! (공장을 다시 올려다본다) 한석율이 여기 있다고 했지…!

인상이 확 구겨지는 그래, 다급히 공장 안으로 들어가 사무동 쪽으로 급히 가면 그 뒤에서 작은 기계가 든 수레를 밀고 가로질러 가는 석율.

S#54 — 울산 공장 사무실2 안, 낮

상식, 분주하게 서류를 보고 있는데 다급히 들어오는 그래.

그래	과장님!
상식	줘봐. (꺼내보고) 됐어. 너 창고 가서 (울리는 휴대전화, 보고받는다) 쾌속선 됐대?
동식	(E) 네! 섭외됐답니다! 원산지 증명서만 시간 내에 맞추면 되겠어요.
상식	알았다. (전화 끊고 그래에게) 창고 가서 자료 좀 찾아봐. 최근 3년 치 원단 관련 서류면 다 챙겨 와.

S#55 ── 울산 공장 창고 안, 낮

원단이 두루마리 형태로 다양하게 꽂혀 있는 선반 옆 캐비닛. 그래가 서류를 찾아 빠르게 움직인다. 연도별로 정돈된 자료 박스 안에서 '원단'이라는 라벨만 보이면 착착 올려 쌓는다. 다 쌓고 들려다 말고 휴대전화 꺼낸다. 메일에서 수신 확인한다. 역시 읽지 않음으로 되어 있다. "후…" 기가 막힌 그래. 양손으로 받쳐서 겨우 들고 나간다.

S#56 ── 울산 공장 마당, 낮

자료를 잔뜩 들고 다급히 사무실로 가던 그래, 멈칫 선다. 저만치에 지나가는 석율을 발견한다. 일그러지는 그래. 여자 뒤를 졸졸 따라가는 석율이 여자의 엉덩이를 유심히 보고 있다. '뭐 하는 거야?' 싶어 의아하게 보는 그래. 그때 여자의 엉덩이 쪽으로 손을 스~윽 내밀며 따라가는 석율.

그래　　　　! 저 또라이 자식. (막 소리 지르려는데)

석율, 기어이 여자의 엉덩이를 쓰윽 만진다. 비명을 지르며 돌아보는 여자, 놀란 석율도 손을 내민 엉거주춤한 자세 그대로 여자를 쳐다보는데, 좌~악! 날아오는 귀싸대기!

그래　　　　!
여자　　　　이 변태 새끼!
석율　　　　(아파 죽겠다) 아… 그… 그게 아니고
여자　　　　(노려보다가 확 돌아서서 가려는데)
석율　　　　저… 저기요.
여자　　　　(홱 돌아보면)
석율　　　　기왕 맞았으니까 한 번만 더 만져보면 안 돼요?
여자　　　　(허! 짝! 한쪽 뺨도 마저 올려붙이고 확확 간다)
석율　　　　(너무너무 아파 눈물이 찔끔 나는데 누군가 앞에 선다. 보고) 어?!
그래　　　　(한심한) 당신이 말하던 현장이란 게, 현장에서 변태 짓 하는 겁니까?

S#57 ── 울산 공장 식당, 낮

양 빰이 벌겋게 부어올라 있는 석율, 각 얼음을 수건에 부어 싸서 얼굴에 댄다.

석율	피부가 애기 피부처럼 약하지 뭐예요.
그래	(화난) 대체 아이템은 왜 확인 안 하는 겁니까?
석율	지금 보러 가는 중이었어요. 근데 진짜 여긴 웬일이에요?
그래	세 개 보냈습니다. 빨리 확인해주세요.
석율	뭐요? 세 개? (어이없다가 가르치듯) 이봐요, 장그래 씨. 난 예전 인턴 실습했던 회사에서 아이템 하나당 20페이지씩 꽉꽉 눌러썼어요.
그래	(보면)
석율	하나에 최소 사나흘이에요. 근데 일주일 만에 세 개? 이게 그렇게 만만해요?
그래	…확인해주세요.
석율	아… 나 진짜 이분… 이봐요 장그래 씨,
그래	(OL) 부족한 점이 있다면, 다시 만들겠습니다.
석율	(후…)

S#58 ── 울산 공장 사무실1, 밤

노트북을 확! 여는 석율.

석율	아~ 진짜, 머리가 나쁘면 팔다리가 고생이다. 이 자식아. 양으로 승부? 어림없어, 이 자식아. (파일 열면 각각 42쪽, 40쪽, 53쪽. 헉, 기가 막힌) 40, 50… 기가 막히는구만. 아이템 기획서가 독후감이야, 연애편지야?

어이없는 표정으로 마우스 움직여 기획서를 보는 석율. 성말 같잖다는 표정인데 공장 부장 들어온다.

공장 부장	에이! 사람들이 말야. 정신 바짝 차리고 일 하잖고.
석율	(돌아보며) 네?

S#59 ── 울산 공장 사무실2 안, 밤

서류를 열심히 검토하고 있는 상식과 그래. 어깨가 뻐근한 상식, 목을 돌리고 주무르는데 그걸

그래	좀 주물러드릴까요?
상식	(위협적으로 바로) 하지 마아?
그래	(바로 앉으며) 네.
상식	(불만스럽게 흘깃 보며) 아주 이상해! 쯧…
그래	(모른 척 일하는)
상식	(다시 일하며) PT 준비는 잘돼가는 거냐?
그래	네? (끔벅끔벅 쳐다볼 뿐 대답 없는…)
상식	(보며) 왜?
그래	아… 아니… 한 번도 물어보신 적이 없으셔서… (감격에 겨워 꿀꺽하고 일어나며) 아, 저의 PT는,
상식	(OL) 됐어!
그래	(바로 앉으며) 네.

그때 삐삑, 팩스가 들어오고 있다. 그래, 얼른 가서 팩스 받아다 준다. 동시에 상식 휴대전화로 전화 온다. 상식, 서류 보면서 전화 받으며

상식	들어왔어. 수고했다. 이제 여기서 원산지 확인서 받아서 포워딩 업체에 보내면 돼.
동식	(E) 염료 수입이 생각보다 복잡하지 않아 다행이에요. 전 바로 서울로 가서 나머지 준비하겠습니다.
상식	서울 가서 보자. (끊고)
그래	(조심스럽게) 잘된 건가요?
상식	(흘깃) 그래.
그래	네.
상식	(찌푸리며 확!) 너 진짜!

그래, 씩 웃는데 문자 온다. 보면 석율. "좀 봅시다."

그래	(씰룩해서 휴대전화 넣고) 저… 과장님, 하나 여쭤볼 게 있는데요.
상식	(일만 하는)
그래	과장님은 사기당해본 적 있으십니까?
상식	뭐?
그래	도움은 안 되고 걸리적거리고 사기는 떨어뜨리고,
상식	(OL) 니 얘기 하는 거야?
그래	(꾸벅하고 가려는데)

상식	니 파트너 말야. 한석율? 내 보기엔 그 친구는 성취동기가 분명한 부류야.
그래	(보면)
상식	니가 실력이 없으면 그걸 이용해 자기를 돋보이려고 할 거고, 실력이 좋아도
	그걸 이용해 자기를 돋보이려고 할 거고
그래	네.
상식	성취동기가 강한 사람은 토네이도 같아서 주변 사람을 힘들게 하거나 피해를 주지.
그래	…
상식	하지만 그 중심은 고요하잖아. 중심을 차지해.
그래	…

S#60 — 울산 공장 옥상, 밤

옥상으로 들어오는 그래, 저만치 각 잡고 서 있는 석율이 보인다.

그래	… (다가간다) 보셨어요?
석율	(흘깃 보고) 영업3팀 사고 쳐서 왔다면서요? 오 과장님하고.
그래	…아이템은 어때요?
석율	흠… 회사 일 안 하고 이것만 했어요? 분량이 이건 뭐~
그래	어떤가요?
석율	뭐…
그래	다시?
석율	…음. 두 번째 아이템으로 하죠.
그래	확실합니까?
석율	(거만해져서) 그래요. 좋습니다. 어~ 다만,
그래	(OL) 그럼 됐군요.
석율	(띵) 네?
그래	(똑바로 보며) 아이템 선정은 함께했습니다. 경험 많은 한석율 씨가 저와
	함께했다는 이유로 손해 보는 일은 없어야죠. 이 아이템에 동의하셨으니 됐습니다.
석율	네?
그래	이제 PT 디테일은 제가 만듭니다. 제게 유리하도록.
석율	어…
그래	(OL) 과정은 공유하지만 지시는 받지 않겠습니다. 약속대로.
석율	(멍~)
그래	(Na) 바둑은 기본적으로 싸움이고 전쟁이다.
그래	그리고,

석율	(보면)
그래	(Na) 다가오면 물러서기도 하고 상생을 도모하기도 하지만
그래	(한 발 나선다)
그래	(Na) 승자와 패자가 분명한 세계다.
그래	너 몇 살이냐?
석율	네?

쫄아서 멍~하게 그래를 보고 있는 석율과 그런 석율을 보고 있는 그래 위로.

그래	(Na) 그 세계에서 10년을 넘게 살았었다.
	패잔병이지만, 승부사로 길러진 사람이다.
	선수를 넘기지 않는 선수다.

S#61 ― 울산 공장 사무실 안, 낮

프린트 되는 서류. "원산지 증명서"라고 적혀 있다. 증명서를 들고 다시 포워딩 업체에 팩스를 보내는 그래. 동식과 열심히 통화하는 상식.

그래	(Na) 영업3팀의 일은 잘 마무리됐다. 시간 안에 원산지 증명서도 완료해
	포워딩 업체, 아, 포워딩 업체란 수출입 물품의 운송을 대행해주는 업체다…
	라고 무역용어사전에 나와 있다. 그 포워딩 업체에도 보냈고,

Ins. 항구에 떠 있는 배.

그래	(Na) 울산 앞바다에 배도 무사히 띄웠다.

뿌아앙~ 우렁차게 울리는 뱃고동 소리!

그래	(Na) 그리고 며칠 뒤,

S#62 ― 원인터 로비, 낮

서류 들고 들어오던 그래, 문득 멈춰 선다. 엘리베이터 앞에 서 있는 석율, 그래를 돌아보곤 뚜벅뚜벅 가서 선다.

그래   (Na) 그가 왔다.

인상 쓰며 보는 그래 눈앞에 서류 두 장을 척척 내민다. 각각 석율과 그래의 주민번호가 적힌 인적서류. 주민번호 밑에 빨간색 굵은 사인펜으로 밑줄 좍 그어져 있다. 석율이 한 살 많다. 썩소를 날리며 그래를 쳐다보는 석율, 석율을 보는 그래 표정 위로.

상식   (E. 흥분한) 징계위원회요?!

S#63 ── 김 부장실, 낮

김 부장   그러게,
상식   (OL) 추가 비용 좀 발생했다고 징계위원회요? 대체 왜 이러십니까?
김 부장   그러게,
상식   (OL) 그런 일마다 징계위원회까지 열리면 대체 몇이나 성합니까? (흥분한) 일단 위원회 열리면 빼도 박도 못하고, 적어도 감봉에, 웬만하면 좌천인데. 창창한 대리한테 빨간 줄을 꼭 그어야겠습니까?!
김 부장   (버럭!) 그러게 왜 전무님이 깐 아이템을 들이밀어!
상식   (멈칫!) 전무님… 뜻이란 의밉니까?
김 부장   전무님도 나름 당신 판단이 있어 깐 건데, 그걸 너무 잘난 당신이 지적질한 거나 마찬가지잖아! 다시 들이밀었을 땐 괄호 치고 목숨 걸었습니다! 괄호 닫고 한 거 아냐?!
상식   (기가 막힌) 부장님!
김 부장   (더 크게 버럭!) 그랬으면 애초 일을 제대로 했어야지! 왜 빌미를 드려!

S#64 ── 김 부장실 밖, 낮

깜짝 놀라 쳐다보는 사람들. 잠시 후 김 부장실에서 거칠게 나오는 상식. 사람들의 시선이 상식에게로 향한다.

김 부장   (E) 징계위원회를 열지 말지 아직 검토 중이라니까, 그렇게 알고 기다려. 나도 좀 알아볼 테니까.

흥분한 얼굴로 넥타이 풀면서 걸어가는 상식.

흥분한 얼굴로 들어오는 상식을 보고 일어나는 동식과 그래.

동식	과장님…
상식	일 안 하고 뭐해?! (자리 앉으며) 장그래! 넌 TC 따는 법 다 익혔으면 모기장 건 TC 좀 따.
그래	네.
동식	과장님.
상식	(동식 보고) 일해.
동식	징계, 감수하겠습니다.
상식	(확 보며) 감수하지 않음 어쩔 건데?!
동식	(숙이는)
그래	…
상식	(후… 벌떡 일어나 나간다)

S#66 —— 옥상, 낮

양손으로 난간을 잡고 고개를 숙이고 있는 상식…

상식	후… (휴대전화를 꺼내 전화한다)
여자	(E) 인사팀입니다.
상식	조 부장님 자리 계십니까?
여자	(E) 외근 중이세요. 어디시라고
상식	(OL) 영업3팀 오상식이에요. 조 부장님 휴대전화 번호 좀 가르쳐주세요. (주머니에서 얼른 펜 꺼내 손바닥에) 010-9837에 (적으며) 네. (끊고 다시 전화하는데 바로 "전화기가 꺼져 있어 소리샘으로 연결합니다" 후… 눈을 감고 답답한 숨을 내쉬며 전화 끊는다)

S#67 —— 원인터 로비, 낮

작업한 PT용 PPT를 들고 엘리베이터로 걸어오는 그래. 엘리베이터를 기다리는 석율을 본다. 다가가면 석율도 보고 아는 척하고.

석율	그쪽 팀 김 대리님인가? 징계위원회 회부된다면서요?

그래	(Na, 보며) 정말이지, 모르는 게 없는 놈이다.
석율	모르는 거 없죠? 정보력이 곧 경쟁력이거든요.
그래	(Na, 당황) 때려 맞추는 데도 일가견이 있는 놈이다.
석율	때려 맞춘 거 아닌데… (그래 옆으로 슥 얼굴을 들이밀며) 독심술 좀 하거든요. 특히 여자 마음은 훤히 알죠.
그래	(Na) 이… 미.친.놈…

S#68 ── 휴게실, 낮

석율, 빨간 펜 들고 그래의 PPT 자료 넘겨가며

석율	문화와 무역, 좋아요. (무시 투로 펜으로 획 그으며) 타이틀은 바꾸면 되고,
그래	어떤 문화권에 살고 있느냐에 따라 필요한 것도 다를 텐데,
석율	(OL, 안 듣고) 아! 그리고 여기 "문화에 갇힌"이 무슨 뜻이죠?
그래	그건 쓰다 보니,
석율	(OL, 피식) 장그래 씨, 혹시 우리 PT를 글짓기 대회쯤으로 생각하는 건 아니죠? 이런 멋만 부린 의미 불명 문장은 마이너스 요소예요.
그래	(당황)
석율	음… 그래도 굳이 해석을 하자면… (어린애 취급하듯) 예를 들어 더운 나라 여자들은 화장을 좋아할까요~? 아! 당연히 싫어할 거야! 그래서 더운 나라에선 화장품이 안 팔려! 이렇게 생각하는 게 문화에 갇힌 사고방식이란 거죠?
그래	(보기만)
석율	(혼자 유레카! 흥분해서) 그럼 이런 거예요. PP섬유라는 게 있습니다. 염색성이 나쁘고 내후성 내열성에 문제가 있어서 일반 의류 소재로는 안 좋죠. 그럼 이 섬유는 버릴까요?
그래	(항당)
석율	(무시) 생각을 좀 해봐요. 생각을.

Cut to.
석율, 앉아 있는 그래에게 등을 보이고 서 있다가 뒤돌아서며

석율	생각 좀 해봤어요?
그래	네, 그러니까,
석율	(OL) 자아~ 이 섬유는 자체 항균 기능에 열전도도가 낮아요. 그럼 어떤 현상?
그래	그게…

석율	따뜻하잖아요. 그리고 수분을 흡수하지 않아요. 그럼 어떤 현상?	164

석율	따뜻하잖아요. 그리고 수분을 흡수하지 않아요. 그럼 어떤 현상?
그래	(당황)
석율	건조가 빠르겠죠? 장그래 씨?! 집중!
그래	(열받는다) 그럼 추운 나라에 팔면 되겠죠! 하지만 염색성과 내열성에 문제가 있다면,
석율	(OL) 후훗, 이게 장그래 씨한테 내가 필요한 이유입니다. 현장의 힘. 나라면,
	겨울이 긴 나라에 내복으로 팔 겁니다.
그래	!
석율	추위라는 문화 환경에 '갇힌' 사람들에게 말이죠. 이게 내가 읽어낸, 그러나
	장그래 씬 아무 생각 없이 쓴, '문화에 갇히다'의 확장입니다. 어때요?
	나만 믿고 따라오면 되겠죠?
그래	(하… 할 말을 잃고 보기만 할 수밖에…)

S#69 — 옥상, 낮

일각, 극심한 스트레스로 머리를 감싸 안고 앉아 한숨을 내쉬고 있는 그래.

[Flashback] S#68
석율   나라면, 겨울이 긴 나라에 내복으로 팔 겁니다.

그래	(E) 거기까지 미처 생각 못 했어.
석율	(E) 후훗, 이게 장그래 씨한테 내가 필요한 이유입니다. 현장의 힘.
그래	…

그때, 옥상 문 열리는 소리와 함께 상식의 목소리.

상식	(E) 방법이 없겠습니까?
그래	어…? (나가려는데)
상식	(E) 김 대리 일 잘하는 친굽니다. 조 부장님도 아시잖습니까?
그래	(! 깜짝 놀라 몸을 더 숨기는)
상식	(E) 그리고 이번 일은 제 책임이 더 큽니다.
그래	…
상식	이 정도 실수는… (사이, 어두워지는 얼굴) 알겠습니다… (다시)
	그래도 애 좀 써주십시오. 부탁드립니다 부장님. 네. 네. (끊는)
그래	…

상식, "후…" 깊게 내쉬는 한숨, 주머니에서 담배를 찾아 무는데 고 과장 온다.

상식	어떻게 됐어?
고 과장	그나마 말빨이 되는 게 권 상문데 지금 러시아 갔댄다.
상식	(찡그리는)
고 과장	오 과장아, 그러지 말고… (눈치 보며) 전무 한번 찾아가.
상식	(벌컥!) 뭐?!
그래	(깜짝!)
고 과장	(성질 난) 뭐가 뭐야?! 왜 지름길 알면서 돌아가?! 징계위원회, 전무 말 한마디면 없던 일 될 수 있는 거 잘 알잖아!
상식	(인상 확 쓴 얼굴로 보며) 야! 고 과장!
그래	(긴장하고 듣는)
고 과장	전무하고, 그래, 두 사람 묵은 감정 아는데, 이번만은 자존심 접어둬라.
그래	(E, 의아하게 보며) 전무님하고…?
고 과장	아이 그래! 냅둬! 가지 마! 그깟 거 뭐, 동식이 징계 먹어봤자 감봉 몇 개월, 심해봐야 공장 좌천, 어쨌거나 고과 악영향으로 승진 빠지는 거, 그거밖에 더 돼?! 그래. 니 자존심이 중요하지 그깟 부하 사정이 중요하냐?
상식	(씩씩 보는)
고 과장	니가 할 수 있는데 안 한 거, 그건 나만 알고 있음 되니까!
상식	(노려보는)
고 과장	(뒷골 잡으며 중얼중얼하며 나간다) 내가 왜 남 팀 일에 끼어서, 아 뒷골…
상식	(씩씩 보며 서 있는)

그래, 조용히 쳐다보면 나간 고 과장 쪽을 노려보며 서 있는 상식…
잠시 후 나가는 상식…

S#70 ── 엘리베이터 안, 낮

굳은 얼굴로 있는 상식… 엘리베이터 안 층별 안내판에서 '본부장실'을 쳐다본다.
(F. O./F. I.)

S#71 ── 원인터 외경, 낮

동식   (E) 장그래 씨, 과장님 효신테에서 아직 안 오셨나?

S#72 — 영업3팀, 낮

가방에 서류를 챙기고 있는 동식.

그래   (일어나며) 곧 들어오신대요.
동식   응. (나가며) 나 코트라 좀 갔다 올게.
그래   네.

석율, 오면서 가는 동식과 인사하고.

석율   PT 자료 제출하러 갑시다. 접수처 열렸던데.
그래   (본다)

S#73 — 원인터 밖, 낮

오는 상식, 로비 문에서 나와 다급히 가는 동식을 본다.

상식   …

S#74 — 접수처 복도, 낮

접수처에 서류를 내미는 그래. 옆에 석율.

그래   장그래 한석율 줍니다. (사인한다)
석율   (사인하며) 드디어 내일이네요.

석율이 '흥!' 하듯 그래를 지나가고 그래, 엘리베이터 쪽으로 간다. 로비 문으로 들어오는 상식. 그래를 봤다.

S#75 — 엘리베이터 앞, 낮

기다리며 서 있는 그래와 석율.

석율	아, 그리고 장그래 씨. 생각해보니까 PT 마무리는 좀더 섹시하게 끝내는 게 좋은 거 같아요. 질문으로 끝내는 걸로 수정하죠.
그래	(찡그리며) 네?

그래, 보는데 상식 두 사람 뒤에 와서 조금 거리를 두고 선다.

석율	응? 아~ 또 못 알아듣는 표정이다. 섹시하단 건 모다? (그래 답 기다리지 않고) 평범하지 않다는 거다. 말했었죠? 남들 다 하는 확정적인 확신 말고 의미심장한 질문으로 끝나는 게 좋단 말을 하고 있는 거예요 지금.
그래	(굳은 얼굴로 본다)
상식	(본다)
그래	하지만 면접이란 결국 그 사람의 생각을 알아보는 건데,
석율	(OL) 그러니까~ 그러니까~ 내 말이 그 말이잖아요~ 그 질문 자체가 그 사람의 생각까지 유추할 수 있는 질문이어야 한다는 뜻이죠. 아~ 답답하네.
그래	…
상식	(편치 않은 얼굴로 본다)
석율	어떤 질문으로 끝낼지 생각해봅시다. 『질문의 품격』이란 책 좀 참고해봐요.
그래	…그러죠.
석율	(비웃는 듯한 표정으로) 책 내용이 잘 이해가 안 되면 묻고요.
그래	(보다가) 그러죠.
석율	음… 그래도 모르겠으면
상식	(Off) 장그래!

그래, 석율 깜짝 놀라면 뒤에 상식. 얼른 인사하는 그래와 석율.

그래	과장님, 다녀오셨습니까?
상식	오후 미팅 보고서 정리 아직 안 넘어왔던데?!
그래	(당황) 곧 마무리 짓겠습니다.
상식	(버럭) 곧? PT 준비로 업무 소홀하면 안 된다고 몇 번 말했어?!
그래	죄송합니다.
석율	(딴짓)
상식	(석율을 흘깃 본다)

들어와 양복 윗옷을 벗어 옷걸이에 거는 상식, 책상에 앉아 일을 시작하는 그래. 쳐다보는 상식.

상식	니가 무시당하는 게 자연스러워 보이긴 한데, 그렇다고 맥없이 네네 하고 있어?
그래	(멈춘다. 무슨 말인가 싶어 그대로 있다가 상식을 돌아본다)
상식	(와이셔츠 소매를 걷으며) 속이 없는 거야? 의지가 없는 거야? (앉는다)
그래	…아까 들으신 거군요…
상식	(말없이 일 준비만)
그래	토네이도의 중심에 들어가라고 하셨잖아요. 중심은 고요하다면서요?
상식	(본다)
그래	어중간하게 옆에 있다간 피해를 입으니까 멀리 떨어지지 못하겠으면 차라리 안으로 들어가라는 뜻, 아닙니까?
상식	(본다)
그래	화도 났고 얄미운 사람이기도 하지만… 저한텐 한석율 씨가 필요할 수밖에 없단 거, 인정할 수밖에 없단 걸 깨달았어요. 자존심과 오기만으로는 넘어설 수 없는 차이란 건 분명히 존재하니까요.
상식	(본다)
그래	부끄럽지만… 일단은… 내일은 살아남아야 하니까요.
상식	(본다)

다시 일하는 그래. 그런 그래를 물끄러미 쳐다보는 상식.

S#77 — 16층 엘리베이터 앞, 낮

엘리베이터에서 내리는 상식. 잔뜩 경직된 얼굴이다. 마음을 다잡듯 서서 심호흡을 한 후 16층 사무실 안으로 들어간다.

S#78 — 전무실 앞 비서실, 낮

굳은 얼굴로 전무실을 향해 다가가는 상식. 뒤쪽 16층 입구에서 들어와 쳐다보는 그래. 전무실로 거의 다가간 상식. 비서실 앞에 선다. 더더욱 긴장하고 경직된 모습으로 전무실을 쳐다보는데…

비서	과장님, 전무님 안 계시는데요.

상식	(흠칫 보면)
비서	방금 그룹 본사 회의 가셨습니다.
상식	(낭패) …언제쯤 들어오실까요?
비서	한 세 시간쯤 걸릴 거라고 하셨습니다.
상식	…알겠습니다. (돌아서서 가다가 다시 돌아보며) 저…
비서	네.
상식	돌아오시면…
비서	네.
상식	…

S#79 ── 16층 앞, 낮

상식, 16층에서 나오는데 엘리베이터에서 나오는 석율, 인사한다.

석율	(꾸벅하며) 안녕하십니까?
상식	(웃으며) 응, 수고! (슥 간다)

석율도 꾸벅하고 상식을 지나가는데 갑자기 슥 발을 거는 상식. 요란하게 넘어지는 석율!

상식	(깜짝 놀라며) 괜찮나?!
석율	(아파서 정신없이 겅중겅중)
상식	잘 좀 보고 다니지. 보기완 다르게 하체가 부실하구만. 남자는 하첸데 말야…
	(중얼중얼하며 간다)
석율	(아픈 데 잡고 황당해서 보는)

S#80 ── 영업3팀 안, 낮

일하고 있는 상식, 문득 시계를 본다. 아직 오후 4시다. 상식, 착잡한 얼굴로 고개 돌리다 그래를 본다. 영수증들을 딱풀로 붙이고 있던 그래가 일어나서 동식의 책상 서랍을 열고 영수증 뭉치를 꺼낸다. 그런 그래를 쳐다보고 있는 상식… 앉아서 다시 영수증을 붙이고 있는 그래, 한 장이 떨어지는 것도 모르고…

상식	장그래.
그래	(돌아보며) 네, 과장님.

| 상식 | (멀뚱히 보고 있다가) 하나 흘렸네. |
| 그래 | (바닥 보면서) 아, 네. |

주워서 다시 붙이고 있는 그래를 쳐다보는 상식…

상식	소리 내서 연습해봤어?
그래	(돌아보며) 네?
상식	(일하는 척하면서) 발표 때처럼 소리 내서 해보라고. 눈으로만 읽을 때랑 다르니까. 긴장하면 호흡이 지멋대로거든.
그래	(멍~)
상식	멀리 있는 사람까지 생각해서 소릴 더 크게 내면 숨이 많이 딸려.
그래	(표정이 점점…)
상식	마이크 있다고 안심하지 말고, 그게 더 힘들어. 스피커로 자기 긴장한 숨소리까지 들어봐. 더 긴장하지.

그래, 상식을 보면 묵묵히 일하고 있는 상식.

S#81 — 탕비실, 낮

붙인 영수증들을 복사하고 있는 그래…

| 상식 | (E) 스피커로 자기 긴장한 숨소리까지 들어봐. 더 긴장하지. 시간도 재보면 더 좋고. |

빙그레 웃는 그래.

S#82 — 석율의 팀, 밤

긴장한 얼굴로 PT 자료를 외우고 있는 석율. 눈을 감고 외우다가 틀리자 찡그리며 또 외우고, 또 외우고… 잔뜩 예민해져 있다. 마지막 문장까지 겨우 외우고 좋! 싱긋 웃는데 문자. 보면, 그래. "옥상에서 좀 봅시다."

| 석율 | (찡그리며) 왜 오라 가라야? |

S#83 ── 영업3팀, 밤

전화기를 쳐다보며 앉아 있는 상식, 시계를 보고 내선전화를 건다.

전무 비서	(E) 전무실입니다.
상식	영업3팀 오 과장입니다. 전무님 들어오셨습니까?
전무 비서	(E) 네, 오셨다가 막 퇴근하셨습니다.
상식	! …제가 뵙고 싶단 말씀 전달하셨습니까?
전무 비서	(E) 네, 전달했습니다.
상식	(확 굳은) …다른 말씀은… 없으셨습니까?
전무 비서	(E) 네, 없으셨습니다.
상식	… (전화를 확 끊는다) …

S#84 ── 옥상, 밤

석율, 올라오면 밖을 보고 서 있는 그래. 잠시 기분 나쁜 얼굴로 보다가 손 넣고 건들건들 다가간다.

석율	(틱!) 무슨 일이에요?
그래	(돌아선다) PT 내용을 소리 내서 연습해보는 게 어때요? 녹음도 하고 시간도 재고.
석율	에? (어이 없이 허!) 왜요?
그래	우리 과장님 조언이에요. 큰 도움이 된다십니다.
석율	(어이없이 웃고는) 됐어요. 난 또 뭐라고. (돌아서는데)
그래	PT 준비 디테일은 나한테 일임했잖아요. 이것도 디테일이에요.
석율	(열받아 확 돌아서며) 발표는 내가 하기로 한 거 잊었어요!
그래	(본다)

S#85 ── 영업3팀, 밤

화나고 굳은 얼굴로 동식의 자리 보며 앉아 있던 상식. 탁탁탁… 손가락으로 책상 위를 탁탁탁 치며 갈등하는 듯한 상식. 급기야 확 일어나 급히 나간다.

그래	해봅시다. 발표 10분, 엄격하게 적용된다고 하니 길이 확인이라도 하죠.
석율	그래서? 길이 안 맞으면 원고 손대게? 그렇게 못 해요. 원고대로 이미 외웠다고요.
	지금 와서 고치면 암기가 다 엉켜버릴 거예요!
그래	이미 파일 제출해서 슬라이드 수정도 못 해요!
석율	야! 발표 니가 안 한다고 멋대로 말하지 마!
그래	(노려보는) 말조심합시다. 문제점 미리 발견하면 다행 아닙니까? 우리 과장님이,
석율	(OL) 과장님? 자기 부하한테 책임 전가하고 있는 그 오 과장님?
그래	(!) 뭐라구요?!
석율	그딴 일로 왜 징계를 먹어? 영업3팀 끗발이 그거밖에 안 되니까 그런 거란 거!
	그게 당신네 그 오 과장님 때문이란 거! 여기 사람들은 다 알거든?
그래	(불끈) 당신 말 다했어?!
석율	남의 공장에 와서 일도 못 하게 먼지 묵은 종이나 뒤적이고.
	그게 현장을 아는 사람이면 할 짓이야? 난, 현장 모르는 사람 상사로 안 쳐!
	(날아드는 그래의 주먹에 나가떨어진다)
그래	(주먹 쥐고, 분노로) 말조심하랬지. 니가 내 상사에 대해 뭘 알아?
석율	(입 닦고) 아씨, 피…! (한 대 날리며) 너나 나나 인턴이야 새끼야!
그래	(맞고 휘청, E) 아씨…
석율	뭐가 상사야? 취직이라도 했어?
그래	말 놓지 마! (친다)
석율	말 까지 마! 인마! (친다)

계속 치고받던 두 사람, 잠시 쉬는데. 문자 오는 소리, 그래에게도 문자 오는 소리. 석율, 씨~ 하
는 얼굴로 문자 확인한다. 노려보던 그래도 문자 확인한다.

석율   아~씨이! (머리를 벅벅 긁으며 그래를 확 본다)

굳은 얼굴로 문자를 보고 있는 그래, "2차 개인 PT 과제: 팀별 과제 파트너에게 물건을 판다면 어
떤 물품이고 그 이유는 무엇인가? ―원인터내셔널 인력관리팀" 그래, 석율을 본다. 일그러진 얼
굴로 그래를 보고 있는 석율.

그래   (Na) 세상에서 제일 팔기 싫은 놈한테

S#87 — 원인터 앞, 밤

다급히 뛰어나오는 상식. 호흡이 가쁘다. 마침 지하 주차장에서 전무의 차가 나와 상식의 앞으로 지나간다. 검게 선팅 된 차 안에 앉아 있는 전무를 쳐다보는 상식 위로

그래　　　(Na) 팔라고?

S#88 — 옥상, 밤

문자를 보던 얼굴을 들어 서로 쳐다보고 있는 그래와 석율. 엔딩.

Episode 4

제4국

S#1 — 옥상, 밤

날아드는 그래의 주먹질에 나가떨어지는 석율.

그래	(주먹 쥐고, 분노로) 말조심하랬지. 니가 내 상사에 대해 뭘 알아?
석율	(입 닦고) 아씨, 피⋯! (한 대 날리며) 너나 나나 인턴이야 새끼야!
그래	(E, 맞고 휘청) 아씨⋯
석율	뭐가 상사야? 취직이라도 했어?
그래	(치며) 말 놓지 마!
석율	(치며) 말 까지 마! 인마!

계속 치고받던 두 사람, 잠시 쉬는데. 문자 오는 소리, 그래에게도 문자 오는 소리. 석율, 씨~ 하는 얼굴로 문자 확인한다. 노려보던 그래도 문자 확인한다.

석율   아~씨이! (머리를 벅벅 긁으며 그래를 확 본다)

굳은 얼굴로 문자를 보고 있는 그래, "2차 개인 PT 과제: 팀별 과제 파트너에게 물건을 판다면 어떤 물품이고 그 이유는 무엇인가? —원인터내셔널 인력관리팀" 그래, 석율을 본다. 일그러진 얼굴로 그래를 보고 있는 석율.

그래   (Na) 세상에서 제일 팔기 싫은 놈한테

S#2 — 원인터 앞, 밤

로비 밖에 서 있는 상식. 말할 수 없이 무거운 얼굴이다. 그때 지하 주차장에서 전무의 차가 나와 쳐다보는 상식의 앞으로 지나간디. 검게 선팅 된 차 뒷자리에 앉아 있는 전무의 실루엣. 그런 전무를 쳐다보는 상식 위로

그래   (Na) 팔라고?

가던 전무의 차가 멈춰 선다.

상식   !

그대로 가만히 서 있는 전무의 차⋯ 굳은 얼굴로 전무의 차를 쳐다보는 상식⋯ 잠시 후 발길을

옮겨 전무의 차 쪽으로 간다. 그때 외근 나갔다 들어오던 동식이 상식을 본다.

동식   !…

상식, 전무의 차로 가서 뒷자리에 선다. 90도로 허리를 굽혀 인사한다. 굳은 얼굴로 보는 동식…

S#3 ─ 전무의 차 앞, 밤

선팅 한 차의 창문을 보고 있는 상식. 창문이 내려진다. 긴장하는 상식. 반쯤 열린 창문 안에서 전무가 천천히 고개를 돌려 본다. 다시 인사하는 상식.

전무	응. 날 찾았다던데 무슨, 할 말이 있는 건가?
상식	…
전무	(기다린다)
상식	영업3팀 일로 부탁드릴 말씀이 있습니다.
전무	(옅게 웃음이 지나간다) 부탁? 무슨 부탁?
상식	(굳은 얼굴로 보다가) 영업3팀 김동식 대리 징계위원회 소집 건에 대해서 재고해주시길 바랍니다.
전무	(본다)
상식	(숙이며) 부탁…드리겠습니다.

S#4 ─ 동식 쪽, 밤

고개를 숙이고 있는 상식을 보는 동식… 완전히 굳은 얼굴이다. 고개를 떨구는 동식…

석율   (E) 기가 막히는구만.

S#5 ─ 옥상, 밤

긴장과 적의를 갖고 서로 쳐다보고 있는 그래와 석율.

석율   기가 막혀.

그래	(Na) 개인 PT는 부정적이거나 긍정적이거나 남을 통해 내가 드러나는 게임이다. 상대의 제안에 깊게 고무되면 상대가 빛나고, 어설프게 거절하면 내 좀스러움만 돋보인다. 그러나…
석율	장그래 씨, 알지? 나한테 뭘 팔든 난 안 살 거거든? 안 사. 무조건 안 사.
그래	(Na) 좀스러움 따위야 신경 쓰지 않겠다는 이. 자. 식…

흥! 하고 가버리는 석율, 그런 석율을 돌아보는 그래.

그래	(Na) 어떻게 할 것인가…?

S#6 ── 몽타주, 밤

#컴퓨터에 앉아 주간보고서를 작성하고, 프린트를 걸어 뽑고, 스테이플러로 찍어서 상식 책상 위에 두고, 다시 앉아 회의록을 정리하는 등 부산한 그래.

그래	(Na) 2차 PT 과제를 받고 모두들 회사를 떠나지 못하고 있다.

#통화하며 메모하며 팀 일을 하고 있는 백기.
#역시 일에 열중인 영이.
#정원에서 삼삼오오 모여서 얘기 중인 인턴들.

그래	(Na) 회사에 가장 많은 자료가 있을뿐더러 상대의 준비를 엿볼 수 있기 때문이다.

#자료실에서 제품 카탈로그들을 뒤지고 있는 석호와 인턴들.

그래	(Na) 몇몇은 이미 자료실을 차지하고 앉아 상상력을 자극할 제품 카탈로그를 살펴보고 있다.

#올상으로 인터넷을 뒤지고 있는 종민.

종민	(서평하며 중얼중얼) 부디 제게 초딩의 힘을 보여주시옵고…
그래	(Na) 또는 유사한 사례가 있었는지 인터넷을 휩쓸고 다니는 사람도 있고,

#선배한테 전화하는 인턴2.

인턴2	아, 형, 형 회사에 제 PT 파트너랑 같은 동아리였다는 사람 있었죠?
그래	(Na) 인맥을 활용해 노하우를 얻으려는 사람들도 있다.

S#7 — 영업3팀, 낮

그래, 사내 포털 시스템에서 한석율의 직원 정보를 보고 있다. 취미, 특기, 좌우명 등 요란한 중에 자신만만한 한석율의 증명사진. 쳐다보며 생각하고 있는 그래.

> [Flashback] 제3국 S#86
> 석율   전 현장 모르는 사람 상사로 안 칩니다.

그래	(Na) 그 인간은 현장을 중시하는 걸까, 사무직을 싫어하는 걸까?
	현장의 일도 결국 사무실에서 완성되는 거 아닌가…?

사무실 안을 돌아본다. 펜, 메모지, 복사기, 팩시밀리, 수많은 서류와 파일 등. 사무실 안의 풍경들이 눈에 들어온다.

그래	…

S#8 — 통로, 밤

퇴근하는 영이, 캠코더를 들이대고 따라가는 상현.

상현	영이 씨, 자, 입맛, 취미, 특기, 취향 아무거라도 말 좀 해봐요.
영이	그만 좀 하시죠.
상현	저도 자료 조사를 해야 2차 PT를 준비하죠.

영이, 한숨 쉬고 가려다가 영업3팀에 혼자 앉아 있는 그래를 본다. 상현, 영이의 시선 따라 카메라 돌리는데 그래를 보는 줄 모르고 앵글 왔다 갔다. 그 속에 그래 피사체 왔다 갔다 한다. 그때 일어서서 돌아서던 그래와 영이, 눈이 마주친다. 서로 목례하는 두 사람. 영이, 가고 상현이 호들갑 떨며 따라가고. 쳐다보는 그래…

Episode 4

소주잔에 술이 채워지고 있다. 상식의 잔에 술을 붓고 있는 동식, 제 잔에도 붓는다. 말없이 둘이
들이켠다. 다시 따르는 동식, 제 잔에도 따르고

동식	그냥 두시지 그러셨어요. 그깟 몇 개월 감봉.
상식	(술을 마신다)
동식	짤리는 것도 아니고.
상식	(안주를 먹는다)
동식	고과야 뭐, 그깟 승진 좀 늦으면 어때요.
상식	아~ 자식. 그냥 죄송하다 고맙다 해.
동식	…전무님한테 아쉬운 소리 하시는 거, 얼마나 싫어하시는지 아니까 그렇죠.
상식	(술을 마신다)
동식	(괴로운) 그때 왜 구두 조건을 한 번 더 체크 안 했는지… 알면서 한 실수라
	더 미치겠는거죠.
상식	알면서 하니까 실수인 거야. (보며) 같은 실수 두 번 하면 실력인 거고.
동식	네. 알죠… (보며) 고맙습니다 과장님. 그리고… 죄송해요.

그때, 문 열리며 들어오는 고 과장과 황 대리와 석호. 서로 "어?" 하며 아는 척한다. 석호 인사한
다. 석호를 보는 상식.

고 과장	인사과 조 과장 전화 왔더라. 해결 잘될 거라며?
상식	(안주 집어 먹으며) 응.

고 과장, 동식을 한 번 봤다가 자리 잡아 앉는다. 황 대리 앉으며

황 대리	오늘은 많이 안 하실 거죠?
고 과장	말이라고 하냐. (석호에게) 그동안 고생했어. 딱 석 잔만 마시고 가서 푹 자.
	자야 시험도 잘 보지.
석호	감사합니다, 과장님.

그런 고 과장네와 석호를 보는 동식.

동식	(보면서) 장그래는 뭘 어쩌고 있으려나…

상식, 곱창을 집어 먹고 젓가락으로 동식 앞의 철판을 톡톡 두드린다. 동식 보면 젓가락을 휘휘

저으며 곱창이나 먹으라는 시늉을 한다.

S#10 — 영업3팀, 밤

일을 마무리하던 그래. 빈 보고서들을 정리하다가 보고서 표지 상단에 책임자들의 사인 칸이 눈에 보인다. 쳐다보던 그래. 책상 위를 두리번거리다가 펜을 잡고 보는 그래… 가다듬은 목소리로 말한다.

그래   현장의 일은 사무실에서 완성됩니다. 당신의 제품에 대한 정보는
               (기안문 들고) 이 문서에 담깁니다. (기안문의 사인 칸 보이며) 문서에는 당신의
               사인이 있어야 하구요. 당신의 사인이 담긴 서류는 (상무, 팀장 사인 칸 보이고)
               최종 결정권자의 사인과 함께 완성됩니다. 그래서, 당신에게 사인을 할 수 있는
               이 펜을 팔겠습니다. …부족해…
상식   (Off) 그래, 부족해.

깜짝 놀라서 돌아보는 그래.

그래   과장님.
상식   (책상으로 가면서) 무조건 중요하다며 들이대는 것 같잖아. 설득력이 떨어져.
그래   퇴근하신 줄 알았어요.

상식, 의자 위에 있던 가방을 책상 위에 올려놓고 이런저런 서류들을 집어넣는다. 말없이 쳐다보고 있던 그래.

그래   과장님. 현장만큼 사무직도 중요한 거 아닌가요?
상식   그걸 말이라고 해?
그래   그렇죠. 근데 현장 중심적이 주장에 대꾸할 말이 안 떠올라서요.
상식   (가방을 닫으며) 현장만 중요하다면 이 큰 건물이 무슨 필요가 있어?
               현장에서 만들어진 모든 것은 사무실에서 완성되는 거야.
그래   저도 그렇게 생각합니다.
상식   (가방 들고 나오면서) 우리 일이란 게 현장, 사무실 구분 없어. 무역 영업이란 게
               서류로만 되는 것도, 현장 업무만으로 되는 것도 아니니까. 현장에 있을 땐 발에
               불나게 뛰는 거고, 사무실에 있을 땐 발에 땀 나게 일하는 거고…
그래   (약간 묘한 표정으로 가만히 상식을 본다)
상식   (흘깃 보고) 왜?

그래	아닙니다. (마치 숨을 참고 있는 사람처럼 상식을 본다)
상식	(의아한 듯 보고 간다)
그래	안녕히 가십시오. (꾸벅하고 본다)

상식이 15층 문밖으로 사라지자마자 갑자기 숨이 터져 나오는 사람처럼 상식의 책상으로 가서 의자를 빼고 아래를 본다. 다시 동식의 책상으로 가서 같은 행동을 한다. 나와서 사무실 여기저기를 다니면서 책상 아래를 보는 그래.

그래	찾았다⋯

S#11 ─ 15층 엘리베이터 앞 + 영업3팀 안, 밤

엘리베이터를 기다리는 상식. 15층 쪽을 돌아본다. 잠시 후 엘리베이터가 오고 타는 상식, 엘리베이터 문 닫히면 비상구 문을 열고 나오는 석율, 목을 빼고 15층 안쪽을 슥슥 염탐하다가 헉! 한다.

석율	뭐 하는 거야? 저 인간?

안을 보면 여기저기 다니면서 의자를 빼고 책상 아래를 쳐다보고 있는 그래.

석율	아 놔~ 저 미친놈. 뭐 하고 있는 거야?

온 사무실을 그러고 다니는 그래.
(F. O./F. I.)

S#12 ─ 그래의 집 마당, 아침

긴 빨랫줄에 찜질방 옷들이 널려 있고, 마당 한쪽 수돗가 큰 고무 통 안 비눗물 속에 빨다 만 환자복이 잔뜩 담겨 있다.

S#13 ─ 그래 방, 아침

말없이 밥을 먹고 있는 그래와 그래 엄마.

그래 엄마	몇 시에 끝나냐?
그래	네?
그래 엄마	시험을 얼마나 보냔 말이야.
그래	오후 넘어서까진 볼 거 같아요.
그래 엄마	응. (먹기만 하는)
그래	(먹기만 하는)

S#14 ── 그래 집 마당, 낮

가방을 들고 나오는 그래. 마당의 빨랫감을 보고

그래	뭘 저렇게 많이 받아 왔어요? 허리도 아프다면서.
그래 엄마	내가 하냐? 니가 하지. 너 내일부터 백수잖아.
그래	(대문 쪽으로 가며) 붙으란 거야? 말란 거야?
그래 엄마	(빨래 걸으며) 붙으면 좋고, 떨어져도 좋고.
그래	(돌아보며) 떨어져도 좋아요?
그래 엄마	니가 붙으면 내가 공공근로를 못 하더라. 자격이 안 된다네?
그래	…
그래 엄마	(계속 빨래 걸으며) 내 입장도 그래애~ 붙길 바라야 되냐? 떨어지길 바라야 되냐?
그래	(꾸벅) 다녀오겠습니다. (간다)
그래 엄마	다녀와라~

그래가 나가고 대문이 닫히자 쳐다보는 그래 엄마.

S#15 ── 원인터 외경, 아침

S#16 ── 영업3팀, 아침

영업3팀으로 들어오는 그래. 깨끗하게 정리된 자기 책상 위에 가방을 올려둔다. 그리고 3팀을 돌아본다. 오 과장과 동식의 자리를 한참 본다. 이른 아침이라 사람들이 드문드문한 15층 전체도 둘러본다.

그래	…

긴장한 얼굴로 작은 상자를 들고 서 있는 그래. 다른 인턴들이 상자를 들고 온다. 그래를 흘깃 보거나 눈인사하거나 삼삼오오 자기들끼리 서서 웅성거린다.

석호	(다가오며) 장그래 씨.
그래	(눈인사한다)
석호	긴장돼 죽겠어요.

상자를 든 영이도 온다. 그래, 영이와 눈인사하는데

백기	안영이 씨.

영이, 돌아보면 백기, 싱긋 웃으며 빠른 걸음으로 영이 쪽으로 온다.

백기	원인터 와서 제일 힘든 하루가 되겠네요.
영이	(의례적인 미소)
그래	…
석율	(Off) 잘해봅시다. 장그래 씨.

그래, 돌아보면 꽤 큰 상자 들고 서 있는 석율.

석율	(적대) 아니, 잘해주세요. 장그래 씨.
그래	(받는) 한석율 씨도요.
석율	내 걱정은 마시고. (그래의 상자를 흘깃 본다)
진행자	(다가오며) 자, 발표 순서대로 서주시구요. 같이 들어갈 겁니다. 정렬해주세요.

인턴들, 주섬주섬 줄 서고 서로 호의적이지 않은 분위기로 쳐다보는 석율과 그래.

S#18 ── 대회의실 안, 낮

드디어 문이 열리고 긴장된 표정으로 입장하는 인턴들, 자리에 앉으면 전무, 임원들과 파트별 부장과 선 차장을 비롯한 차장 몇 그리고 상식과 고 과장과 정 과장 등 과장들이 들어와 앉는다. 상식, 전무를 쳐다보면서 들어와 앉는다. 그래, 긴장한 얼굴로 심사위원들 보면 무표정하거나 단호한 얼굴들이다. 상식, 긴장해 있는 그래를 본다.

선 차장	(인턴석을 둘러보며) 우리 PT 면접 때 생각나네요. (영이가 보인다) 저 친구가
	안영이 씨죠? 탐내는 팀 많던데?
상식	우리 팀으로 올 겁니다~
선 차장	네?
상식	아~ (선 차장 보며) 쟤 내 마성을 알아챘거든. (홱 돌려 영이를 본다)

영이, 상식과 눈 마주친다. 가볍게 인사하는 영이. 상식도 씩 웃고 받는다. 선 차장, 어이없다…

| 진행자 | 팀별 PT는 공통적으로 10분 발표, 5분 질의 응답으로 진행하며, |
| | 미리 제출하신 파일 외 어떤 추가 파일도 사용할 수 없음을 알려드립니다. |

당황한 듯 갑자기 얕은 신음 소리를 뱉는 석율.

석율	아…!
그래	(쳐다보면)
석율	(당황한 얼굴로 주머니를 더듬는다)

S#19 ─ 석율의 책상 위, 낮

진동으로 해둔 석율의 휴대전화가 "지잉~ 지잉~" 울린다.

S#20 ─ 대회의실, 낮

석율, 당황한 얼굴로 주머니를 뒤지더니 문 쪽을 보고 안절부절못한다.

그래	왜 그래요? 무슨 문제 있어요?
석율	(당황한 채 문 쪽을 보며 일어나려는데)
진행자	시간 엄격하게 적용하니 엄수해주시기 바라고, 전무님 인사 말씀으로
	PT 면접을 시작하겠습니다.

석율, 다시 털썩 앉는다. 불안한 얼굴로 석율을 보는 그래. 상식은 굳은 얼굴로 최 전무를 보고 있다. 석율, 침을 꿀꺽 삼키면서 손을 심장 부분에 올리고 꾹 누른다.

| 그래 | (의아하게 보며) 왜 그래요? |

석율	(불안하게) 안 갖고 왔어요.
그래	뭘,
최 전무	(앉은 채) 반갑습니다, 여러분. 낯이 익은 분도 있고 처음 본 분도 있는데
	계속 보게 될지 이 인연으로 우리가 마지막이 될지 모르겠지요.
그래	(전무를 쳐다본다) …
최 전무	우리 상사맨은 보다 진취적이고 좌절 안에 희망을 찾는 사람들이어야 합니다.
	여러분을 통해 우리 회사의 미래를 그려볼 수 있도록 최선을 다해주시길 바랍니다.

박수하는 사람들. 더더욱 긴장한 인턴들. 당황한 석율의 표정은 점점 굳어지고 있다. 그래, 불안해지는 마음으로 그런 석율을 본다.

진행자	그럼 첫 번째 팀, 장기석 구현우 조 나와주세요.

인턴석에서 오리발에 우주복 차림의 인턴2와 3이 벌떡 일어나 나와 다리를 쩍 벌리고 선다.

인턴2/3	안녕하십니까! 저희는 세계 무대에 우리 발자국을 남기겠다는 각오로
	원인터내셔널에 지원한,
인턴2	장기석!
인턴3	구현우!
인턴2/3	(손바닥을 착 내밀며) 장구팀입니다!
인턴들	(긴장 풀려 와하하 웃는다)
이상현	(영이에게 구시렁) 우리도 저렇게 아이디어로 승부를 냈어야 했다구.
최 전무	(차갑게) 다음 사람.
일동	!
인턴2/3	!
최 전무	(차갑게) 엠티 온 건가? 옷 제대로 갖춰 입고 다시 하도록.

심사위원들 제외한 모두 당황한 얼굴이다. 다시 나온 인턴1과 인턴2 팀, 회사 로고를 띄워놓고 엉성한 만담을 하는데

인턴2	김… 선생~ 요즘 살 만해요?
인턴3	뭐… 뭘요. 이렇게 저렇게 살아봤자~ 힘들더라구요.
심사위원1	자네들 로고 어디에서 갖다 쓴 건가?
인턴2	그게… 캡처 프로그램으로…
인턴3	(OL) 작은 이미지라 괜찮을 거라고 구현우 씨가…
인턴2	(OL) 장기석 씨가 먼저 담당자분 퇴근했다면서 캡처하자고…

　　최 전무　　다음 사람!

망연자실 흙빛이 된 인턴2, 3을 보며 바짝 긴장해서 무겁게 가라앉은 인턴석. 얼어 있는 석율과 긴장한 그래.

인턴4　　죄…송합니다. 까먹었습니다. 다시 하겠습니다.

심사위원1　　지금 크라이시스와 리스크를 혼재해서 사용하고 있다는 건 아나?

인턴5　　(버벅대며) 리, 리스크란 손해를 입을 위험… 크라이시스는 위험, 고비…

최 전무　　자넨 광고회사가 더 어울리겠는데?

인턴6　　네! 저 역시, (헙! 입을 다문다)

점점 더 가라앉고 있는 인턴석 분위기.

심사위원　　좋군. (인턴7의 서류를 보며) 헌데… 이전 인턴 한 회사에도 상사가 있는데
　　　　　　　　왜 우리 회사에 또 지원하게 됐지?

인턴7　　그… 저… 전… 무역… 업무를 하고… 싶었습니다.

최 전무　　거기도 상사 있는데?

인턴7　　(땀 흘리며 당황) 지방대… 출신이고… 여러 가지… 경쟁에시 어려울 것으로…
　　　　　　 판단했습니다.

최 전무　　뭐야? 우리 회사에서는 이 학벌로 괜찮을 거라 본 건가?

인턴7　　(땀 흘리며 아무 말도 못하는)

최 전무　　지방대라고는 하지만 학점 좋고 어학 능력 있고 인턴 경험까지 좋은 사람이
　　　　　　　 그렇게 자신감이 없어서야… 우리더러 자네를 받으라는 건가 말라는 건가.

인턴7　　죄송합니다.

전무　　뭐가 죄송하냐구, 이 친구야. 답답하네.

인턴7　　시정하겠습니다. 이 회사를 무시하려는 의도는 없습니다.

상식　　(보며) 전무한테 말렸구만.

선 차장　　네?

상식　　솔직한 게 진실된 거라 생각하는 착각. 변명이나 핑계를 위해 사람들은
　　　　　　 얼마든지 솔직할 수 있어. 진실과 별개로.

선 차장　　(숙이고 있는 인턴7을 보며) …

그래　　(E) 턱없는 부분에서 당황하다니…

석율　　(그래를 획 보며) 어이없죠? (인턴7을 보며) 십중팔구 저쪽 인턴 하다 안 좋게 끝난 거야.
　　　　　　 그게 갑자기 뜨끔해서 당황한 거네. (끄덕끄덕) 응.

그래　　(석율을 본다)

#버벅거리고 있는 팀.

#애꿎게 자료만 앞으로 넘겼다 뒤로 넘겼다 뒤적이고 있는 팀.

#와중에도 차분하게 발표하는 석호.

#긴장하고 좌절한 분위기의 인턴석들.

그래, 발표를 보다가 석율을 보면 여전히 가슴에 손을 얹은 채 호흡을 고르려고 애쓰고 있는 게 보인다. 작은 소리로 묻는 그래.

그래	한석율 씨, 어디 아픈 겁니까?
석율	(신경질적으로) 말 시키지 말아요!
그래	대체 무슨 문제냐구요! 발표하기 힘들겠어요? 그럼 대책을,
석율	(OL, 확 노려보며) 누가 힘들대?!
그래	(받으며 보는)

S#21 ── 석율의 팀 자리, 낮

석율의 책상 위, 또 지잉~ 지잉~ 울리는 석율의 전화.

S#22 ── 대회의실, 낮

진행자	다음, 안영이, 이상현 씨 팀 나와주세요.

#차분한 얼굴로 일어나는 영이와 긴장한 몸짓으로 이것저것 챙겨서 일어나는 상현. 단상으로 가는 영이를 보는 그래… 차분한 얼굴로 정면을 응시하고 있는 영이와 긴장한 상현. 사람들이 쳐다보면 영이, 차분하게 말을 시작한다.

영이	저희가 준비한 주제는 미래의 자원입니다.

#영이의 말에 따라 등 뒤로 펼쳐지는 PPT 화면이 유기적으로 바뀐다.

#안영이에게 집중되는 사람들.

#기록하거나 질문하는 심사단.

#영이를 쳐다보는 그래.

석호	(감탄하듯 보며) 아… 안영이 씨는 정말 잘하네요.

백기	(영이를 본다)
선 차장	심사단하고 에너지 싸움에서도 전혀 안 밀려요. 아주 단호하면서도 풍부하게 자기 의견을 피력하고 있어요. 배짱이 대단하군요.
상식	저 친구는 좀 수상해.
선 차장	네?
상식	(눈을 가느스름하게 뜨고 영이를 보며) 수상해. 아주.

#영이, 상현에게 안배하는 듯 기회를 주지만 버벅거리는 상현.

석호	이상현 씨는… 영이 씨 페이스에 확실히 말렸네요.
백기	(영이를 보는)

#상현의 실수를 수습하는 영이와 포기한 채 반가사유상 미소를 짓고 있는 상현.

선 차장	(웃으며) 상대 친구는 차라리 포기한 게 마음 편해 보이네요.

#백기 팀의 PT. 백기가 발표를 하고 김종민이 화면을 넘긴다.
#지켜보는 사람들.
#백기를 보고 있는 그래.

선 차장	저 친군 완전히 PT의 정석이네요. 한마디 한마디가 머릿속에 쏙쏙 들어와요. 아주 논리적인데요?
상식	(끄덕이며) 잘하긴 하는데 머리만 치고 있어. 가슴을 쳐야 물건을 팔지.

#차분하게 또박또박 발표하는 백기.
#잠시 후 PT를 끝낸 백기와 종민, 인사를 한다.
#긴장한 얼굴의 그래. 넥타이 매듭을 살짝 조인다.

S#23 — 그래의 집 마당, 낮

빨래를 탁탁 털어 넣고 있는 그래 엄마, 문득 생각난 듯

그래 엄마	시험은 잘 치고 있는 거야? 어쩐 거야?

마루 쪽으로 가서 벽시계를 본다. 11시. "에구" 하고 무릎을 만지며 마루 끝에 걸터앉는다. 어깨

그래 엄마   떨지는 않을 거고… 대국에서 피 말릴 때가 한두 번이었게. 그깟 거쯤이야…

다시 시계를 돌아본다.

진행자   (E) 다음, 장그래, 한석율 조 발표하세요.

S#24 ― 대회의실, 낮

차분한 얼굴의 그래와 뻣뻣하게 긴장한 얼굴의 석율, 일어난다. 그래를 보는 상식과 영이와 백기.

선 차장   장그래 씨, 과장님 팀이죠?
상식   (그래 보며) 네.

그래, 앞으로 나서려는데 석율, 침만 꿀꺽꿀꺽 삼키며 서 있다. 석율을 툭 치는 그래.

석율   (날 선) 건드리지 마요. (심호흡하고 나간다)

그래, 불안하게 본다. 두 사람 인사하는데 여전히 숨을 몰아쉬며 불안한 석율.

그래   (나직이) 한석율 씨…
석율   (숨이 가쁜 채 터지듯) 저희 한석율, 장그래 팀이 발표할 PT 주제는, 문화에 갇힌, 이들에게 제안, 하기입니다.
그래   (PPT 화면을 작동한다. 그러나 여전히 석율이 미덥지 못한 표정)
석율   (숙인 채) 문화란, 자연현상에서 벗어난 삶을 풍요롭고, 편리하고. 후우… 후우… 후우…
그래   (불안하게 석율을 본다. E) 뭐 하는 거야?
상식   (의아하게 본다) 왜 저래?
선 차장   긴장 많이 했나 봐요.
석율   그러니까 저희의 출발은… 후우후우…

그 위로 유선 전화 소리 올리고.

S#25 ── 석율의 팀, 낮

사원1   한석율 씨요? 자리에 없습니다. 인턴 PT 시험 보고 있을 겁니다.

옆자리에서 울리는 전화.

사원1   (받으며) 예, 원인터내셔널입니다. (찡그리며) 한석율 씨 자리에 없습니다. 네.
             (전화 끊으며) 뭐야⋯ 이 친구 찾는 전화가 왜 이렇게 많이 와?

지잉~ 지잉~ 울리는 석율 책상 위의 휴대전화.

S#26 ── 대회의실 + 석율의 책상 위, 낮

대회의실. 후우후우~ 숨을 고르는 석율. 석율의 책상 위 신과 분할 화면되며 한쪽에선 석율의 후
우후우~ 한쪽에선 책상 위 휴대전화가 지잉~ 지잉. 그러다 휴대전화가 조용해지면서 메시지가 뜬
다. 엄마다. "청심환 먹었니?" 책상 한쪽에 얌전하게 놓여 있는 청심환 병. 분할 화면엔 여전히 벅
차게 숨 쉬는 석율. 분할 화면에서 빠져나와 대회의실 단독이 된다. 석율, 후우후우~ 땀을 삐질삐
질, 손은 만지작만지작.

석율	(열린 동공, E) 깜박했어. (On) 후우 후우~ (E) 청심환 먹는 걸 까먹었어⋯
그래	(초조한, E) 뭐 하는 거야? 한석율!
석율	(다다다 읽듯이) 문화란 어찌할 수 없는 자연환경이란 한계 안에서 형성된 것이라 봤을 때 우리에게 있어 그 문화란 인정의 대상이 아닌
그래	(E, 당황해서 본다) 숨을 쉬라구, 바빠 보여. 고개도 들고, 읽듯이 하지 말라고! 다 망칠 셈이야?!
석율	(다다다) 부인의 대상, 즉 과연 그럴까? 라는 문제의식이 가능하지 않을까라는 지점에서 저희 주제가 출발했습니다.
심사위원1	숨 좀 고르지 그래? 누가 쫓아와?
석율	네! 후우⋯ 저⋯ 저! 죄송하지만⋯! (꿀꺽) 잠시 시간을 주시면 청심환 좀 먹고 오겠습니다!
그래	!
일동	(황당~ 웃는 사람들도 있다)
석율	(땀 삐질삐질, 숙이며 절박하게) 부탁드립니다.
최 전무	먹고 오는 건 상관없지만 시간을 더 줄 순 없네. 다른 지원자들이 원치 않을 거야.

그래와 석율, 인턴석을 본다. 외면하거나 딴짓하고, 굳고, 찡그린 인턴들.

그래/석율 …/(당혹)

진행자 7분 남았습니다.

석율 아무리 빨리 갔다 와도 3분은 걸려. 그… 그냥 하겠,

그래 (OL) 제가 하겠습니다!

석율 (확 본다. 꿀꺽)

상식 (보며) 저 녀석…

영이/백기 (본다)

그래 (중앙으로 걸어가서) 제가 대신 발표하겠습니다…

긴장한 얼굴로 침을 꿀꺽 삼키고 좌중을 보는 그래… 그 위로.

사범 (E) 설명해봐.

S#27 ── 기원, 낮(회상)

바둑을 두며 어린 그래와 마주 앉아 있는 사범.

사범 왜 그 수를 거기에 뒀는지 설명해봐.

어린 그래 그… 그냥.

사범 바둑에 그냥이란 건 없어. 어떤 수를 두고자 할 때는 그 수로
무엇을 하고자 하는 생각이나 계획이 있어야 해. 그걸 '의도'라고 하지.

어린 그래 (본다)

사범 (바둑 보며) 우상귀가 막혔어. 자, 위기야. 어떻게 할 거야?

어린 그래 불필요한 수를 버려야 합니다.

S#28 ── 대회의실, 낮

좌중을 처다보고 있는 그래 위로.

사범 (E) 뭘 버릴 거야?

그래 (Na) 화려한 수사와 언변… 내가 한석율을 택한 이유를 버린다…

그래 (꿀꺽 삼키고) 문화에 갇혔다는 것은 관습이나… 그… 사는 지역의…

	한계에서 벗어나지 못하고 있다는 의미가 있습니다.
상식	왜 저렇게 버벅거려?
영이/백기	…/(피식)
그래	(점점 버벅대며) 음… 환경의 제약 안에서 만들어진 문화란… 음… 많은, 아니 제약 안에 만들어져 있기 때문에 제약이… (멈추고 꿀꺽 침을 삼킨다)
상식	(E) 넘어가!
선 차장	힘들겠는데요…
석율	(고개 숙인 채) 젠장…
영이/백기	…/(차갑게 보는)
그래	(Na) 아직… 역시 무리다. 의욕만으로 되는 게 아냐.
석율	(그래를 보며 입을 앙 다문다)

S#29 — 놀이터 일각, 낮(회상)

어린 석율	(팔 벌리고 다가가며) 아빠!
석율 아빠	어이구~ 우리 석율이~
어린 석율	아빠, 지금 공장 가?
석율 아빠	그래, 오늘부턴 야근 조니까.
어린 석율	아빠 손 까매.
석율 아빠	기름때가 찌들어서 안 지워져. 왜, 창피해?
어린 석율	난 아빠 안 창피해.

S#30 — 석율의 집, 밤(회상)

석율 아빠	(통화) 아직 협상날 모르지?
남자1	(E) 협상은… 파업 참가자 전부 해고한다는데…

S#31 — 공장 일각, 낮(회상)

노조복을 입은 채 고개를 떨구고 앉아 있는 석율 아빠.

S#32 — 어린 석율의 동네 일각, 낮(회상)

아이	우리 아빠는 회사 갔다~ 너네 공돌이 아빠 집에서 놀지~? 아~ 창피하겠다.
어린 석율	(얼굴을 일그러뜨리며) 우리 아빠 안 창피해!

S#33 — 대회의장, 낮

그래, 버벅거리며 계속하고 있다.

그래	그…들이 필요로 하는… 것만이 아닌…
석율	(땀을 흘리며 떨구고) 젠장… 젠장… 젠장… 젠장…

S#34 — 울산 공장 일각, 낮(4분할 화면에 각각 통화하는 석율의 가족들)

아빠	석율이 면접 들어갔나 봐! 전화 안 받네?
외삼촌	매형, 아마 들어갔을 겁니다. 저도 전화했는데 못 바꾼대요.
삼촌	형수, 석율이 면접 몇 시에 끝나요? 삽겹살이나 사주게.
엄마	(E) 전화 안 받네.
큰아버지	우리 석율이가 드디어 책상 일 하게 됐나 봅니다, 하하하! 석율이는 현장 벗어나게 해줘야지요. 근데 걔 울렁증 심하잖아요. 아, 약 가져갔구나.

S#35 — 대회의실, 낮

참담한 얼굴로 노트북의 키를 탁! 눌러 PPT를 넘기는 석율.

심사위원1	잠깐, 좋은 이야긴데 너무 듣기 힘들구만. 용어 사용에 사적 용어가 너무 많고 공정한 용어가 적어. 발표에 부적절한 거 아닌가?
석율	(원망하듯 확 본다)
그래	그렇습니까… 죄송합니다.
심사위원2	현장에 한 번이라도 가봤나? 각 제품에 대한 창의적인 발언이 함께 있어줘야지. 현장 안 가봤지?
그래	네…

석율	(표정…)
심사위원1	요즘 인턴들은 현장을 너무 몰라.
석율	(표정…)
심사위원2	견학 신청도 안 해. 상사가 지시 안 하면 자기도 안 해.

심사위원들, 수긍하듯 끄덕거리며 웅성웅성하다가 단상 쪽을 보고 '응?' 하는. 상식도 의아하게 보고, 영이와 백기도 마찬가지. 땀 흘리던 그래가 석율 쪽을 보면 눈을 감고 뭔가 강력한 에너지를 발사하기 직전의 오묘한 표정으로 서 있는 석율. 모두 의아해서 보면

석율	(천천히 눈을 뜨며) 역시… 현장이지 말입니다. (뚜벅뚜벅 걸어 그래 옆을 지나면서) 장그래 씨 고생했어요,
그래	… (석율을 돌아보면)
석율	(중앙에 서서) 번잡스럽게 해서 죄송합니다. 제가 이어서 하겠습니다.
그래	… (노트북 쪽으로 가서 조작한다)

눈을 치켜뜨고 자신만만한 표정으로 좌중을 쳐다보고 있는 석율.

석율	(E) 아버지, 전 당신이, 현장이, 부끄럽지 않아요!
석율	FCL 카고* 가 안 될 경우의 수도 봐야 합니다. 포워딩 업체와 어떻게 조건을 맞추느냐가 관건이 되겠습니다.

Dis. 웃음, 진지, 열정으로 완급을 조절하며 자신 있게 발표하는 석율 Dis. 웃음을 머금고 집중해서 듣고 있는 심사위원들 Dis.

그래	(Na) 한석율의 시간이었다. 현장의 언어를 실은 그의 발표는 막힘이 없었다. 임원들, 특히 현장 출신이 분명해 보이는 임원은 웃음을 보이기까지 했다.
임원	허허허, 옛날 생각이 다 나는데?
석율	(심사위원들에게) 그렇디면 을 상반기 순이익률은 어떻게 될까요?
심사위원들	응?
그래	(Na) 흘려버려 부족한 시간까지 계산해 순발력 있게 내용을 빼가면서도 물 흐르듯이 자연스러웠다. 쥐락펴락. 전체를 장악하고 있지 않으면 불가능한 일이었다. (고개 떨군다) 장악… 말이다…

그래, 다시 고개를 들면 자신만만한 석율의 모습.

그래	(Na) 3분이 거의 지날 즈음 한석율은… 남자 안영이로 변신해 있었다.

• Full Container Load cargo. 한 컨테이너 안에 한 회사의 화물이 적재되는 경우를 FCL. 이런 화물을 FCL cargo라 한다.

Episode 4

그래   (Na, 씁쓸하게) 3분이면 사기꾼이 성자로 바뀌기에 충분한 시간이었다.

S#36 ── 대회의실 밖, 낮

진행자   (E) 20분간 휴식 후 개별 PT 주제를 이 자리에서 발표합니다.

각각의 표정으로 우르르 나오는 인턴들…

인턴2   (걸어 나오며) 무슨 로고까지 지적을 해? 후들거려 죽는 줄 알았네.
인턴3   (소리 죽여) 전무님 포스에 눌려서 입도 뻥긋 못 한 사람 많죠?
상현   그 와중에 우리 영이 씨, 대단하지 않아요? (앞서가는 영이 급히 따라가며)

               영이 씨~ 커피 마시고 싶지? 영이 씨이~?

일동   (벙쩌서 본다)
종민   (보며 풀 죽어서) 팔아야 되니까요… (앞서가는 백기를 본다)

모두, 한숨 푹~ 쉬면서 자기 파트너를 본다. 경계와 동정심 호소 등의 눈빛들을 하며 우르르 빠지
면 뒤이어 심사위원들도 나오면서 얘기 나눈다.

정 과장   역시 장백기가 잘하네.
고 과장   난 안영이 그 친구, 역시 대단하단 생각이 드네.
마 부장   (마뜩찮은) 그래 봤자 여자야. S 그룹 비서실에선 좋아하겠네.
김 부장   난 한석율 그 친구가 배포 있어 보이는 게 맘에 들던데…?

뒤따라 나오며 듣는 그래와 석율… 각각 표정으로…

S#37 ── 대회의실 안, 낮

정리하면서 상식과 선 차장.

선 차장   장그래 씨 페이퍼와 PT 내용 다 좋은데… 아쉬워요. 아까 기회 좋았는데…
상식   딱 거기까지인 거지. 이만큼 온 것도 기적이에요. 다행히 주제를 알아

               헛물켜지 않는 거 하난 맘에 들었었는데…

선 차장	(본다)
상식	(정리하다가 선 차장 말이 없자 쳐다본다)
선 차장	일부러 그러시는 거죠?
상식	(당황해서 보면)
선 차장	(정리하며) 그러지 마세요. 상대도 상대지만 본인이 다쳐요.
상식	무슨 실없는 소릴 자꾸 하는 거야?
선 차장	과거가 내 발목을 붙잡고 있다고 착각하지만 알고 보면 내가 과거를 붙들고 있을 때도 많거든요. 과장님 보면 쫌 그래요.
상식	… (확 보며 어이없는 듯) 이 사람 큰일 날 사람이네. 유부남을 왜 봐? 유부녀가. 나보다 승진 빠르다고 뭐, 날 막막 쉽게 보는 거야?
선 차장	참 도끼병은 여전하시네요. (휙 나간다)

그때 전화 온다. 보고

상식	응.

S#38 — 영업3팀 안, 낮

동식	(가방을 챙기면서) 장그래 씨, 잘했어요?

S#39 — 대회의실 + 밖, 낮

상식	(나오면서) 잘하긴 무슨, 맹진사댁 맹서방네 맹돌이 같더라.
동식	(E) 네?
상식	역시 안영이가 물건이야.
동식	(E) 네? 보이지도 않았어요?
상식	왜 안 보여? 군계일학이더만.
동식	(E) 아~ 과장니~임. 됐구요. 저 이진화학 다녀올게요.
상식	그래.

끊으며 화장실로 들어가는 상식.

S#40 — 화장실 안, 낮

들어서던 상식, 멈칫한다. 손 씻고 있는 그래. 상식 보고 인사하면

상식   (약간 머쓱한) 어…

변기 앞으로 가서 자세 취하고, 그래 흘긋 본다. 그래, 꾸벅하고 가는데

상식   안 되면 발이라도 걸어.
그래   (?) 네?
상식   자빠지는 거 보는 통쾌함이라도 있으니까.
그래   네? (보는)

S#41 — 대회의실 밖, 낮

진행자   (E) 2차 PT 면접을 시작하겠습니다.

S#42 — 대회의실, 낮

2차 PT가 진행되고 있다. 선 차장, 굳은 얼굴로 앉아 있는 인턴들 보며

선 차장   1차 PT 같이 준비하는 동안 보나마나 갈등들 좀 있었을 텐데요.
상식   (그냥 보고만…)
선 차장   서로 간에 팔고 싶지 않은 사람들한테 파는 게 쉽지 않겠어요.
상식   (울컥) 내 얘기 하는 거야?
선 차장   네?
상식   지금 자존심 파는 얘기 하는 거 아냐?
선 차장   네?
상식   (손 설레설레) 아냐아냐. (하면서 전무를 본다. 또다시 굳어지는 얼굴)

그래, 석율을 본다. 자신만만한 얼굴로 그래를 보는 석율.

석율   오늘 2차 PT, 재밌겠네. 그죠? 장그래 씨?
그래   (대꾸 없이 다시 무대 쪽의 PT를 본다)

인턴2	제가 홍콩 여행 가서 600불에 사온 지갑입니다. 350불에 팔겠습니다.
인턴3	(얼른) 사지 않겠습니다.
석율	(사뭇 놀란 듯) 무작정? 아~ 저럼 안 되지~
인턴3	(벨트를 쭉 뽑아) 이 벨트로 말할 것 같으면 명품을 제대로 카피한
인턴2	(당황) 명품 필요하시잖아요. 지갑부터 사야겠다고…
인턴3	(정색) 우리나라 기업 품질이 더 좋습니다. 명품은 주영호 씨가 좋아하죠.
	지난번 명품 중고샵에서 구두 싸게 샀다고 몇 번이나 자랑하지 않았습니까.
석율	(절레절레) 쪼잔하게 말싸움이냐.
인턴2	(울컥) 중고를 살리면 그것도 자원 재발견입니다.
석율	풋!
심사단	(어이없어 피식피식 웃는)

wipe.

잔뜩 호전적인 자세로 쳐다보고 있는 종민. 그런 종민 앞에 상자를 열어 거울을 꺼내 드는 백기.

백기	김종민 씨는 성실하고 실력 있지만 자신감이 부족합니다. 그건 본인의 오리지널이
	확보되지 않아 발생하는 불안감입니다. 김종민 씨 자신이 브랜드입니다.
	이제는 남 따라 하지 말고 본인을 따라하게 하는, 본인의 오리지널리티를 구축해
	가겠다는 의미에서 이 거울을 사십시오.
종민	(울컥!) 남 따라 하다니요! (울먹) 정말 끝까지 이러깁니까?!
석율	(절레절레)

wipe.

의아한 표정으로 쳐다보고 있는 영이 앞에서 TV 리모컨을 들고 있는 상현.

석율	(호기심 가득해서 앞으로 쭉 내밀고) 뭘 팔려는 거야?
상현	제가 안영이 씨에게 팔고자 하는 물건은 돈으로 가치를 환산할 수 없습니다.
	얼마를 주든 안영이 씨 마음입니다! 자! 오직 안영이를 위한, 안영이에 의한
	안영이의 추억을 안영이 씨에게 팔겠습니다!
영이	! (다급, 말리려고) 이,
상현	원인터내셔널 인턴 직원, 안영이의 하루입니다!
영이	이상현 씨!

상현, 리모컨을 꾹 누른다. 감동적인 BGM과 함께 펼쳐지는 영이의 하루 직장 생활 영상, 사랑

의 눈길이 가득 담긴 뮤직 비디오다. 얼굴이 하얘져 입을 다물지 못하는 영이. 황당해하는 사람들, 박장대소하는 사람들, 장내는 웃느라 뒤집어지고 석율은 웃느라 아예 의자에서 떨어질 지경이다. 뿌듯한 상현과 얼음이 되어버린 영이.

S#43 ── 대회의실 외경, 낮

진행자   (E) 다음은 장그래, 한석율 조 준비해주십시오.

S#44 ── 대회의실 무대, 낮

각각 상자를 옆에 두고 무대에 서 있는 석율과 그래. 두 사람, 긴장감이 흐른다. 각각의 표정으로 그래를 보는 상식, 영이, 백기.

진행자   발표해주세요. 한석율 씨 먼저 시작합니다.
석율   (심호흡하고 상자 뚜껑을 연다) 제가 장그래 씨에게 팔 물건은 이것입니다.

그래, 긴장해서 보면 석율의 상자에서 딸려 나오는 각양각색의 천들.

석율   울산 공장에서 만들고 있는 우리 계열사의 대표 섬유들입니다.
심사위원들 (집중하는) 오호~
석율   나일론, 폴리에스테르, 아크릴, 폴리우레탄, 폴리비닐알코올, 폴리염화비닐,
              폴리염화비닐리덴, 폴리프로필렌입니다. 우리 회사 주력 섬유 중 합성섬유로,
              (그래를 본다)
그래   …
석율   21세기 섬유산업의 고부가 가치를 대표하는 섬유들이죠. 그리고 하나 더,
              (품 안에서 수첩을 꺼내 들고) 각 생산 라인에 투입된 인력들의 업무 환경과,
              잘못 내려진 오더로 인한 손실액과 커뮤니케이션의 문제에 대해 분석한
              자료가 든 수첩입니다. 이 현장의 발언을, 장그래 씨에게 팔겠습니다!
그래   (긴장)
진행자   장그래 씨 결정하세요.
일동   (그래를 본다)
그래   (석율을 똑바로 쳐다본다) …
석율   (자신만만한 미소로 보는데)
그래   (다가가서 천을 만져보고) 이 천은 문제가 없겠죠?

석율	물론입니다.
그래	그렇다면,
석율	(보는)
그래	전 이 노트만 사겠습니다. 천은 사지 않겠습니다.
석율	! (당황)
일동	(흥미롭게 보는)
석율	왜… 왜요?!
그래	노트는 현장에 있던 한석율 씨의 분석이 들어간 거라 제 시간을 줄여주는 가치가 있지만 천은 누구나 언제든지 구할 수 있는 것 아닙니까? 굳이 한석율 씨가 내민 걸 살 필요는 없다고 판단했습니다.
석율	(인상 확 쓰고)
일동	(웅성웅성)
상식	(본다)
선 차장	제법이잖아요.
영이/백기	…
석율	그건 장그래 씨가 몰라서 하는 말입니다. 여기 있는 이 모든 천은 제가 직접 보고 만지고 사용해보면서 장단점, 효용성, 가치를 분석해 전문가에 버금가는 데이터를 구축했습니다. (잠깐 노려보며) 개벽이 소리 들어가며, 변태 성추행범 소리 들어가면서 말이죠.
그래	!
상현	개벽이? (동의 구하듯 주변 인턴들 보며) 저 친구, 알고 있었네?
그래	…

Ins. 제3국 S#56 울산 공장, 여자 엉덩이 만지다가 뺨 맞는 석율.

그래	그렇다 해도 허락 없이 여자 엉덩이를 만지는 건 범죄행위입니다.
석율	(당황)
일동	(웃음 버신나)
영이/상식	(피식 웃음)
석율	(당황) 여… 여자 엉덩이를 만진 게 아니라 천을 만진 거라고 얘기하잖아요! 응?! 내가 만져보고 싶은 천이 딱 그 부분에 있었다구!
그래	(차분히) 천을 만지기 위해선지는 모르겠지만 결과적으로 엉덩이를 만졌다는 건 인정하는 거네요.
석율	장그래 씨!
일동	(웃음)
영이	(풋! 웃는다)

백기	(영이를 본다)
선 차장	(그래를 보고 웃으며) 재밌는 친구네요.
상식	(어이없는 얼굴로 그래를 본다)
석율	(억울해서 목소리에 삑사리까지 내며) 내… 내가 만지고 싶었던 천이 하필 엉덩이
	부분에 있었다고! 다… 당신도 봤잖아!
그래	봤죠. 여자 엉덩이를 만지더군요.
석율	이~ 이~
○ 부장	(웃으며) 자자, 두 사람. 진정들하고, 자, 장그래 씨. 어떻게 할 겁니까? 살 겁니까?
	안 살 겁니까?
일동	(본다)
그래	…
일동	(보면)
그래	천을 팔기 위해 만일 한석율 씨가 판 발품만큼의 품을 들여 공부해야 한다면,
	그렇다면,
석율	(보면)
그래	(심드렁) 그냥 한석율 씨와 함께 팔겠습니다. 합격해서 둘 다 이곳에 다시 온다면
	말이죠. 어떻게, 같이 팔아주시겠습니까?
석율/일동	!
영이	(웃음을 참고 있다)
선 차장	와우!
상식	(어이없으면서도 그래를 다시 보는 듯한 눈빛으로 본다)
○ 부장	(웃으며) 어떻게 할 건가? 한석율 씨, 함께 팔아볼 마음이 있는가?
석율	(당황) 그… 그건 (낸다) 장그래 씨가 팔 물건을 보고 결정하겠습니다!
	(E) 이 얍삽한 자식…
○ 부장	하하하. 그래, 재밌네. 장그래 씨 바로 시작하지.
그래	(상자를 개봉한다)
석율	(E, 노려보며) 그래, 꺼내봐라 니가 뭘 팔든 (멈칫!)
일동	(의아한 웅성웅성)
백기/영이	(의아한)
상식	(찌푸리고 보며) 뭘 들고 있는 거야? 저놈.
석율	뭐… 뭡니까? 그게… (멍~)
동식	(E) 슬리퍼 어디 갔지?

S#45 — 15층 사무실, 낮

외근 다녀온 동식이 책상 아래를 멀뚱히 보고 있다.

동식   슬…리퍼…
고 과장   (E) 내 슬리퍼 누가 치웠어!

동식, 보면 고 과장도 슬리퍼를 찾고 있다. 여기저기 외근 다녀온 사람 몇이 슬리퍼를 찾으며 긁적이고 있다.

그래   (E, 다부지게) 한석율 씨에게 이 실내화를 팔겠습니다!

S#46 — 대회의실 무대, 낮

낡은 슬리퍼가 잔뜩 든 상자를 석율 앞에 확 내미는 그래.

석율   (깜짝 놀라 물러서며) 뭐?!
영이/상식   (본다)
일동   (웅성웅성)

그래, 상자를 내려두고 맨 위에 있는 낡은 지압 슬리퍼를 꺼내든다.

그래   (상식의 슬리퍼 들고) 이건 우리 회사 모 과장님의 실내화입니다.
상식   (갑자기 몸을 쑥 앞으로 내밀며) 저거 내 거 아냐?!
일동   (상식을 획 본다)
상식   (얼른) 아니네.
그래   그분의 구두를 봐주십시오. (하며 상식을 획 본다)
상식   (당황) 저… 저 자식…
일동   (상식의 구두를 보려고 움직움직하고)
그래   깨끗합니다. 사무직은 외근이 상대적으로 적고 격식을 차려야 할 자리도 있으니 정갈해야 할 겁니다. 하지만 대부분의 업무는 사무실에서 하죠.
일동   (호기심으로 듣고 있는)
그래   (손바닥으로 감싸 잡고 잘 보이게 탁! 들고) 다시 모 과장님의 이 실내화를 봐주십시오.
상식   (뒷목 잡기 일보 직전) 저놈 저거, 나 놀리는 거지?
선 차장   (웃는)

Episode 4

그래	많이 닳아 있죠? 지압용 돌출이 발의 모양 따라 닳아질 정돕니다.
	(바닥 냄새를 맡으며) 땀 냄새도 배어 있습니다.
일동	(으~ 하며 웃고)
상식	(쪽팔린) 저 새끼, 저거 더러운 줄도 모르고.
그래	땀 냄새… 사무실도 현장이란 뜻입니다. 그 현장의 전투화… 당신에게 사무 현장의
	전투화를 팔겠습니다!
상식	!
선 차장	두 번째 와우!
영이	…
백기	(굳은)
일동	(아~ …하는 듯 보는)
석율	(멍~하다가 울컥해서 흥분) 안 사겠습니다! 사무실이 현장이라니! 말장난이
	지나치군요! 현장이 뭔 줄이나 아십니까? 사무실의 끄적임 몇 번으로 쉽게 쉽게
	잘려나가는… 구조조정의 최일선에서 근무하는 사람들을 현장 노동자라고
	하는 겁니다! 그들의 전투화를 소개해드릴까요?
그래	(보는)
석율	워커 신고 일합니다. 무거운 공구가 떨어지면 발등 아작 나니까!
	전투화란 그런 겁니다! 전, 당신의 제품을 사지 않겠습니다!
그래	(본다)
석율	(본다)
장내	(긴장)
그래	… (차분하게) 한석율 씨는 처음 만났을 때부터 현장을 강조했습니다.
	아니, 현장만을 강조했죠.
석율	…
그래	한석율 씨가 생각하는 현장의 치열함은… 기계가 바쁘게 돌아가고, 힘을 들여
	제품을 만들고 옮기는 것인가 봅니다. 기계공학을 전공하고 수많은 공모전에서
	입상한 자신의 기계에 대한 이해와 관심이 보여지는 곳을 현장이라고 생각했겠죠.
면접관1	공모전 입상? 어디?
면접관2	입상했었어?
석율	(뜨끔, 당황) 자… 작은 공모전에…
그래	하지만,
석율	(보면)
그래	하지만 매일 지옥철을 겪으며 출근하고

S#47 ── 몽타주(직장인들의 삶)

#모니터상에 시시각각 변하는 환율과 원자재 가격들. 리포트 체크하는 모습.
#상사에게 깨지고 스트레스받는 직장인 모습.
#치열한 회의 모습.
#창밖에 어둠. 새벽 3시 가리키는 시계. 외국과 통화하고 안도하는 모습. 시계 보고 부랴부랴 상의 걸쳐 들고 퇴근하는 회사원.

그래   (E) 제품 수익률을 위해 환율과 국제 통상 가격을 매 순간 체크하고
          숫자 하나 때문에 수많은 절차를 두어 실수를 방지하고, 문장 하나 때문에
          법적 해석을 검토하고 결과를 집행합니다. 서류만 넘기면 되는 것이 아닙니다.
          밀고 당기는 많은 대화가 있고 그 과정에서 자기 자신이 초라해 보이기까지 하죠.
          OK 전화 한 통을 받기 위해 해당국 업무 시간까지 밤을 새워 대기하기도 합니다.

S#48 ── 대회의실 무대, 낮

울컥한 얼굴의 면접관들과 당황해서 그래를 보고 있는 석율…

그래   한석율 씨가 말하는 현장에서 생산되는 모든 제품은 왜 만들어져야 하는지의
          과정을 거친 이후에 존재하는 것입니다.
석율   (그래를 보는) …
그래   그 물건들은, 사무실을 거치지 않고선 존재할 수 없는 것입니다. (호흡을 가다듬는다)

          [Flashback] 기원, 낮(과거)
          사범의 앞에 앉아 바둑판을 들여다보고 있는 어린 그래.

              사범   바둑판 위에 의미 없는 돌이란 없어.

그래   회사에서 생산하는 제품 중에 이유 없이 존재하는 제품은 없죠.

              사범   (E) 돌이 외로워지거나 곤마에 빠진다는 건 근거가 부족하거나
                        수읽기에 실패했을 때지.

그래   제품이 실패하거나 부진을 겪는다는 건, 그만큼의 예측 결정이 실패했거나,
          기획, 판단이 실패했다는 걸 겁니다.

| 사범 | (E) 곤마가 된 돌은 그대로 죽게 두는 거야. 단 그들을 활용하면서 내 이익을 도모해야지. |

그래 실패한 제품은 실패로 끝나게 둡니다. 단, 그 실패를 바탕으로 더 좋은 제품을 기획해야겠죠.

[Flashback] 바둑판, 낮(과거)
제18기 국기전 도전5번기 제3국: 백 유창혁 6단(도전자), 흑 이창호 7단(국기)

| 사범 | (E) 전체를 보는 거야. 큰 그림을 그릴 줄 알아야 작은 패배를 견뎌낼 수 있어. |

그래 공장과 사무는 크게 보아 서로 이어져 있습니다. 그사이 공장이나 사무에서 실수와 실패가 있을 수 있죠. 하지만 큰 그림으로 본다면 우린 모두 이로움을 추구하는 점에서 같습니다.

석율 …

경도되어 있는 듯한 장내 일동. 상식, 영이, 선 차장 각각의 표정. 백기만 굳어 있다.

그래 제가 생각한 현장은, (석율을 보며) 한석율 씨가 생각하는 현장과 결코 다르지 않다고 확신합니다.

숨소리조차 죽인 조용한 장내…

선 차장 (조용히 중얼거린다) 박수.

상식, 영이, 각각의 표정으로 그래를 본다. 백기, 차가워진 표정으로 그래를 본다. 장그래를 뚫어 져라 쳐다보는 석율… 마침내 그래에게 한 발짝 다가선다.

석율 장그래 씨.

그래, 석율을 쳐다보면, 비웃음인 듯 아닌 듯 피식 웃음을 짓는 석율. 긴장한 얼굴로 그래를 보는 상식, 석율과 그래 서로 쳐다보고 있는 두 사람…

S#49 ─ 도시의 밤 전경, 밤

도시의 화려하고 어지러운 밤 풍경들.

S#50 ─ 이면 도로, 밤

부아아앙~ 달려가는 통닭집 오토바이. 헬멧 쓴 통닭 배달원 그래.

S#51 ─ 빌라 계단, 밤

계단을 뛰어 올라가는 그래. 5층집 앞에서 초인종을 누른다.

그래   통닭 배달 왔습니다.

잠시 후 문 빼꼼 열리고 돈이 쑥 나온다. 통닭 건네주고 꾸벅하고 돌아서려는데

집주인   (Off) 잠시만요!
그래   네.
집주인   (꽉 찬 쓰레기봉투를 주며) 가다가 이것 좀 버려줘요.
그래   (받으며) 네. (꾸벅하면 눈앞에서 닫히는 문. 손에 든 쓰레기봉투를 씁쓸하게 본다)

S#52 ─ 몽타주, 밤

#쓰레기장에 쓰레기를 툭 버리는 그래.
#통닭집에서 고되게 서빙하는 그래.

S#53 ─ 그래의 집 앞, 새벽

희부연 새벽… 버스 정거장 앞을 지나오는 그래. 어깨가 아픈 듯 두드리고 돌리면서 오는데 맞은편에서 정장 입은 남녀들이 우르르 온다. 그들을 보며 걸어가는 그래… 출근하는 사람들과 엇갈려 퇴근하는 그래.

S#54 ── 그래의 집 마루, 낮

마루 끝에 햇빛이 걸려 있다. 밖에서는 빨래 치대는 소리가 들린다. 마루에서 이불을 덮고 자고 있는 그래, 철퍼덕철퍼덕 빨래 치대고 이어서 쏴아아~ 수돗물 트는 소리. 정신없이 자고 있는 그래… 잠시 후 마른 찜질방 빨래들을 들고 들어와 툭 던져놓고 마루 끝에 앉는 그래 엄마, 그래를 흘끔 보고 앉아서 빨래를 갠다. 척척척 전문가의 솜씨다.

그래 엄마	밤낮이 바뀌어서 어떡하냐… 일어나라 밥때 됐으니까.
그래	(꿈틀거리는 얼굴이다가 눈을 뜬다. 일어나 앉는다. 부스스한 모습)
그래 엄마	마당에 줄을 하나 더 달아야 쓰겠다. 여름 볕엔 금방 마르더만 요즘 볕은
	영 매가리가 없네.
그래	(꾸물꾸물 가서 빨래를 같이 갠다)
그래 엄마	(말없이 개다가 무심하게) 어째, 소식은 없는 거냐?
그래	…뭐…
그래 엄마	(구시렁) 일주일이믄 된다더니…
그래	(말없이 개기만)

S#55 ── 영업3팀, 낮

인상 잔뜩 쓴 상식, 서류를 넘기고 있는데 심상치 않은 분위기다. 동식은 한 손으론 필요한 서류를 찾고 한 손은 바쁘게 통화 중이다.

동식	(통화) 과장님, 저번에 요청드렸던 p-bond 건 말입니다. 네.
상식	(서류를 넘기며 한숨을 푹푹 내쉬고 있다) 애슐리 박 이 인간…
동식	네, 목요일까지는 해주셔야 합니다.
상식	(서류를 탁! 덮고 머리를 감싸 쥔다) 아… 난 진짜 못 하겠다. 이거 어째야 하냐…
동식	(난감한) 아… 그럼 금요일까지 미뤄볼 테니 그때까진 꼭 부탁드립니다.
	네. (전화 끊고 서류 옆으로 주며) 장그래 씨, 이거 세 부씩만 복사해 와.
상식	(고개 들어 본다)
동식	아…! (머쓱해서 상식 보며) 거참… 습관이 이렇게 무섭네요.
상식	습관은 무슨. 언제부터 니 밑에 사람 있었다고. (그래의 빈자리를 본다) …
동식	(그래 빈자리 보며) 좀 무심했어요. 술이라도 한잔하고 헤어지는 건데.

동식, 상식이 대답 없자 본다. 그래의 자리를 쳐다보고 있는 상식…

동식	과장님도 맘이 좀 그러시죠?
상식	저 자리에 안영이 씨가 오면 말야, 책상 위치를 좀 배려해줘야겠어.
동식	(기가 막혀 보며) 예?
상식	(서류 들고 일어나 나가며) 발표는 언제 나는 거야? 이번에도 충원 안 해주면 진짜, 가만 안 있어!

S#56 — ○○회사 로비, 낮

서류 들고 서 있는 직원에게 다가가는 퀵서비스 그래. 직원의 목에 걸린 사원증을 본다…

| 그래 | 퀵 부르셨죠? (받으며) 여기 사인하시면 됩니다. |
| 직원 | (사인하며) 로비 안내 데스크에 맡겨주시면 돼요. |

S#57 — 몽타주, 낮

#퀵서비스 오토바이를 타고 달리는 그래. 담담한 얼굴.
#영이의 집. 조촐한 찬에 혼자 밥을 먹고 있는 영이, 휴대전화 진동 울린다. 확인하는 영이.
#헬스장. 땀 흘리며 러닝머신 뛰고 있던 백기, 문자 본다.
#한국무역협회 무역아카데미 강의실 문밖. 석율, 휴대전화를 신주단지 모시듯 양손으로 들고 나온다. 도착해 있는 문자 한 개. 열어보지도 못하고 침 꼴깍 삼킨다. 겨우 문자 터치하면, 타자음과 함께 새겨지는 문자. "인턴 한석율. 원인터내셔널 신입사원 최종 합격"

| 석율 | 예~쓰! (펄쩍펄쩍 뛰다가 멈춘다) 근데 이 인간은 어떻게 됐어…? |
| | (화면을 보다가 연락처를 찾는다. 그래의 번호에서 보다가…) 아씨… |

S#58 — ○○회사 로비, 낮

안내 데스크에 서류를 주고 꾸벅하고 돌아서는 그래… 몇 발짝 걸어가다 멈춘다. 회사를 돌아보는 그래… 휴대전화를 꺼내 전화를 건다. 신호가 가고

그래 엄마	(E) 여보셔.
그래	저예요.
그래 엄마	(E) 응.

그래	(담담한) 저 취직했어요. 합격…인 것 같아요…
그래 엄마	(E) …그래. 잘됐다.

전화를 내리고 걸어 나오는 그래 위로

그래	(Na) 인턴 장그래 2년 계약직 사원 최종 합격.

S#59 ─ 그래의 집 외경, 아침

S#60 ─ 그래의 방, 아침

옷을 입는 그래. 지퍼 넥타이를 잡는데 문이 드륵 열린다. 손에 넥타이 든 엄마.

그래 엄마	이걸로 해라. 드라이클리닝 해뒀다.
그래	어…
그래 엄마	넥타이 매는 법 아직도 못 배웠니?
그래	(머쓱) 네…
그래 엄마	흠, (매주면서) 남자가 넥타이는 맬 줄 알아야지. 어른이 되는 건 지 입으로 '나 어른이오~'라고 떠든다고 되는 게 아냐. 꼭 할 줄 알아야 하는 건 꼭 할 수 있어야지. 넥타이, 검소하지만 항상 깨끗한 구두, 구멍 늘어나지 않은 벨트, 니 아버지 철칙이셨다.
그래	엄마…
그래 엄마	응…
그래	맬 줄 모르죠?

보면 엉망으로 둘둘 말아져 있는 넥타이.

그래 엄마	큼. 오늘은 그냥 하던 거 해라. 다 까먹어버렸네. (휙 나간다)
그래	(둘둘 말린 넥타이를 보는)

S#61 ─ 몽타주, 아침

#동네를 걸어 내려가는 그래.

#멀리 세탁소 앞에 서 있는 그래, 세탁소 안에서 세탁소 아저씨의 양팔만 나와 그래의 넥타이를 매주는 풍경. 다리를 구부려 키를 낮춰주기도. 꾸벅하고 가는 그래.
#내래이션 타이밍에 맞는 양복 상의 어깨, 바짓단, 주머니 등.
#출근하는 사람들 속에 섞여 버스 정류장으로 걸어가는 그래. 넥타이맨들을 보는 담담한 얼굴. 자신의 넥타이를 다시 매만지며 걸어간다.

그래	(Na) 넥타이를 매고 양복을 입고 구두를 신으면 기분이 좋아진다.
	적당히 목을 쥔 긴장감, 허리를 곧추세우고 어깨를 열게 만드는 양복 상의의
	짱짱함, 얇은 안감 덕에 무릎에 붙지 않고 미끄러지듯 출렁이는 바지통과 바짓단.
	그리고… 어머니가 챙겨주신 손수건.

#그래 집, 낮. 출근하는 그래에게 손수건을 챙겨주는 그래 엄마.

그래 엄마	손가락으로 코 풀거나 손으로 땀 닦지 마라. 아무 데나 턱 앉지 말고
	닦고 앉거나 깔고 앉거라. 말하지 않아도 행동이 보여지면 그게 말인 거여.
	어른 흉내 내지 말고 어른답게 행동해라.

출근길의 도로 옆을 걸어가는 그래.

S#62 ── 원인터 외경, 아침

S#63 ── 로비, 아침

말끔한 모습으로 들어오던 백기, 멈춰 선다. 누군가를 보고 활짝 웃는다. 다시 성큼성큼 걸어가며

백기	안영이 씨!
영이	(돌아본다. 눈으로 인사하며) 장백기 씨.
백기	(웃으며) 역시.
석율	(Off) 이야~ 역시 될 만한 사람들이 되는군요.

영이, 백기 돌아보면 석율이 씩씩하게 다가오고 있다. 영이, 인사하면

백기	축하합니다, 한석율 씨.
석율	장백기 씨도요. (약간의 아쉬움으로 주변을 둘러본다)

백기   우리 셋이 단가 보네요. 작년엔 둘 뽑았다더니 올핸 좀더 썼군요.

웃으며 영이를 보는데, 출입문 쪽을 보는 영이의 표정이 멈칫하는 걸 본다. 동시에 석율의 휘파람 소리.

석율   예쓰!

백기   (석율을 봤다가 시선을 따라 출입문 쪽을 본다) !

차분한 얼굴로 세 사람을 향해 걸어오는 그래. 백기, 당황한 얼굴이 된다. 다가온 그래, 설핏 영이를 본다. 세 사람에게 인사한다.

그래   안녕하세요.

석율   (좋아 웃으며) 제법인데?

영이   …

백기   (당황함을 애써 감추고) 장그래 씨, 다시 보네요.

그래   네. (영이 보고) 안영이 씨.

영이   (본다)

그래   미안합니다.

영이   (미소로 받으며) 축하해요.

그래   고맙습니다.

백기   (영이와 그래를 본다)

총무팀 대리   (다가오며) 아! 다 오셨네요? 축하드립니다. 총무팀 이수동 대립니다.

일동   (인사)

총무팀 대리   김석호 씨도 합격하셨어요. 본사 발령이라 그쪽으로 출근했습니다.

그래   (미소)

총무팀 대리   간단하게 서류 작성하고 전무님 면담하겠습니다.

일동   …

S#64 ─ 전무실, 낮

다소 긴장한 얼굴로 전무 앞에 앉아 있는 네 사람.

최 전무   (웃으며) 반갑습니다. (네 사람을 하나하나 보다가 영이에서 잠깐 머문다.

              알듯 말듯 살짝 갸웃한 표정으로 인사 서류를 보면서 얼굴을 봤다가)

영이   …

최 전무	안영이 씨, 우리 아는 사인가?
영이	…아닙니다.
최 전무	(갸웃) 그래?
그래	(자기 부르는 줄 알고 멈칫하고)
최 전무	인턴 열흘 만에 템퍼로 10억 수주했다고. 그것도 2년이나 묵히던 아이템으로.
영이	(고개를 살짝 숙인다)
최 전무	앞으로도 그렇게 잘해주리라 믿습니다. (석율 보며) 한석율 씨… (서류 보고 웃으며) 현장이 중요하다는 건 아버님의 가르침이신가?
석율	네, 그렇습니다! 저희 집안은 대대로! 아니 대대로는 아니고, 친인척 대부분이 블루칼라 근로자로, 노동의 신성함과 땀의 정직함 그리고 현장의 가치에 대해 대단한 자긍심을 갖고 있습니다!
그래	(석율을 본다)
최 전무	(웃으며) 그래.
그래	(또 자기 부르는 줄 알고 멈칫 보고)
최 전무	훌륭한 자세네. (백기 보며) 장백기 씨, PT 때 차분하고 기본에 충실한 자세가 마음에 들었었네.
백기	감사합니다.
최 전무	(서류 보며) 희망 부서가 자원팀이군? 인턴 근무했던 팀이라선가?
백기	아닙니다. 앞으로 상사의 미래는 자원에 있다는 걸, 자원팀에 근무하면서 더욱 확실히 깨달아섭니다.
최 전무	(끄덕이며) 그래서 자원팀에 인재가 필요한 거네. 기대가 되는군.
백기	(보일듯 말듯 미소가 스친다)
최 전무	(그래를 본다) 음… (인사 서류를 본다. 그래의 이력) 자네가 장그래구만.
그래	네.
최 전무	(서류를 보고 음… 끄덕이며) 좋아. 열심히 하게. (서류를 덮는다)
석율	(약간 멈칫하는 눈치로 그래와 전무를 본다)
그래	…네.
백기	(보일 듯 말 듯 웃음이 스친다)
영이	…
그래	…

S#65 — 인사팀, 낮

| 총무팀장 | 이제 인사팀으로 가서 입사 계약서를 작성하시면 됩니다. 인트라넷 접속 방법은 다 알 테고, 아이디와 비번은 재설정하시면 됩니다. 여기 (각각 봉투를 주며) |

업무 매뉴얼과 부서 연락 수첩입니다.

일동	(받으며 각각의 표정)
총무팀장	그리고 여기 사원증. 배정된 부서들 보십시오. (아래 순서대로 나눠준다)
석율	(받아보고) 섬유팀, 아싸!
영이	(본다. 머뭇하고 백기를 본다)
백기	(본다. 멈칫… 굳은)
석율	(영이 거 보며) 어디예요? 어? 자원팀이네요? 그럼 장백기 씨는?
백기	(애써 아무렇지 않은 듯) 철강팀이네요.
석율	철강? (그래를 홱 보며) 장그래 씬?
그래	(사원증 보며… 작게 미소)

S#66 —— 영업3팀, 낮

그래를 쳐다보고 서 있는 동식.

그래	(꾸벅) 안녕하십니까? 신입사원 장그랩니다.

팔짱 끼고 기대앉아 못마땅하게 보고 있는 상식.

그래	과장님, 저 왔습니다.
상식	그러니까… 왜 또 너냐구…
동식	축하해 장그래 씨.
그래	감사합니다. 그럼 업무 보겠습니다.

익숙하게 자리로 가서 짐을 놓고 윗옷을 벗는 그래를 보며 땅이 꺼져라 한숨을 쉬는 상식.

상식	인사팀 이 나쁜 놈의 시키들! (동식에게) 안영이는 어디로 간 거야?
그래	(일어나 돌아서서) 안영이 씨는 자원팀으로 갔습니다.
상식/동식	(어이없이 보면)
그래	(아무렇지 않은 듯) 한석율 씨는 섬유팀, 장백기 씨는 철강팀으로 갔습니다. 김석호 씨는 본사로 갔다고 합니다.
상식	(대실망한 표정으로 앉아 있는 영업2팀 쪽 고 과장을 흘깃 봤다가 그래를 보고 어이없이) 근데, 넌 왜 우리 팀이야?
그래	과장님이 부르신 걸로 알고 있습니다.
상식	뭐, 뭐? (동식을 본다) 내… 내가? 내가 언제? 니가 불렀어?

동식	아, 아니요.
상식	(그래 보며) 야! 나 안 불렀어!
그래	(씩 웃으며 다시 자리에 앉아 짐을 정돈한다)
상식	야! 나, 나 안 불렀다니까!
그래	(씩 웃는다)
상식	야! 인마! 너 지금 쪼개지?! 웃지 마! 나 안 불렀다고오!

꿋꿋이 앉아 빙그레 웃는 그래, 웃는 동식에게 '내가 부른 거 아니라고 말 좀 해달라'며 수선을 피우는데 15층 사람들 일어나며 분주한 몸짓들⋯ 상식 보면 저쪽에서 오고 있는 전무. 15층 사람들 각 잡아 인사하고⋯ 전무, 영업3팀 쪽으로 다가온다. 동식, 그래 일어나 인사하고 상식도 일어나 목례.

전무	즐거워 보이는구만.
상식	⋯
전무	(팀원들을 슥~ 보며) 오상식이 안 하던 짓 한 보람이 있네, 이렇게나 팀이 화기애애한 걸 보니.
상식	(굳는 얼굴)
전무	나도 (동식과 상식 보며) 두 사람 얼굴에 웃음 찾아준 보람이 있고. (웃는다)

동식, 상식 굳어진 얼굴로⋯ 그래, 동식과 상식 보며 의아한⋯

S#67 — 옥상, 낮

옥상 문이 끼익 열린다. 들어서는 구둣발. 그래.

S#68 — 영업3팀, 낮

굳은 얼굴로 앉아 있는 상식⋯

> [Flashback] S#66
>
> | 전무 | (팀원들을 슥~ 보며) 오상식이 안 하던 짓 한 보람이 있네, 이렇게나 팀이 화기애애한 걸 보니. |
> |---|---|

상식	(더더욱 굳으며 미간이 경직된다) ⋯ (일어나 나간다)

S#69 — 옥상, 낮

옥상을 둘러보는 그래. 제1국에서 동식과 만났던 자리 즈음에 마른 담배가 떨어져 밟혀 있다. 뚜벅뚜벅 걸어가는 그래. 주워 들어 휴지통에 넣는다.

동식   (E) 이름이… 장…

[Flashback] 제1국 S#15 원인터 옥상, 낮

그래   그래입니다.

동식   몇 살이라고?

그래   스물여섯…

동식   고졸 검정고시가 끝이라고?

그래   네.

동식   (알겠다는 듯 한숨 쉬고) 직장생활 경험은?

그래   …

동식   (한숨~) 그럼, 영어나 뭐… 제2외국어 좀 할 줄 아는 거 있나?

그래   …없습니다. (얼른) 컴활 2급 자격증 있습니다.

동식   (답답~) 컴활 2급… 또?

그래   …

동식   (담배를 쪽 빨고는 후~ 하며 픽 던지고 발로 눌러 끄는 시늉까지 한다)
         내려와요. (문 쪽으로 가면서 중얼) 스물여섯 개나 될 동안 뭘 했길래
         할 줄 아는 게 하나도 없대? 거참 요즘 보기 드문 젊은일세.

짓이겨진 담배를 내려다보다가 주워 휴지통에 넣고 옥상 너머를 멀리 본다.
빌딩 숲이 빽빽하게 펼쳐져 있다. 빈 표정으로 그 풍경들을 쳐다보는 그래…

그래   (중얼거리듯) 스물여섯 살이 될 동안 뭘 했을까요? 난…?

그때처럼 멀리 빽빽한 빌딩 숲을 바라보고 있는 그래.

그래   …

그때 옥상 또 끼익 열리는 소리. 돌아보고 놀라는 그래.

그래	과장님!
상식	(놀라 멈칫, 찡그리며) 뭐야? 첫날부터 농땡이야?!
그래	(당황) 아닙니다.
상식	(흠… 한숨 내쉬고 뚜벅뚜벅 다가오며) 뭐, 난 솔직히 너 돌아온 거 반갑지 않아. 너도 알다시피 우리 팀은 일당백이 필요하다구.
그래	알고 있습니다.
상식	안영이가 왔어야 했는데. 쯧!
그래	…
상식	(멀리 보며) 이왕 들어왔으니까 어떻게든 버텨봐라. 여긴, 버티는 게 이기는 데야.
그래	(상식을 본다)
상식	버틴다는 건, 어떻게든, 완생으로 나아간다는 거니까.
그래	완생요?
상식	넌 모르겠지만 바둑에 이런 말이 있어. 미생, 완생.
그래	…
상식	(그래 보며 툭) 우린 아직 다 미생이야. (다시 먼 시선)

상식을 보는 그래… 상식처럼 먼 시선으로 빌딩 숲을 본다. 멀리 보는 두 사람. 엔딩.

Episode 5

제5국

S#1 — 윈인터 외경, 낮

상식   (E) 야 이 자식아!

S#2 — 15층 사무실 + 영업3팀, 낮

화장실 방향으로 급히 걸어가는 직원1, 2의 흘끔거리는 시선을 따라

상식   (E) 이걸 일이라고 했어?!

영업3팀의 상황으로 다가간다. 상식에게 혼나고 있는 그래.

상식   관련 자료를 따로 다 넘기더라도 한눈에 알아보게 요약하라고.
              근데 이게 뭐야? 계약서에, 품의서에, 현황까지 아이템마다 보고서 순서들이
              다 다르잖아! (파일 확! 내민다)
그래   다시 만들어 오겠습니다. (꾸벅하고 돌아서면)
상식   (뒤통수에 대고) 자원팀에 보낼 인수인계 건이야! 인수인계는 재차 연락 오지 않게
              만드는 게 기본이라고!

"네!" 하고 얼른 자리로 가서 급하게 일하는 그래.

그래   (Na) 다행스럽게도… 나만 변한 게 없었다.

S#3 — 섬유팀, 낮

그래   (Na) 입사한 지 일주일이 됐지만

석율, 무기력하게 의자에 무너지듯 앉아 있다.

그래   (Na) 현장을 떠난 한석율은 아직 사무직에 적응하지 못하고 있었다.

복사하고 있는 석율, 복사 용지가 턱! 걸린다. 석율, '크헉!' 살기를 띤 얼굴로 금방이라도 내려칠 듯 복사기를 노려본다.

석율   (부르르 떨다가 겨우 표정 풀고 걸린 종이 빼면서) 자… 잘 참았어…
하마터면 부숴버릴 뻔…했다… 휴~

그러다가 다시 털컥! 걸리는 용지. 석율의 얼굴이 다시 살벌해진다.

S#4 — 철강팀, 낮

자존심 상한 얼굴로 앉아 있는 백기.

강 대리   (Off) 네… 결국 바 크기에 따라 결정이 됩니다.

백기 뒤로 강 대리, 바쁘게 파일을 보면서 블루투스 이어폰을 꽂고 통화 중이다.

강 대리   펜딩 있는 회사는 못 준다고 오늘 답이 왔습니다. (하면서 벌떡 일어나 캐비닛에서
자료 꺼내 오고, 돌아와 컴퓨터 확인하고) 아. 그러시겠습니까? 그럼 저도 며칠 더
지켜보겠습니다.

백기, 흘끔 강 대리를 돌아보지만, 전혀 느끼지 못하고 일하는 강 대리.

그래   (Na) 장백기는 선임의 블루투스 헤드셋보다도 못한 대접을 받고 있었고,

프린터에 뭔가 출력되어 나오고, 백기, 가지러 가는데, 강 대리가 먼저다. 프린트물을 낚아챈 후
블루투스 전화기 툭 누르고 통화.

강 대리   아~ 네. 지사장님, 아르헨티나 더우시죠? 하하… 환변동이야 보험으로 처리 가능한
범위 아닙니까?

다시 자리에 굴욕적으로 앉는 백기 뒤로 들리는 강 대리의 타자 소리, 백기, 더욱 고개를 떨어
뜨린다.

S#5 — 자원팀, 낮

회의. 대화하고 있는 정 과장, 하 대리, 유 대리, 실무직 여사원 수진. 포장 도시락을 들고 급히
들어오는 영이.

그래   (Na) 안영이는… 배달의 기수가 되었다.

각자의 앞에 세팅하는 영이와 수진.

유 대리   안영이 씨 나 젓가락 빠졌는데?
영이   (듣지 못하고 열심히 도시락 나눠주고 있으면)
하 대리   (버럭) 어이! 저기 젓가락!

영이, 돌아보면, 하 대리, 건성으로 턱짓, 유 대리 가리킨다. 영이, 유 대리에게 젓가락 주고 선배
들이 먹는 걸 보며 겨우 자리에 앉으면,

정 과장   (쩝쩝거리고 먹으며) 안영이는 이 안건 어떻게 생각해?
영이   네? 아… 우유니 리튬은 그 매장량이나 퀄리티로 세계 최고라고 합니다.
              그런 면에서 우리 자원팀도 도전해볼 만,
정 과장   (OL, 무시하고 대리들에게) 이토추 상사도 물먹은 판에 무리하게 끼는 거지?
영이   (당황해서 보면)
그래   (Na) 두 달 전, 인턴 신분으로도 그렇게 당당하고 자신만만하던 그녀는
하 대리   차라리 알래스카로 눈을 돌리는 게 더 가능성이 있다니까요.
유 대리   그러게. 사실 알래스카도 늦은 감이 있죠.
하 대리   에헤이~ 김치 떨어졌네. 영이 씨. 식당에 전화 좀 해. 더 갖다달라고.
영이   네?
남자들   (일제히 영이를 빤히 본다)
그래   (Na) 이유를 알 수 없는 선배들의 냉대를 묵묵히 견뎌내고 있었다.

유리벽 밖, 통로를 지나가던 그래가 문득 안을 본다. 영이와 눈이 마주친다. 서로 쳐다보는 두 사람.

S#6 ── 원인터 밖 + 정문 앞, 낮

원인터 앞 출근 풍경. 가벼운 발걸음으로 오던 그래, 영이를 만난다. 희미한 웃음으로 서로 목례
하는 그래와 영이. 그때 석율, 확 다가와서 어깨동무하고는

석율   친구! 일찍 출근했네.
그래   (어깨에 올린 손 탁! 치우며) 누가 친굽니까?
석율   에헤~! 말 놓아도 된다니깐? 친구끼리 한 살 차이야 뭐. (영이에게 예의 바르게)
              영이 씨, 안녕하세요?

Episode 5

영이	(웃으며 목례하고 앞서간다)
석율	이봐, 친구.
그래	친구 아니거든요? (그냥 앞서가버린다)
석율	(멈춰 서서) 에? 지금 튕기는 거야? 남잔데?! (영이 휙 보며) 그죠?
영이	(웃고는 앞서간다)
석율	(옆에 지나가는 모 대리를 보고 친근하게) 안녕하십니까? 대리님! (또 옆에 보고 꾸벅)
	아 안녕하십니까? 과장님!

S#7 ─── 로비 + 엘리베이터 앞, 낮

로비로 들어오는 그래, 앞서가는 상식을 본다. 얼른 가며 뒤에서

그래	과장님, 안녕하십니까?
상식	(홀깃 돌아보다가 갑자기 반색한다)
그래	(뭔가 당황스럽지만 좋은데)
상식	(손을 착 들며) 아! 안영이 씨!
그래	(멈칫, 돌아보면)
영이	(그래 뒤에서 상식에게 인사하고 다가간다)
상식	아침부터 우리 안영이 씨를 보니까 오늘 하루가 안녕할 것 같군.
영이	(웃는)
그래	(뭔가 꿍해지는…)
선 차장	(바쁜 걸음으로 오며) 좋은 아침입니다.
상식	어? 선 차장! 좋은 아침? 오늘은 좀 늦었네?
선 차장	어? 늦었나요?
상식	아니~ 평상시보다 늦었다고. 항상 30분 일찍 왔잖아?
선 차장	어린이집에 애 맡기고 오느라고요. 남편이 아침부터 일이라네요.
	안녕하세요, 장그래 씨? 안영이 씨?
그래/영이	(꾸벅) 안녕하십니까?
상식	(영이에게) 알지? 영업1팀 선 차장, 원인터 에이스! 안영이 오기 전까지.
선 차장	(어이없어 빤히 보다가 피식한다)
상식	(술술) 최근 3년간 남자 후배들이 꼽은 가장 술 마시고 싶은 여선배 1위!
	참고로 난 꼴찌. 대리들이 꼽은 함께 일하고 싶은 상사 1위!
	참고로 이것도 난 꼴찌. 내 입사 동기! 근데 차장. 난 과장.
그래/선 차장	(당황) / (풋! 웃는)
상식	아, 선 차장이 오늘 OJT 담당이지? (그래에게) 무역 특공대 중에서도

강단 있기로 소문난 워킹우먼이야. 존경받는 분이라고. (선 차장에게)

아주 확 개조 좀 시켜서 보내줘.

선 차장　　(웃는)

S#8 ── 탕비실 쪽 통로 + 문 앞, 낮

탕비실로 걸어가는 그래, 문득 고개를 돌리는데 철강팀 안, 통화하며 정신없이 바쁜 강 대리 뒤로 백기, 굳은 얼굴로 앉아 있다. 탕비실 앞에서 다시 돌아보고는 탕비실 안으로 들어가는 그래.

S#9 ── 영업3팀, 낮

그래, 커피 두 잔 들고 오며 철강팀 쪽을 돌아본다.

상식　　장그래, 중국에 보내기로 한 서류 갖고 와봐.

그래　　(얼른 커피 주고 서류 챙겨 후다닥 상식의 자리로 가 내밀며) 말씀하신 B/L과 인보이스.
　　　　그리고,

상식　　(OL) 선적 시점이 언제지?

그래　　(조금 당황하며 품에서 수첩 꺼내본다) 그러니까 다음 달 15일,

상식　　(OL) 선적 시점 못 맞추면 페널티가 뭐야.

그래　　(수첩 찾는 중)

상식　　메모하는 거 좋은데, 진행하는 계약 건에 대해서는 완벽하게 숙지를 하고 있어야
　　　　할 거 아냐! 바이어 앞에서도 수첩 꺼내서 그렇게 찾아볼 거야?

그래　　아닙니다.

상식　　앞으로 나랑 동식이한테 출력해주는 계약서 하나당, A4 한 장에 그 계약이
　　　　뭘 어디로 보내고 언제 선적하는지 요약 정리해서 제출해.

그래　　알겠습니다.

상식　　참, 투르크메니스탄 자원팀 인수인계 건 넘겼어?

그래　　(당당하게) 네, 어제 넘겼습니다.

상식　　(못마땅) 저렇게 해맑게 말할 때가 제일 의심스러워.

S#10 ── 마 부장실, 낮

몇 개의 결재 서류를 검토하고 있는 마 부장 앞에서 잔뜩 긴장하고 있는 정 과장.

마 부장	(사인하며 위압적으로) 크리스사 결제 조건은?
정 과장	(잔뜩 경직된 자세로 얼른) D/A 결젭니다.
마 부장	(결재란에 끄적이며) 조슈아 그 새끼 사고 친 건?
정 과장	수보공사에 사정해서 보상 한도 받아냈습니다.
마 부장	음… (끄덕이며) 미얀마 건은?
정 과장	컨소시엄 쪽으로 구상 중입니다.
마 부장	음… (끄덕이며 영업3팀에서 넘긴 파일을 넘긴다) 투르크메니스탄 건이지. (보다가 찡그리며) 이건 왜 스위치 B/L이야?
정 과장	네? (보고 당황하는)
마 부장	영업3팀에서 정식 B/L 안 넘어왔어?
정 과장	(당황해서) 아, 그게
마 부장	(갑자기 책상을 탕! 치며) 내 이럴 줄 알았어! 오상식 이 자식! 잘 걸렸다.
정 과장	네?
마 부장	이 자식 이거, 업체명, 판매자 구매자 정보 하나도 없는 스위치 B/L을 쓴 이유가 뭐겠어? 뒷구녕으로 뭐 해먹겠단 의도 아냐?! (잘 걸렸다!) 너 당장 전화해봐.
정 과장	(당황) 네…?
마 부장	얼른!
정 과장	(다급히) 네! (더듬는 손으로 얼른 전화를 건다) 오 과장님? 투르크메니스탄 건 말예요, (마 부장 눈치 보고) 왜 스… 스위치 B/L 넣었어요?!

S#11 — 영업3팀, 낮

상식	(찡그리며) 뭐?
정 과장	(E) 정식 B/L은 어쨌어요? 네? 미안하다고 하면 답니까?!
상식	야, 정 과장.
정 과장	(E) 뭐요? 신입이 했어?
상식	야!

S#12 — 마 부장실, 낮

징 과장	신입 교육 잘 시키고 다신 그러시 마세요! (끊는다)
마 부장	(쳐다본다) 뭐래?

S#13 ─ 영업3팀, 낮

어이없는 얼굴로 끊긴 전화를 쳐다보고 있다가 화난 얼굴로 다시 건다.

S#14 ─ 마 부장실, 낮

정 과장	네, 잘못했다고 합니 (전화 온다. 받는) 여보세요.
상식	(E) 내가 갈까 니가 올래?
정 과장	(멈칫… 자기도 모르게 마 부장을 본다)
상식	(E) 내가 가? 너 지금 마 부장이랑 같이 있지?
정 과장	(표정)

S#15 ─ 영업3팀, 낮

화난 얼굴로 앉아 있는 상식. 들어오는 정 과장을 보며 일어나 다가간다. 동식과 그래, 정 과장을 보고 인사하는데

상식	너 뭐 하는 거야? 지금.
정 과장	(머뭇머뭇) 아니 왜 스위치 B/L은 넣어서…

그래와 동식, 정 과장을 쳐다본다.

상식	정식 B/L 내가 두 달 전에 줬잖아.
정 과장	(! 급 당황해서 자신 없게 오리발) 우… 우린 받은 기억이 없는데…
상식	야, 내가 너를 모르냐? 마 부장을 모르냐? 응? 애들 앞에서 창피하지도 않아?
정 과장	(낭황해서 획) 뭐… 뭐요? (그래와 동식이 자신을 보는 걸 본다)
상식	응? 아무리 마 부장이 무서워도 그렇지. 과장이나 돼서 책임 있게 말도 못 하고, 그 자리는 고스톱 쳐서 올라갔어? 왜 그래 사람이?
정 과장	(울컥!) 책임 있게 말해야 될 때 안 한 사람이 누군데?!
상식	(보면) 뭐?
정 과장	(어이없단 듯) 난 그냥 혼자 쪽팔리고 끝나지, 누구처럼 장례는 안 치렀죠!
동식	(당황해서) 정 과장님!

동시에 정 과장의 멱살을 와락 움켜잡는 상식. 깜짝 놀라는 그래와 동식. 정 과장도 놀랐다. 상식,

정 과장을 노려보는 눈빛이 변해 있다.

상식	너 지금 뭐라 했어?!
동식	과장님! (말린다) 놓으세요!
정 과장	(버럭) 뭐야? 이거! 안 놔?!

백기, 선 차장을 비롯한 이목들이 영업3팀에 쏠린다. 흥분한 상식, 살기 띤 눈으로 정 과장을 노려보는데

정 과장	왜? 치려구? (들이대며) 쳐! 쳐!
동식	과장님~! 놓으세요!
정 과장	(들이대며) 쳐어~! 장례 한 번 더 치르죠!
동식	과장님!

상식, 멱살 쥔 손을 확 밀어버린다. 바닥에 내동댕이쳐지며 의자에 머리를 쿵! 박는 정 과장. 이목들, 놀라서 술렁거리고. 그래와 동식도 당황했다. 일그러진 얼굴로 정 과장을 노려보는 상식.

김 부장	(Off) 오 과장!

모두 보면 화난 얼굴로 부장실 밖에 서 있는 김 부장.

S#16 ─ 김 부장실, 낮

김 부장	너 지금 이게 무슨 짓이야? 사람을 왜 때려?
상식	(분노가 서린 얼굴로 굳어 있을 뿐이다)
김 부장	B/L이 빠졌다면 차근차근 확인을 해서 해결을 해야 할 거 아냐?!
상식	(안 듣고 있는 듯 분노에만 빠진 얼굴)
김 부장	애야? 말보다 주먹이,
상식	(홱 돌아서 나간다)
김 부장	인마! 오 상식! 야!

S#17 ─ 김 부장실 앞 + 복도, 낮

상식, 굳은 얼굴로 거칠게 걸어간다. 사람들, 흘끗흘끗 상식을 본다.

S#18 ── 정원, 낮

동식, 답답한 얼굴로 마른 담배를 피면서 휴~ 한숨을 연거푸 내쉰다.

그래	죄송합니다.
동식	그래 씨가 죄송할 건 없고… (고민스럽게) 투르크메니스탄 건이면 두 달 전이잖아? 내가 출장 갈 때 분명히 과장님한테 B/L 드리고 갔는데,
그래	…
동식	(갸웃) 꼼꼼하신 분이 까먹고 안 넘기셨을 리는 없을 텐데… (다시 한숨 쉬고) 아~ 정 과장님은 왜 옛날 일은 꺼내셔서…
그래	(보는) …

S#19 ── 영업3팀, 낮

상식, 착잡한 표정으로 앉아 있다. 한참을 그렇게 앉아만 있다가 열쇠로 맨 아래 열쇠 구멍이 있는 서랍을 열면, 텅 비어 있는 서랍 안에 오래된 사직서가 놓여 있다. 그리고 떠오르는 기억. 최 전무가 부장이던 시절.

최 부장	(E) 누가 죽어?

[Flashback] 자원팀 최 부장 자리
패닉 상태로 서 있는 상식을 올려다보는 최 부장.

상식	이은지 씨요! 이은지 씨가 죽었답니다!
최 부장	(벌떡 일어나 다그치며) 어떻게 죽었어? 자살이야? 유서는? 회사에 문제 되는 말은 없었어? 무슨 헛소리 써둔 거 없지? 내 얘기 있었어?
상식	(그런 부장을 보며 분노로 눈빛이…)

다시 그때의 분노를 떠올리는 상식, 서랍을 쾅! 닫아버린다.

S#20 ── 자원팀, 낮

시뻘겋게 흥분한 상태로 테이블을 쾅! 내려치는 마 부장.

| 마 부장 | 혼자 꼿꼿한 척하더니. 불리하니까 주먹질이야? 지가 뭘 잘한 게 있다고 사람을 쳐? 스위치 B/L이나 끼워 넣는 새끼가! |

정 과장, 열받은 얼굴로 뒤통수를 문지르며 서 있다. 하 대리, 불안한 표정으로 엉거주춤 서 있다. 영이도 말없이 서 있다.

마 부장	B/L은?
정 과장	줬다고 오리발이죠.
마 부장	(일그러지며) 그런 새끼는 망신을 당해봐야 정신을 차려! (들어간다)
하 대리	(정 과장에게 속삭이듯) B/L, 어떡해요오~?
정 과장	뭘 어떡해?! 몰라! 오 과장 이 인간! 이판사판이야!

영이, 두 사람의 기색을 의아하게 보는데 마 부장실에서 터져 나오는 소리!

| 마 부장 | (E) 김 부장! 정말 이러기야! |
| 일동 | (각자의 표정으로 본다) |

S#21 ― 마 부장실, 낮

열받은 마 부장 앞에 곤혹스러운 얼굴로 앉아 있는 김 부장.

김 부장	(어르는) 아… 그러니까. 오 과장이 진짜 줬을 수도 있잖아. 확실하지도 않은데 팀까지 쳐들어와서. 신입 앞에서 모욕을,
마 부장	(OL) 지금 그 말이 아니잖아?! B/L 안 준 걸로 뭐 우리가 크게 문제 삼겠단 게 아니었다구! 그냥 물어나 보란 거였는데! 사람을 쳐?! 그것도 다 보는데 물건처럼 내동댕이쳤어! 오 과장 그 새끼가 우리 자원팀을 얼마나 우습게 봤으면 그랬겠냐구!
김 부장	그러니까 내가 미안하다잖아.
마 부장	당신이 왜 미안해? 친 놈이 와서 사과하라고 해! 정 과장한테 와서 정식으로, 공손하게!
김 부장	알았어. 알았어.
마 부장	그리고 사내 인트라넷에 사과문 올리라 그래.
김 부장	! 마 부장, 그건 아니지… 그건 오 과장 망신 주겠다는 의도밖에 안 돼.
마 부장	(막무가내로) 그 인간은 망신을 당해봐야 돼. 그 인간 때문에 내가 작년에… (버럭) 하여튼 사과문 안 올리면 정식으로 문제 삼을 거야.

김 부장　　　(무거운 얼굴로 한숨 푹 내쉰다)

S#22 ── 김 부장실, 낮

김 부장 앞에 서 있는 상식.

김 부장	어떻게 할 거야?
상식	에라 뽕이라고 전해주십시오.
김 부장	오 과장!
상식	(꾸벅하고 나간다)
김 부장	(하늘이 무너져라 한숨 쉬며 의자에 털썩 앉는다)

S#23 ── 소회의실 문 앞 통로, 낮

착잡한 얼굴로 걸어오는 그래. 맞은편에서 오는 영이, 서로 봤다. 문 앞에 서서 복잡한 심경으로 서로 어색하게 인사한다.

그래	정 과장님 괜찮으세요…?
영이	네, 다치신 덴 없는 것 같아요.
그래	B/L이 없으면 진행에 차질이 있는 건가요?
영이	그렇진 않아요.
그래	오 과장님은 틀림없이 넘겼다고 하시는데요…
영이	…
그래	…
영이	제가 찾아볼 수는 없어요, 장그래 씨.
그래	아… 네. 알고 있습니다.
석율	(Off) 에헤~! 두 사람, 뭐가 그렇게 심각해요? OJT 하기 싫어서?

보면, 건들건들 다가온 석율, 또 그래의 어깨에 손을 척 올리며

석율	오늘 15층 화끈했다며?
그래	(찡그리며 손을 털어낸다)

문 열고 들어오는 세 사람. 이미 와서 유인물 보고 있던 백기가 영이를 보고 아는 척한다.

석율   아~ 장백기 씨 벌써 왔네요?

그래, 영이 각각 앉으면 석율, 그래 옆에 냉큼 앉는다.

백기   (영이에게) 팀 분위기 괜찮아요?
영이   네.
석율   (그래에게) 아~ 친구, 오 과장님 샌님으로 봤는데 완전 내 과대?!
그래   (무시…)
석율   지난번에 옥상에서 과장님 비하한 말은 내, 사과하지.
그래   (무시…)
석율   근데 말야 친구, 오 과장님이 빡칠 만하더라. 사연이 있었어.
그래   (그제야 석율을 확 본다)
백기/영이   (석율을 본다)
석율   우리 성 대리님이 그러시는데 오 과장님 과거가 아주,

그때 문이 열리며 선 차장, 파일을 들고 들어온다. 말이 끊긴다. 일동 자세 가다듬고, 그래도 아쉽지만 자세 잡고 선 차장 본다.

선 차장   반갑습니다. 오늘 신입사원 직무 교육 담당하는 영업1팀 선지영 차장입니다.
          제가 미리 보내놓은 메일을 보셨을 거라고 생각합니다.

그때 탁자 위에 놓은 휴대전화 진동이 울린다. 선 차장, 얼른 수신거부를 누른다.

선 차장   보내드린 자료는 저희 영업1팀이 그동안 거래했던 회사들에서 왔던 피드백 자료로…

하는데, 다시 찌잉 울리는 선 차장의 휴대전화, 문자다. 선 차장, 이어가며 슬쩍 휴대전화 눌러 확인하는데, 남편의 문자 메시지.

선 차장 남편   (E) 오늘 상갓집 가야 해. 당신이 소미 놀이방에 가서 데리고 와줘.

선 차장, 미간이 확 찌푸려진다.

선 차장 (계속 이어가며) 우리 영업1팀이 그리고 원인터가 얼마나 사후 관리와 계약 개선에 힘쓰고 있는지 증명하는 자료입니다. (신경 쓰여 휴대전화를 다시 보고, 또다시 보고 하면서) 자… 그럼, 문서에 의한 소통이 얼마 중요한지 각자 메일로 받은 자료를 보시기 바랍니다.

그래, 유인물을 보다가 고민스럽게 석율을 돌아본다.

S#25 — 소회의실 밖, 낮

회의실에서 나오는 영이, 백기 그리고 그 뒤에 석율, 그 뒤로 그래, 급하게 석율을 따라 나와 뭐라고 말을 걸려고 하는데

석율 (백기 어깨를 톡톡 치고는) 그런 걸 배추 숨 죽이기라고 해요.
백기 (돌아보며 의아한) 네?
영이 (뭔 소린가 싶어 보면)
석율 선배가 아무 일도 안 주죠? 초반에 기강을 잡으려는 술수 중에 하나예요.
백기 (얼굴 파리해지고 울컥해서 석율을 본다)
석율 우리 성 대리님이 그러더라구요. 아! 그래도 난 백기 씨가 그걸 당할 줄은 몰랐네. (백기 어깨 툭툭 두드리며, 병 주고 약 주고) 그게 다 백기 씨가 너무 잘나서 그런 거니까 너무 기죽지 말아요.
백기 (참고 있다)
석율 (영이 보며) 영이 씨는 좀 낫네… 적어도 일은 있잖아요. (다 안다는 듯) 자원팀 적응하기 힘들죠? 그 팀이 여자랑 친해지는 법을 몰라서 그렇다네요. 우리 성 대리님이. (피식) 난 우리 성 대리님이 니무 찾아서 탈이고. 하하.
영이 (전화 온다. 받으면)
하 대리 (E, 버럭) 야! 안영이! OJT 끝났지? 당장 뛰어와!
영이 네. (전화 끊고) 저 먼서 가볼게요. (틀이서 간다)

석율도 전화 온다. 휴대전화 화면을 백기 눈앞에 보여주면, "내 사수"라고 적혀 있다.

석율 봐봐요. 내가 없으면 일이 안 된다니깐. (전화 받으며 자리 떠난다)

덩그러니 남은 그래와 백기, 할 말이 없다. 서로 어색하게 걸어간다.

S#26 — 자원팀, 낮

굳은 얼굴로 서 있는 영이를 깨고 있는 하 대리.

하 대리	미팅 메모 정리 따윈 같잖아서 못 하겠디? 아니, 나랑 한 미팅이 같잖았어?
영이	급하단 말씀이 없으셔서 사업계획서 먼저 처리하고 드리려고 했습니다.
	재무팀에서 연락이 와서 오늘 중으로 넘겨야 예산 처리가 된다고 해서요.
하 대리	그럼 밤을 새서라도 해야 될 거 아냐? 업체 선정 회의 들어가는데 어쩔 거야?
영이	(고개를 조금 떨구고 듣고 있다) …
하 대리	아효… 이래서 내가 여자랑 일이 안 된다는 거야!
영이	…
하 대리	희생정신도 없고 말이야. 뭘 기대해 뭘!
영이	…
하 대리	뭐가 이렇게 뻣뻣해? 죄송하다고 안 해?!
영이	죄송합니다.
하 대리	가봐! 꼴 보기 싫다!
영이	(꾸벅하고 돌아선다)

S#27 — 통로, 낮

얼굴이 흙빛이 되어 걸어가는 영이, 당당하게 걸으려고 노력하는데 눈이 점점 붉어진다.

S#28 — 화장실, 낮

영이, 붉어진 눈시울로 세면대 앞에 선다. 물을 틀어 손으로 눈을 식히는데 선 차장, 가방을 어깨에 맨 채 전화 통화를 하며 들어온다.

선 차장	(약간 톤이 높은) 가기 전에 당신이 데리고 와서 맡기고 가면 되잖아. (잠깐 듣다가)
	몰라. 어머님께 부탁드리든 말든 당신이 알아서 하라고,

영이, 당황해서 아예 세수를 한다. 영이 보고 통화 계속하는 선 차장.

선 차장	서로 한 약속이잖아. 당신만 일해? 나 오늘 중요한 바이어 미팅이야.
	일주일 전에 당신이 또 이래서 오늘로 미룬 그 미팅이라구! 두 번 번복을

어떻게 하니? (듣으며 답문) 나 지금 외근 나가니깐 일단 끊어. (전화 끊고 가방을 열며 영이에게) 별 모습을 다 보이네요

영이　　(종이 타월 꺼내 닦으며) 아닙니다.

선 차장　(보고) 무슨 일 있어요? 눈이 빨갛네?

영이　　(당황해서) 아… 아닙니다. (하면서 살짝 고개를 외면한다)

선 차장, 가방에서 화장품 파우치를 꺼내는데, 소미의 그림이 딸려 나온다. 툭 떨어진 그림 영이 발밑으로 떨어진다. 영이, 그림을 주워서 보는데,

선 차장　(의아) 어?! …아!

[Flashback] 어린이집 앞

하 선생　　(그림 내밀며) 이거 어제 소미가 그린 건데 안 가져갔네요.

선 차장　　아~ 네. (다급히 받아 확인도 안 하고 급하게 가방에 넣고 돌아선다)

영이, 그림 준다. 선 차장, 받아 보면 '소파에 누워 있는 남편과 얼굴 없는 선 차장'.

영이　　애기가 그린 건가 봐요. 그런데… 얼굴이 없네요.

선 차장　(보며 의아한) 그리다 말았나 보네…? (그림 보면서 웃는다)

S#29 — 영업3팀, 낮

그래의 모니터 화면, 주간보고 파일을 급하게 타다닥 치다가 슬쩍 돌아보면, 일에 몰두한 듯한 상식. 그래, 다시 '콜롬비아 콘도 수출 건' 하고 쳤다가 쓱쓱 지우고, '콘돔 수출 건' 하고 고쳐 쓰다가 다시 상식을 돌아본다.

상식　　왜 자꾸 흘끔거려!

그래　　(깜짝) 네?!

상식　　(고개 확 들며) 왜 자꾸 기분 나쁘게 흘끔거리냐구!

그래　　아… 아닙니다. (얼른 타이핑한다)

상식　　(인상 쓰고 다시 일에 집중한다)

그래　　… (휴대전화를 본다. 석율에게 문자 보낸다) '자리에 있어요? 잠깐 올라가도 돼요?'

S#30 — 섬유2팀, 낮

살짝 후회하는 듯 망설이는 얼굴의 석율 앞에 서 있는 그래.

석율	그게… 아깐 내가 말하다 그냥 나온 건데… 사실 이게 니가 들어서
	유쾌한 이야긴 아니야. (의자 주며) 앉아.
그래	(막 앉으려고 하는데)
석율	(못 참고 툭!) 과장님 때문에 사람이 죽었대.
그래	(앉으려다가 순간 얼어붙어 석율을 본다)

S#31 — 영업3팀, 낮

빈 영업3팀에서 혼자 일에 열중하고 있던 상식… 일손을 멈춘다… 책상 앞 가족사진을 잠시 물끄러미 본다…

S#32 — 섬유2팀(S#30의 연결), 낮

그래	(버럭!) 그게 무슨 말도 안 되는 소립니까?
석율	한 7, 8년쯤 전에 부하 직원이 일 처리를 잘 못했는데, 그게 오 과장님 책임도
	좀 있었나 봐. 근데 걔가 사표 낼 때 오 과장님이 모른 척했다는 거지.
그래	…
석율	그 친구는 회사 그만두고 공사장 근처에서 모친이랑 작은 함바집을 했대.
	근데… (눈치 보며) 그… 배달을 하다가 사고로 그만 죽었다잖아.
그래	!
석율	그러니까… 첨부터 오 과장님이 책임을 졌으면 애가 그렇게까지 되진
	않았을 거다… 뭐 그렇게 찢고 빨고들 하는 거지.
그래	…오 과장님은 책임을 회피하실 분이 아닙니다.
석율	(착잡) 사람 마음은 모르는 거거든. 잘리는데 별수 있어?
그래	(말을 잇지 못하고 있는데)

S#33 — 통로, 낮

그래, 도저히 모르겠다는 듯한 복잡한 얼굴로 걸어오는데, 통로 끝 영업3팀 상식, 어두운 얼굴로 창밖을 응시하며 서 있다. 이때 파티션 아래서 상식을 흘끗거리는 다른 팀 사람들 모습이 들어온다. 그래, 착잡하게 상식을 보면 아무것도 모르고 그저 서 있다. 파티션 아래 사람들 몇몇은 모여서 상식을 흘끗거리며 비웃기도 하고, 흥분해서 이야기하며 숙덕거리고 있다.

석율　　(E) 걔가 사표 낼 때 모른 척했나 봐.
그래　　(E) 오 과장님은 책임을 회피하실 분은 아닙니다.
석율　　(E, 착잡) 사람 마음은 모르는 거거든. 잘리는데 별수 있어?

그래, 착잡하게 상식을 보다가 걸음을 멈춘다. "후…" 돌아서서 탕비실 쪽으로 가는 그래.

S#34 ── 탕비실 안 + 휴게실, 낮

들어온 그래, 물을 마시는데 휴게실 쪽에서 들려오는 소리.

직원1　　(E) 찬우 대리, 그래도 오상식 과장이 B/L을 빠트릴 사람은 아니잖아.
그래　　(멈칫한다) …
직원2　　(E) 아무리 일 잘하면 뭐 해. 그런 계약직 신입 받으면 무슨 수가 있어?
그래　　! …

그래, 조용히 휴게실 쪽으로 향한다. 들어가지는 않고 벽에 기대 듣는…

직원1　　맞네. 그 신입은 B/L이 뭔지 스위치가 뭔지 아나 몰라.
직원2　　전무한테 찍히고 영업3팀 뭐… 사실 끈 떨어진 연 같은 팀이잖아. 제일 구석
　　　　　자리에, 제일 적은 인원으로 일당백 하면서. 그러니깐 신입도 그런 애가 간 거지.
그래　　…

S#35 ── 옥상, 낮

옥상 구석에 선 그래, 빌딩 숲을 내려다보고 서 있다.

직원2　　(E) 아무리 일 잘하면 뭐 해. 그런 계약직 신입 받으면 무슨 수가 있어?
직원1　　(E) 맞네. 그 신입은 B/L이 뭔지 스위치가 뭔지 아나 몰라.
그래　　(후… 한숨)

S#36 ── 영업3팀, 낮

동식, 전화 통화를 하며 화를 내고 있다.

동식   (참으려고 하지만 참아지지 않는 듯, 높은 목소리) 아니 과장님, 화학팀 정말 무데뽀네!
        과장님한테 도와달랄 땐 언제고, 이제 와서 PP 수입 건에서 손 떼라니요?
        (듣다가 버럭!) 그 업체 연결한다고 중국, 일본 다 뒤진 거 몰라서 이래요?!

상식   (책상 쾅! 내리치며) 줘! 줘버려!

동식   (멈추고 이내 너무 당황해서 버벅) 아… 아니… 이… 이거를…

상식   (성큼성큼 걸어와서 동식의 전화 확 뺏고) 가져가! (하고는 전화 거칠게 끊어버린다)

동식   (답답해서 막 쏟아내는) 아니 과장님, 이걸 그냥 주면 어떡합니까? 이거 올해
        우리 실적에 반영되는 거라구요. 일은 우리가 다 하고! 실적은 남 주고!
        재주는 곰이 부리고 돈은 왕 서방이 챙깁니까?

상식의 단호한 얼굴을 보며 속상해서 확 나가버리는 동식. 상식, 착잡하게 보다가 따라 나간다.

S#37 ── 옥상, 낮

동식, 화가 나서 문을 거칠게 열고 들어오면 뒤따라 들어오는 상식. 그래, 깜짝 놀라 보다가 자기도 모르게 숨는다.

동식   (울분에 차서) 사람들이 지들 멋대로 생각하고 떠드는데, 왜 제대로 한마디를
        안 하십니까?

상식   (담배 꺼내 물며) 그 사람들이 뭘 잘못 알고 있는데?

동식   (답답한 듯 가슴을 치며) 부실업체랑 무리하게 계약한 건 전무님이잖아요.
        다들 쉬쉬하지만 말도 안 되는 계약인거, 그 업체에 뒷말 많았던 거 다 아시잖아요.
        전무님이 커미션도 받았다던데… 은지 씨가 그 일을 뒤집어썼던 거잖아요.

상식   … (담배 다시 집어넣는다)

동식   은지 씨 죽은 거는 과장님이랑 아무 상관 없잖아요! 그러니깐 사실대로…

상식   (OL) 내 잘못이건 전무 잘못이건 바뀌는 건 없어. 그때! 내가 책임을 못 진거…
        내가 책임지겠다고 말하지 않은 건 변하지 않는다고.

동식   (답답한) 그런 상황에서 책임진다고 나설 사람이 얼마나 되겠어요?
        다들 과장님처럼 했을 겁니다.

상식   가자, 가. 인수인계 회의 준비해야지. (간다)

동식   (한숨을 푹푹 내쉬며 따라간다)

S#38 ── 탕비실, 낮

상식, 물을 한 잔, 두 잔, 벌컥 들이켠다.

> [Flashback] 과거, 자원팀 최 부장 자리
>
> 최 부장   그래서… (너무도 평온한 표정) 은지 아니면? 니가 책임질래?
>
> 상식   (순간 멈칫, 눈빛 흔들린다)
>
> 최 부장   응? 니가 책임질 거야?
>
> 상식   (호흡이 가빠진다)

여전히 갈증이 가시지 않는 듯 답답한 얼굴로 다시 잔에 물을 받는데, 휴게실 안에서 선 차장의 목소리 들린다.

선 차장   (E) 놀이방 종일반은 아무리 많이 봐줘도 6시까지야. 양해도 한두 번이지. 염치도 없어? (거의 울듯) 정말 너무하는 거 아냐! 끊어요!

S#39 ── 휴게실, 낮

상식, 물 들고 들어오면, 화나서 한숨 쉬고 있는 선 차장.

상식   집에 무슨 일이 있나 봐?

선 차장   아, 네. 과장님은 괜찮으세요?

상식   (괜찮다는 듯 어깨를 으쓱하면)

선 차장   남편이 애 데리러 가는 날인데 갑자기 상갓집에 가야 한다나? 오늘 저도 중요한 바이어 미팅이 있거든요… 이따가 친정에 다시 전화해봐야겠어요. 인수인계 회의에서 봐요. (나간다)

상식   (손짓으로 대답하고 물 마저 꿀꺽)

S#40 ── 탕비실 밖, 낮

선 차장, 급하게 걸어가는데 갑자기 자원팀 쪽에서 쿠당탕하는 소리 들리고, 웅성웅성 사람들이

S#41 ── 자원팀, 낮

선 차장, 얼른 오면 바닥에 쓰러진 수진의 모습 보인다. 마 부장도 놀라 나와 있고 사람들, 몇몇 놀라서 웅성웅성 서 있다. 영이가 다급히 수진을 부축하는 모습이 보인다. 선 차장, 급히 다가가 는데 수진이 꾸물꾸물 일어나려다가 다시 혼절한다.

선 차장　　　(파일을 내려두고 부축하며) 뭐 하고 있어요? 의무실로 가야지!

얼른 달려들어 부축하는 하 대리.

S#42 ── 의무실 밖, 낮

착잡한 얼굴로 나오는 선 차장, 돌아본다.

의무 직원　　(E) 임신 중인데 너무 무리했나 봐요.
선 차장　　　(후⋯)

S#43 ── 자원팀, 낮

마 부장　　　(찡그리며) 뭐? 임신?
하 대리　　　네, 안정을 좀 취해야 한답니다.
정 과장　　　(유 대리 보며) 너 알았어?
유 대리　　　아뇨. 아무한테도 말 안 한 모양인데요?
마 부장　　　(버럭!) 아니 대체 애를 몇이나 낳는 거야? (정 과장에게) 애 둘이라고 하지 않았어?!
영이　　　　(마 부장을 본다)
정 과장　　　아, 네. 아⋯ 그것 참 어떡하려고 또 임신을 했어⋯ 아⋯ 참 이기적이다.
마 부장　　　에이! (하며 자기 자리로 들어간다)
하 대리　　　(투덜투덜) 또 휴직할 건가? 첫째 둘째 낳을 때도 우리가 얼마나 편의를 봐줬는데⋯
유 대리　　　(한숨 쉬며) 언제 또 실무직 교육시켜 일을 시켜요. 둘째 때도 제가 수진 씨 일까지 떠안느라고 코피가 터졌는데⋯
정 과장　　　(한숨 쉬며) 다른 팀에 또 실무직 빌리러 다니게 생겼구만.

| 하 대리 | (영이 보며 들으란 듯) 진짜 여자들 문제야! 교육시켜놓으면 결혼에, 임신에, 남편에, 애기에 핑계도 많아. 그거 아니면 눈물 바람으로 해결하라 그러고 말이야. |
| 정 과장 | (영이를 흘깃 보고 자리로 가며) 그게 다 여자들이 의리가 없어서 그래. |

선 차장, 씁쓸하게 보다가 영업1팀으로 돌아간다. 영이, 그런 선 차장을 보다가 자리로 돌아가는데, 선 차장이 두고 간 파일을 본다.

S#44 ─ 영업1팀 안, 낮

들고 간 파일을 책상에 앉아 있는 선 차장에게 내미는 영이.

선 차장	아… 땡큐.
영이	수진 씨 요즘 일주일 내내 야근에 새벽 출근이었어요. 왜 말을 안 했을까요.
선 차장	(씁쓸하고) 말 못 했을 거야. 셋째는 좀 무리긴 하지…
영이	…
선 차장	(착잡하게 파일을 보며) 세상 많이 좋아졌다지만 육아와 일을 병행하긴 쉽지 않아. 워킹 맘은 늘 죄인이지. 어른들께도 죄인, 회사에서도 죄인, 애들한테는 말도 못 하고… 남편이 도와주지 않으면 절대 불가능한 일이야. (씁쓸하게 웃으며) 일 계속하려면 결혼하지 마 안영이 씬. 그게 속 편해.
영이	(희미하게 웃는)

S#45 ─ 영업3팀, 낮

일하고 있는 상식.

그래	(시계 보며) 대리님… 회의 시간 다 됐습니다.
동식	어, 그래. (갑갑한 마음으로 상식을 슬쩍 본다)
그래	(같이 상식을 본다)
동식	(그래에게만 들리게) 안 가셨으면 좋겠네…
그래	네?
동식	(일어나 상식을 보며) 과장님, 오늘 자원팀 인수인계 건 합동회의는 안 들어가시는 게 어떻겠습니까?
상식	(홱 보며) 왜?!
동식	제가 내용 다 알고 있으니까 실수 없이 하고 올게요.

S#46 ── 중회의실, 낮

당당한 얼굴로 앉아 있는 상식. 그 위로 선 차장 발언 소리 물리면서

선 차장   그럼 완료 보고는 각자 팀 내에서 한 걸로 정해졌으니까 우리 팀 인도네시아
        건은 우선 그쪽에서 연락 오는 대로 보고서 정리해서 드리겠습니다.
        인니 특성상, 답이 2~3일 걸리는 거 아시죠?

영업3팀(상식, 동식, 그래), 영업1팀(선 차장, 부하 직원 1인), 자원팀(마 부장, 정 과장, 하 대리, 영이), 철강팀
(강 대리, 백기), 섬유팀(성 대리, 석율)이 모여 회의 대열이다. 영업3팀과 자원팀 간의 불화 분위기. 특
히 상식을 보는 마 부장의 눈이 곱지 않은 분위기. 상식 역시 무시하면서도 전혀 꿀리지 않는 분위
기다. 회의는 마무리 단계. 그래는 상식과 자원팀, 특히 마 부장 간의 불화를 의식하면서도 녹음
과 회의록 적기에 열중한다. 동식 역시 편치 않은 얼굴로 상식을 의식하며 회의에 참여하고 있다.

선 차장   자원팀에서 시일을 좀 주셨으면 좋겠네요. 2~3일 여유 주시는 걸로 생각하고
        마무리 작업 들어가겠습니다.
정 과장   (서류 마지막으로 확인하며) 좋습니다. 다른 팀 쪽은 저희 쪽에서 데이터 정리 작업만
        하면 되겠습니다.
강 대리   우리 쪽에 계속 연락이 오는 경우가 있는데 하 대리가 신경을 좀 써줘.
정 과장   (마 부장에게) 부장님, 이제 마무리하셔도 될 것 같습니다.
일동   (주섬주섬 챙기는데)
마 부장   마무리를 어떻게 해! B/L이 안 넘어왔는데!

일동, 당황해서 멈칫한다. 인상을 확 쓰며 마 부장을 확 보는 상식.

정 과장   (당황) 그건 따로 말씀을,
마 부장   (상식에게) 정말 안 넘길 거야?!
상식   이미 넘겼다고 말씀드렸습니다.
마 부장   대체 어느 업체랑 얼마나 뒷문을 튼 거야?! 얼마나 해먹었어?!
상식   (확 보면)
선 차장   부장님, 오 과장이 그런 분은 아닌 거 아시잖습니까?
마 부장   (선 차장을 휙 보며) 당신은 가만있어! 낄 데 안 낄 데 다 껴 여자가!
선 차장   부장님!

일동, 당황해서 마 부장을 본다. 특히 영이의 시선이 흔들린다.

상식	그럼 다른 사람 끼지 못하게 따로 말씀하시든지요.
마 부장	(다시 상식을 확 보며) 뭐?! 너 사과는 왜 안 해? 사과문은 왜 안 올려?!
상식	사과할 일이 없으니까요.
마 부장	(어이없어하며) 왜 사과할 일이 없어?! 사람을 그렇게 때려놓고, (비아냥) 아하~ 나이 먹어도 무책임한 건 변한 게 없군. 없어.
상식	(확~! 보고 인상 쓰며) 네?!
마 부장	오리발 신, (하 대리 흘끔 보면서) 요즘 애들 말로 뭐야 그거? 신 뭐?
하 대리	(소심하게) 신공이요.
마 부장	(상식에게) 그래, 오리발 신공이 아주 날로 업그레이드예요.
상식	(확~!) 부장님, 혹시 작년 일 때문에 저한테 이러시는 거 아니죠?
마 부장	(당황해서) 뭐? 자… 작년 뭐?!
상식	여사우회에서 제기한 부장님 성희롱 문제요. 제가 증인 섰던 거 말입니다.

그래 포함 인턴들, 놀라서 마 부장 보고, 나머지도 당황해서 보는데

마 부장	(더더욱 당황해서) 야! 오상식! 여기서 그 얘기가 왜 나와? 그리고 서… 성희롱? 그게 왜 성희롱이야? 파인 옷 입고 온 그 여자가 잘못이지! 내가 뭐, 그래서 만지길 했어? 들여다보길 했어?! (정 과장, 하 대리한테 동의 구하듯) 숙일 때마다 가릴 거면 뭐 하러 그런 옷 입고 왔냐? 그냥 다 보이게 둬! 그 말이 성희롱이야? 응? 성희롱이야?
정 과장/하 대리	(도리도리)
마 부장	반어법이잖아! 그런 거 입고 다니지 말란 뜻 아냐?!
정 과장/하 대리	(끄덕끄덕)
선 차장	내놓고 다녀도 볼 만한 것도 없다고도 하셨잖아요.
마 부장	(붉으락푸르락!) 그러니까 그 말이 성희롱이냐고! 엉?!

선 차장, 지참물 들고 획 나가고 선 차장의 부하 직원1도 당황한 얼굴로 따라 나간다.

마 부장	커피 좀 타 오라는 것도 성추행이래요. 시집 못 간 거 걱정주는 것도 성추행이래! 이놈의 기 센 여자들 등쌀에 살 수가 없어! 야, 안영이. 니가 말해봐. 그게 성희롱이야? 성추행이야?!
영이	…
마 부장	왜 말을 못 해?
영이	듣는 사람이 성적으로 불쾌감을 느꼈다면 성희롱이라고 생각합니다.

마 부장	(벌떡 일어나며) 뭐라구?! 야! 너 지금 뭐라고 했어?!
상식	(벌떡 일어나 나간다)
마 부장	얘기 안 끝났는데 어디 가!
상식	사과문 쓰라면서요! 사과문 쓰러 갑니다! (확! 나간다)

일동, 황당, 당황, 놀람 등등의 얼굴로 보고 당황한 동식도 꾸벅 인사하고 후다닥 간다. 그래 역시 얼른 따라 나간다.

S#47 — 회의실 밖, 낮

앞서가는 상식 뒤로 허겁지겁 나오는 동식과 그래.

동식	장그래 씬 뒷정리하고 와야지.
그래	(멈칫) 네.
동식	(휘적휘적 가는 상식을 보며) 미치겠다 정말… (따라간다)

S#48 — 회의실 안, 낮

그래, 들어오면 여전히 흥분해 있는 마 부장.

마 부장	사과문? 야, 정 과장. 너 단어 하나하나 꼭꼭 씹어서 잘 봐. 저 새끼 또 분명히 앞뒤 다른 말 할 거니까.
정 과장	(당황해서 말리며) 네네. 저, 이제 가시죠. 곧 업체 미팅 있습니다.
마 부장	(여전히 흥분해) 나쁜 놈의 자식… (욕하면서 나간다)

정 과장과 하 대리도 나가면 휴~ 하며 한숨 내쉬는 성 대리. 바짝 묻는 석율.

석율	마 부장님이 진짜 성희롱으로 걸리셨어요?
성 대리	여사우회에서 문제 제기해서 3개월 감봉당하셨지.
석율	오 과장님이 증인 서셨어요?
성 대리	하여튼 오 과장님도 알 수 없는 분이야. 그럴 땐 또 정의의 사도 같으면서 약한 애 밟고 거기 올라간 오 과장님은 또 누구신지.
그래	…
강 대리	(챙기며) 그래도 일 하나는 잘하시잖아. (백기에게) 마무리 짓고 와요. (간다)

　　성 대리　　　같이 가 강 대리~ (후다닥 따라간다)

책상 위를 치우는 그래, 영이, 백기, 석율.

석율	정말 그 B/L은 어디 갔을까요? 오 과장님 대단하시네요.
	받은 사람이 없다는데 줬단 말로만 밀어붙이시는 거잖아요?
그래	주셨으니까 주셨다고 하는 거 아닙니까?
석율	근데 그게 어디 갔냐구~ 자원팀에서 있는 걸 없다고 우기는 건가…?
	두 달 전이면… 우리도 인턴 할 땐데.
백기	(멈칫) …
석율	(백기를 확 보며) 아! 백기 씨 자원팀 인턴이었죠? 그때 혹시 못 봤어요?
백기	(눈빛이 흔들린다) 못 봤어요. (지참물 챙겨 휙 나간다)
그래	(쳐다본다)

S#49 — 복도 일각, 낮

굳은 얼굴로 걸어가는 백기… 인상이 써지면서 더더욱 굳는 얼굴의 백기.

그래	(Off) 장백기 씨.

백기, 멈칫한다. 돌아보면 다가와 서는 그래.

백기	무슨 일입니까?
그래	그 B/L 말예요. 정말 그때 못 봤습니까?
백기	(당황하지만…) 아까 못 봤다고 말했잖습니까? 왜요?
그래	…그때 자원팀 근무하셨으니까 혹시 본 게 있나 싶어서요.
백기	(똑바로 쳐다보다가) 무슨 말을 하고 있는 겁니까? 자원팀 근무하면
	다 봐야 되는 겁니까? 그런 장그래 씨는 영업3팀 서류 다 파악했습니까?
그래	…
백기	(날카롭게) 정 그럼 장그래 씨가 가서 뒤져보시죠. 괜히 나 끌어들일
	필요 없잖아요? (확 돌아 간다)
그래	…

화가 나 잔뜩 굳은 얼굴로 걸어오는 백기.

> [Flashback]
> 회의 탁자에서 회의하는 정 과장과 하 대리와 유 대리. 백기는 프린트를 하고 있다.

하 대리	(돌아보며) 장백기 씨, 내 책상 위 파일철에 영업3팀에서 넘어온 B/L 있거든? 그것 좀 갖다줘.
백기	네. (하 대리 책상 위 파일철에서 B/L을 꺼낸다. 보는)

거칠게 코너를 확 돌다가 멈칫한다. 영이가 서 있다. 놀라는 백기. 쳐다보던 영이…

영이	정말 못 봤어요?
백기	(긴장해서 보는)

S#51 ― 정원, 낮

백기	(차갑게) 왜 그렇게 알려고 해요?
영이	못 봤어요?
백기	(얕은 한숨 쉬며) 내가 봤는지 안 봤는지 모르는 게 나을 텐데요.
영이	(당황해서 도전적으로) 무슨 소리예요?
백기	(조금 보다가) 봤다고 하면 영업3팀에 알려줄 거예요?
영이	(당황해서 보면)
백기	지금 영이 씨 상황을 생각해봐요. 그걸 밝히면 자원팀 사람들이 앞으로 당신한테 어떻게 할 것 같아요?
영이	(당황)
백기	불난 데 기름 붓는 격이 되겠죠. 뭐 하러 그래요? 영업3팀 편을 들어준다고 오 과장님이 당신 동아줄이 되어줄 분도 아닌데.
영이	장백기 씨.
백기	이건 남의 일이에요, 안영이 씨. 당신은 자원팀 팀원이고. 그게 정확한 현실입니다. (돌아서서 간다)
영이	(당황하고 복잡한 심경으로) …
석율	(E) 오잉~?!

S#52 —— 석율 자리, 낮

컴퓨터 모니터를 보고 있는 석율, 눈이 휘둥그레져 있다.

석율　　와~ 오 과장님 진짜 남자다잉~!

S#53 —— 몽타주, 낮

#영업3팀. 놀라고 황당한 얼굴로 모니터를 보고 있는 동식과 그래. 동식, 눈을 비비고 다시 봤다가 울상으로 그래를 본다. 그래 역시 당황한 얼굴로 동식을 봤다가 다시 모니터를 본다. "사과문"이라고 큼직하게 쓰인 글자 밑에 (E) "미안하다 좀 많이" 글자.

그래　　(읽는다) 미.안.하.다. 좀마니…

이어서 사과 하나가 정면으로 날아오는 움짤 혹은 플래시. 동식과 그래, 당혹스런 얼굴로 상식을 돌아본다. 느긋한 얼굴과 자세로 딴짓하며 앉아 있는 상식.

#자원팀. 역시 기가 막히고 놀란 얼굴로 모니터를 보고 있는 정 과장과 하 대리.
#마 부장실. 뚜껑 열린 얼굴로 모니터를 보고 있는 마 부장.

마 부장　　이 또라이 새끼!

#원인터 사무실 안 각각. 놀란 얼굴 혹은 웃음 터지는 얼굴, 기가 막힌 얼굴 등 각각의 반응으로 모니터를 보고 있는 사람들.
#엘리베이터 안. 휴대전화로 사과문을 보고 있는 선 차장. 한숨을 푸~욱 내쉰다.

S#54 —— 영업3팀, 낮

동식　　(미칠 지경) 과장님~ 진짜 왜 이러세요~
상식　　뭐? 왜? 사과 달래서 사과 준 건데? 쌔~빨간 홍옥으로 주고 싶었는데 요즘엔 그 품종이 없더라.
동식　　과장니~임!
마 부장　　(Off) 야! 오상식!

보면 15층 입구부터 씩씩거리며 오는 마 부장과 얼굴이 하얘져서 쫓아오는 정 과장. 15층 사람들 전부 쳐다본다.

동식　　(울고 싶다) 아~ 미치겠네.

S#55 — 자원팀, 낮

캐비닛 자물쇠 번호를 맞춘 후 여는 영이.

S#56 — 영업3팀, 낮

서 있는 상식 앞에 노발대발 마 부장. 마 부장 옆에 정 과장과 하 대리 안절부절. 마 부장 뒤에 동식 안절부절 서 있고, 동식 옆에 그래…

마 부장　　야! 오상식이! 너 진짜 갈 데까지 가보잔 거야?

상식　　왜 자꾸 이러세요? 쓰라 하신 사과문 썼잖습니까?

마 부장　　너 이 새끼, 꼭 똥물을 뒤집어써야 정신 차리겠냐?! 내가 사과문으로 마무리 짓겠단 거 아냐!

상식　　(뻔뻔하게) 아, 그러니까 그렇게 했잖습니까? 많이 미안하다고 엉? (정 과장에게 툭) 미안해 좀마니.

마 부장　　(혈압) 좀마니… 이 새끼 지금 나 놀려?!

한 손으로 멱살을 확 잡으며 때리려고 팔을 뒤로 휙 빼는데 뒤에서 말리려고 달려드는 동식의 얼굴에 팔꿈치가 살짝 스치는가 싶다. 비명을 지르며 얼굴을 부여잡고 수그리는 동식. 모두 놀라 동식을 본다. 당황한 마 부장.

동식　　(수그린 채 엄청 괴로운) 아아~ 아아~

마 부장　　(당황) 뭐… 뭐야?

그래　　(얼른 동식을 잡으며) 괜찮으십니까? 빡! 소리가 엄청 컸지 말입니다!

정 과장　　(동식을 잡으며 당황해서) 마… 맞았어?

상식　　(과장해서) 뭡니까?! 지금 제 부하 아구창 날리신 겁니까?!

마 부장　　(엄청 당황해서 자기 팔꿈치 문지르며) 야! 맞긴 뭘 맞아?!

동식　　(더 과장해서 아프다고 하고)

상식　　(잡고 보며) 뼈는 어때? 괜찮겠어? 부러지거나 금 간 거 같진 않고?

마 부장/정 과장	(당황하고)
동식	(얼굴을 잡은 채 일어나며) 괜찮아요.
정 과장	정말 괜찮아?
동식	(괴로워하며) 네, (상식에게) 잠깐 병원 좀 다녀와도 되죠?
상식	응, 응 갔다 와. 엑스레이만 찍지 말고 CT, MRI 찍자면 다 찍어. 피도 뽑고! 뇌가 흔들렸으면 후유증도 크단 말야!
마 부장/정 과장	(당황하고)
동식	네, 근데 괜찮을 것 같아요. (마 부장에게) 걱정 마시고 가세요 부장님.
마 부장	응? (정 과장을 본다)
정 과장	(얼른 마 부장을 데리고 나가며) 그… 그래, 가시죠 부장님. (동식에게) 무슨 일 있음 말해줘. (후다닥 간다)

동식, 마 부장과 정 과장이 저만치 가자 아무렇지 않은 듯 자리로 가서 서류 들고

동식	재무팀 좀 다녀올게요.
상식	(자리로 가며) 응. 장그래, 물 한 잔만 갖다줘.
그래	네.

각자 할 일들 위해 흩어지는 분위기.

S#57 ── 자원팀, 낮

서류들 사이 한 파일을 펼쳐 보던 중 문제의 B/L을 발견한 영이, 잔뜩 굳은 얼굴. 지나가다가 그런 영이를 보고 멈춰 서는 백기. 영이, 마 부장 일동이 오는 기척에 얼른 캐비닛 안에 B/L을 넣고 딴 서류 찾는 척한다. 씩씩거리면서 들어오는 마 부장과 난감한 얼굴의 일동 같이 오며

마 부장	망할 놈들, 이제 자해 공갈단 흉내까지 내? 저것들은 조폭이야! 이제 절대 영업3팀하고 업무 협조 하지 마!
영이	(보는)
정 과장	부장님, 이제 이쯤에서 마무리 짓는 게 어떨까요? 오 과장도 이번에 깨닫는 게 많았을 테니까요.
마 부장	(열받아 부장실로 들어가면)
하 대리	(영이에게) 영이 씨, 커피 좀 갖다줘.
영이	네. (간다)
하 대리	(영이 나가는 거 보고 정 과장에게) 어떡해요? 일이 점점 커지잖아요.

정 과장	(미칠 지경이다)
하 대리	아, 그러니까 결재할 때 왜 첨부터 제대로 말씀은 안 하셔어~
	깜빡 잊고 빠뜨렸다고 솔직히 말씀하시지이~!
정 과장	(속닥) 야, 인마! 간만에 부장님 앞에서 그 소리가 얼른 나오냐? 게다가
	오 과장 책 잡았다고 흥분하시는데 어떻게 초를 뿌려어~!
하 대리	아, 어떡해요~? 파쇄할까요? 에?
정 과장	(미치겠다)

S#58 ── 영업3팀, 낮

가족사진을 보며 앉아 있는 상식… 일어나 나가며

| 상식 | 김 대리가 찾으면 담배 피러 갔다고 해. |
| 그래 | (일어나며) 네. |

다시 앉는 그래… 가고 있는 상식을 보다가 문득 투르크메니스탄 목록 파일철을 꺼내 펼친다. 생각에 잠겨 죽~ 보던 그래…

직원2	(E) 아무리 일 잘하면 뭐 해. 그런 계약직 신입 받으면 무슨 수가 있어?
직원1	(E) 맞네. 그 신입은 B/L이 뭔지 스위치가 뭔지 아나 몰라.
그래	(파일철을 덮고 나간다)

S#59 ── 정원, 낮

정원으로 들어서는 그래, 멀리 담배를 꺼내 무는 상식이 보인다. 다가가면 마른 담배를 빨다가 성에 안 찬 듯 인상을 쓰며 담배를 빼는 상식.

그래	과장님…
상식	(후딱 보고 인상 쓰며) 왜 나왔어? 일 안 하고.
그래	뭐 좀 여쭤보고 싶은 게 있어서요.
상식	불 있냐?
그래	(당황) 아뇨.
상식	(찡그리며 빈 담배를 다시 갑에 넣으며) 사내놈이 담배 한 대 필 줄도 모르고,
	내가 너만 할 땐 하루에 세 갑씩 폈어. 그리고 넌 자세가 안 됐어 인마.

접대용으로라도 라이터를 들고 다녀야지.

그래	죄송합니다.
상식	뭐가 궁금한데?
그래	그 B/L 말이에요… 과장님이 주셨는데 제가 목록에서 빠뜨렸을 가능성은 없습니까?
상식	(어이없이) 뭐?
그래	그래서… 혹시 절 감싸주시려고 하시는 건 (상식의 표정이 점점 썩은 사과처럼 찌그러지는 걸 보며) 아니겠죠. 네네.
상식	(어이없이 보며) 들어가서 일이나 해.
그래	네. (꾸벅하고)
상식	(어이없이 보는)

S#60 — 통로, 낮

생각에 잠겨 걸어오는 그래, 뒤에서 동식이 부른다.

동식	장그래 씨!
그래	(돌아보며) 다녀오셨어요?
동식	(서류 주며) 이거 두 부씩 복사해서 철 좀 만들어놔.
그래	네. (탕비실 쪽으로 가려다가) 저, 대리님.
동식	(보면)
그래	보통 수치가 끝난 B/L은 얼마나 보관합니까?
동식	어~ 중요 계약과 관련된 건 5년, 사내 보고용으로 만든 건 3년인데… (확 보며 투박스럽게) 왜? 찾게?
그래	(당황) 찾아볼까요?
동식	(버럭) 찾긴 뭘 찾아~?! 남의 팀 뒤지겠다고?! 꿈도 꾸지 마! 그게 가능하면 내가 했지?!
그래	죄송합니다. (간다)

뒤에서 오다가 들은 오 과장이다. 미간을 찌푸리고 그래를 보며 동식에게 다가와

상식	쟤 지금 뭐라는 거냐?
동식	(그래 쪽 보며) 설마 몰래 자원팀 뒤지거나 그런 짓 하는 건 아니겠죠?
상식	그 정도로 바보는 아니겠지. (저벅저벅 가다가 다시 그래가 간 탕비실 쪽을 돌아본다)

S#61 ─ 영업3팀, 낮

들어와서 책상 위 서류철을 들고 선 차장 쪽을 본다. 부하 직원들과 애기하는 선 차장이 보인다.
서류를 들고 나가는 상식.

S#62 ─ 영업1팀, 낮

부하 직원과 서서 애기하고 있는 선 차장.

부하 직원1　(난감한) 오늘 또요? 지난주에도 한번 미룬 회원데…
상식　（서류 들고 들어오는)
선 차장　(한숨) 아는데에… 세 시간만 미루자고 해봐. 미안해.
부하 직원1　(난감) 알겠습니다. (상식 보고 목례하고 나간다)
상식　(서류 주며) 사인 좀 해줘. 애 데리러 가게? 친정 쪽이 잘 안 됐어?
선 차장　(받아서 보며) 네. 얼른 가서 시댁에 맡겨두고 와야겠어요.
상식　나도 남자지만, 참… 이런 경우 남자들은 여자의 양보를 좀더 쉽게 생각해.
　　　여자가 차장 정도 직급이 되려면 어떤 노력이 있어야 하는지
　　　피상적으로밖에 생각을 못 하거든.
선 차장　(사인하며 한숨) 그러게요.
상식　우리 와이프도 그게 힘들어 직장 그만둔 거고.
선 차장　(서류철 주며) 애들이 셋이나 되시잖아요.
상식　(나가면서 중얼거리듯) 안 그랬음 내가 그만두는 건데…
선 차장　(본다)

S#63 ─ 영업1팀 밖, 낮

영업1팀에서 나오던 상식, 멈칫 선다. 자원팀 쪽을 찡그리고 본다. 복사한 서류들을 들고 그래가
자원팀 쪽 통로를 슬쩍 왔다~ 갔다 하고 있다.

상식　저 자식, 저기서 뭐하는 거야?!

S#64 —— 자원팀 근처, 낮

일어나서 서류를 챙기다가 그래를 보는 영이. 그래도 영이와 눈이 마주친다. 어색하게 꾸벅하는 두 사람. 내심 당황한 영이지만 그래의 인사를 받는다. 지나가다 그들을 쳐다보는 백기. 그래, 다시 영이에게 꾸벅하고 그 자리를 벗어난다.

S#65 —— 통로, 낮

조금 굳은 얼굴로 서류를 들고 걸어가는 영이. 뒤에서 역시 경직된 얼굴로 걸어오던 백기가 영이 옆으로 온다.

백기	잘했어요.
영이	(보면)
백기	말 안 한 거요.

그대로 앞서가는 백기. 영이는 그 자리에 서서 멀어지는 백기를 본다. 굳은 얼굴의 영이.

S#66 —— 영업3팀 안, 낮

상식, 복사한 서류들을 들고 들어오는 그래를 보는.

상식	장그래! 너 왜 자원팀에서 어슬렁거려?! B/L 찾으러 갔어?!
그래	네?! 아, 아닙니다.
상식	그럼 왜 갔어? 안영이 만나러 갔어? 안영이한테 물어봤어?
그래	아닙니다.
상식	그깃도 안 물어보고 뭐했어?
그래	(깜짝) 네? …물어볼까요?
상식	(버럭!) 물어보긴 뭘 물어봐! 누가 너한테 거기서 얼쩡거리래? 그렇게 할 일이 없어?
그래	죄송합니다.
상식	(꼴 보기 싫다) 후~ (고개 돌리다가 영업1팀에 선 차장이 보인다. 다시 그래를 확 보며)
	그래, 너 그렇게 할 일 없으면 오늘 출장 좀 가!
그래	네?
상식	(내선번호 하나 꾹 누른다) 응. 선 차장.

난감하고 당혹한 얼굴의 선 차장 앞에 덩그러니 서 있는 그래.

선 차장	아… 이건 아닌데…
그래	괜찮습니다.
선 차장	(난감한) 아니에요. 부하 직원을 사적인 일에 동원하면 문제가 될 수 있는데…
	(내선 번호 누르고) 오 과장님, 장그래 씨,
상식	(OL, E) 됐어. 괜찮아. 그놈, 사무실에 계속 있다간 어설픈 사고 칠 거 같아 그래.
	여기서 더 쪽팔리면 안 된단 말야.
선 차장	(난감하게 전화 끊고 그래를 보다가 할 수 없단 듯 메모지에 어린이집 주소를 적어서 주며)
	오 과장님 오늘 진짜 막가파시네요. 고마워요.
그래	(받으며 웃는다)
선 차장	장그래 씨는 오늘 오 과장님 보고 실망하지 않았어요?
그래	아뇨…
선 차장	그럼 화났나? 무서웠나?
그래	아뇨…
선 차장	아무렇지도 않았어요?
그래	당황했어요.
선 차장	갑자기 저렇게 다른 사람처럼 구니까?
그래	그것 때문이 아니구요… 외로워 보여서요.
선 차장	(본다)
그래	오 과장님 같은 분이 외로울 거라는 생각을 해본 적이 없거든요.
선 차장	(웃으며) 오 과장님 옛날 얘기 들은 거군요?
그래	…네.
선 차장	(웃으며) 이 회사 사람들 전부 오 과장님을 비난하는 거 아녜요.
	그때 나라도 그 상황이었음 그렇게 했을 거라고 생각하는 사람들,
	오 과장님 이해하는 사람들도 많아요. 나도 그렇죠, 김동식 대리도 그렇죠.
	그러니까 외롭진 않으실 거예요.
그래	…

S#68 — 로비, 낮

가방 들고 나오는 그래. 로비에서 들어오는 영이를 만난다. 서로 인사하고

영이	(가방 든 거 보고) 외근이에요?
그래	아… 네. (살짝 웃으며) 선 차장님 애기 때문에 출장 가요.
영이	네? … 아! (웃으며) 좋은 일 하시네요. 그럼 내일 봬요. (인사하고 간다)
그래	(인사하고 엇갈려 가는데)
영이	(가다가 멈춘다… 돌아서서) 장그래 씨.
그래	(돌아보는)
영이	저… 오 과장님… 괜찮으세요?
그래	(의아해서 본다) …? 네.

S#69 — 커피숍, 낮

커피를 두고 영이와 마주 앉아 있는 그래. 영이와 처음 커피숍에 있는 게 너무나 어색하다.

그래	자원팀 분들이 오 과장님께 좀 너그러우셨음 좋을 뻔했어요.
영이	…오 과장님 좋은 분이에요.
그래	네, 좋은 분이죠.
영이	예전에 있었던 일을 꺼낸 건 저희 과장님의 실수가 맞아요.
그래	(본다)
영이	누구에게나 다신 꺼내놓고 싶지 않은 시간들이 있단 걸 존중해줘야 하는데 말이죠. 저는 오 과장님이 그렇게 화를 내시는 거 이해합니다.
그래	과장님은 지금 화가 나 계신 게 아니에요.
영이	(보면)
그래	자학하고 계신 거 같아요.
영이	(본다)
그래	대부분의 잘못된 선택은 후회로 남다가 잊히지만 다 그런 건 아니니까요. 어떤 것들은 아주 끈질기게 앙갚음을 하잖아요. 잊히지도 않고 그렇다고 돌이켜지지도 않고.
영이	…
그래	잘은 모르겠지만… 오 과장님도… 그때 했어야 하는 선택에 대해서 계속 생각하시는 거 같아요. 예를 들면 "제가 책임지겠습니다" 같은 거요.
영이	(보는) …
그래	사람들은 과장님이 이해받지 못해서 화를 내는 거라고 생각하지만 과장님은 지금 자학하고 있는 거예요. 전 그런 오 과장님이 외로워 보입니다.
영이	…

S#70 — 엘리베이터 안, 낮

엘리베이터 안의 영이.

그래　　　(E) 대부분의 잘못된 선택은 후회로 남다가 잊히지만 다 그런 건 아니니까요.
　　　　　　어떤 것들은 아주 끈질기게 앙갚음을 하잖아요. 잊히지도 않고 그렇다고
　　　　　　돌이켜지지도 않고.

엘리베이터 문에 비치는 자신의 모습을 보는 영이…

S#71 — 어린이집 앞, 낮

어린이집 문이 열린다.

그래　　　(꾸벅하며) 소미 데리러 왔습니다.
원장　　　네, 소미 어머님께 연락받았어요. (돌아보며) 소미야~ 집에 가자.

우르르 나와서 그래를 빤히 쳐다보는 아이들. 당황해서 보는 그래.

원장　　　종일반 아이들이에요. 곧 어머니들이 오실 거예요.
아이1　　엄마 안 와요?
원장　　　곧 와요. 들어가자.
그래　　　…
원장　　　(움직이지 않는 아이들에게 들어가자고 재촉하는데)
그래　　　이 아이들, 저랑 함께 밖에 놀이터에서 놀면 안 될까요?
원장　　　(난처해서) 아… 저희가 보호자격으로 함께해야 하는데 선생님이
　　　　　　곧 퇴근하시고 전 일을 해야 해서요.

그래, 아이들을 보면 그래를 쳐다보는 아이들…

하 선생　　(Off) 제가 같이 있을게요.

돌아보면 가방 메고 나오던 하 선생.

하 선생　　집에 좀 늦게 가죠 뭐. (그래를 보고 웃는다)

S#72 —— 어린이집 놀이터, 낮

소미를 포함한 아이들과 놀고 있는 그래와 하 선생. 중간중간 아이 엄마들이 와서 애들을 데려간다. 벤치에 잠시 앉는 그래… 소미가 놀고 있는 걸 보는 그래… 소미를 보지만 다른 생각을 하고 있는 얼굴…

S#73 —— 15층 사무실 안, 저녁

거의 퇴근 후 분위기의 빈 사무실.

S#74 —— 자원팀, 저녁

무거운 얼굴로 가만히 앉아 있는 영이… 그러고 있다가 고개를 돌려 영업3팀을 본다. 창밖을 보고 서 있는 상식의 뒷모습…

영이   …

그때, 뭔가 떨어지는 소리, 보면 옆 통로에서 책과 파일과 자료들을 잔뜩 안고 가던 선 차장이 떨어뜨렸다. 얼른 일어나는 영이.

S#75 —— 통로, 저녁

얼른 떨어진 자료를 주워주는 영이.

선 차장	아, 고마워요.
영이	다른 직원분들은 안 계시나 봐요?
선 차장	응. 바이어 회의라, 모시러 갔어.
영이	(들고 일어나며) 제가 들어다드릴게요.
선 차장	(웃으며) 고마워요.

책상 위에 자료를 내리는 두 사람, 선 차장은 각 자리로 자료들을 정리해 분배하고 영이는 한쪽
에 모아놓은 음료를 배분한다.

선 차장   자원팀 좀 힘들죠?
영이   (웃는)
선 차장   거기가 예전부터 여자들이 좀 버티기 힘든 팀이었어요. 시대착오적으로
                남녀차별을 하죠?
영이   (쓸쓸하게 웃는)
선 차장   (힘내라고) 그래도 엘리트들만 보내는 데예요.
영이   (웃는)
선 차장   영이 씨는 꽤 잘 버티는 것 같아요? 내색하지 않고.
영이   …실은 쉽진 않아요.
선 차장   (조금 가볍게 받으면서) 그렇죠.

음료수를 놓던 영이가 멈춘다. 음료수를 놓고 있는 선 차장을 본다… 보다가… 결심한 듯 입을
연다.

영이   차장님… 뭐 좀 여쭤볼게요.
선 차장   그래요.
영이   꼭 해야 할 일이 있는데… 하는 게 옳은 일인데 망설이고 있어요.
선 차장   (음료수를 놓으면서) 왜요?
영이   그렇게 해버리고 나면 더 버티기가 힘들어지는 거 같아서요.
선 차장   (하던 일을 멈추고 영이를 빤히 보다가) 자원팀 일이에요?
영이   (대답 못 한다)
선 차장   옳은 일을 모른 척하면 좀 버티기 쉬워지나?
영이   적어도 비난은 피할 수 있거든요. 여자라서 그렇게 했다는…
선 차장   여자라서?
영이   예를 들어… 여자라서 의리가 없어 그렇다던가요…
선 차장   (다시 음료수를 놓으면서) 뭔지 모르겠지만 옳다고 생각하는 일에
                남녀 문제가 있나요? 기껏해야, 양심 문제 정도 있으려나…?
영이   …
선 차장   (보고 웃으며) 양심 문제도요, 그걸 모르는 사람이 어딨겠어요? 알면서도
                안 하는 사람과 알기 때문에 하는 사람이 있을 뿐이지.

다시 음료수를 놓고 있는 선 차장을 보는 영이…

S#77 ── 어린이집 놀이터, 저녁

놀이터로 다가오는 영이… 그래가 잠든 소미를 업고 왔다 갔다 하고 있는 게 보인다. 잠시 보고 서 있는 영이, 부른다.

영이 장그래 씨.

그래 (본다. 놀란)

S#78 ── 나무 밑 벤치, 저녁

그래의 양복을 깔고 자고 있는 소미 옆에서 굳은 얼굴로 영이를 보고 있는 그래.

영이 미안해요, 지금 말해줘서.

그래 …

영이 그 B/L을 들고 왔으면 더 좋았겠지만, 내가 내 손으로 찾아서 전해주는 것까진 할 수 없었어요. 어쨌든 나는 자원팀 사람이니까요.

그래 네.

영이 제일 아래 칸 네 번째 파일 상자 안에 있어요 (종이 주며) 캐비닛 번호예요.

그래 … (받는다)

영이 소미는 제가 볼게요.

그래 … (일어난다. 영이에게 숙이며) 고맙습니다. (간다)

쳐다보던 영이, 소미 옆으로 자리를 옮긴다. 흘러내린 머리카락을 정리해주면서 그래 쪽을 보는 데 옆에서 오는 하 선생

하 선생 어? 누구세요?

영이 (놀라서 보면)

하 선생 아, 소미 선생님이에요.

영이 아, 원인터 직원입니다. 장그래 씨 대신 소미를 맡았어요.

하 선생 아… (조금 아쉽게) 장그래 씨는 일이 생겼나 보죠?

영이 네, 회사에 일이 있어서요.

하 선생 (아쉽게 그래가 간 쪽을 봤다가) 아…

영이	…
하 선생	근데요, 혹시 두 분 사귀세요?
영이	(당황) 네…? 아뇨.
하 선생	(안심) 아, 그럼 장그래 씨 전화번호 좀 알려주세요.
영이	네?

S#79 — 자원팀, 밤

번호를 맞춰 캐비닛을 여는 그래. 영이가 가르쳐준 위치의 파일철을 찾는다. 꺼내서 열어보는데 한 장씩 아무리 뒤져도 해당 B/L이 없다.

| 그래 | (E) 분명히 이 파일 안에 있다고 그랬는데… |

당황한 그래, 다시 앞에서부터 급히, 꼼꼼히 보는데

| 정 과장 | (Off) 거기 누구야? |
| 그래 | ! |

확 돌아보면, 경계심에 차서 의아한 얼굴로 쳐다보고 있던 정 과장이 그래를 알아본다.

정 과장	어? 너… 여기서 뭐 해?! (하다가 열린 캐비닛을 보고 당황한다. 그래의 손에 든 파일철을 본다. 사색이 되며 살벌해진 얼굴로 파일을 확 뺏어서 확인한다. B/L이 없다. 이상하다… 당황하지만 금방 수습한 후 그래의 멱살을 잡으며) 너 이 자식! 남의 팀 캐비닛을 허락 없이 뒤져?! 너 이 새끼 B/L 찾으러 온 거지?! 오 과장이 시켰지?!
그래	아닙니다.
정 과장	(아랑곳없이) 그 인간이 그렇지~ 그럼. 니 사수한테 배운 게 도둑질이냐?
그래	(손을 딱 뿌리치고) 여기 B/L 있는 거 알고 있습니다.
정 과장	(당황! 더 과장하며) 무슨 개헛소리야?! 야! 오상식이 그 새끼 어디 갔어?! 쫄따구 도둑질 시켜놓고 퇴근한대디? 그 인간은 내가 평생 회사에 발도 못 붙이게 할 거야! 어디 갔어?! 당장 오라구 해! (상식에게 전화하며) 응?! 빽도 없는 인간이 어디서 그지 같은 낙하산 새끼 하나 데리고 와서 도둑질이나 시키고 말이야!

정 과장의 휴대전화에서 신호가 가는데, 가까운 옆에서 울리는 전화. 둘이 멈칫해서 보면 오 과장이 울리고 있는 휴대전화를 들고 있다. 툭 통화 터치하고 받는 상식.

　　상식　　　　그래, 빽도 없는 새끼 여기 왔다.

정 과장, 그대로 얼음이 돼서 보면 상식, 전화 끊고 저벅저벅 다가와서 그래의 멱살을 잡은 정 과장의 손을 탁 친다.

정 과장　　(당황, 그러나 기세 몰아) 야! 오상식! 이게 무슨 짓이야?! 내가 입사 선배라고
　　　　　　　 꼬박꼬박 예예 붙여주니까,

상식　　　　(눈앞에 B/L을 딱 내놓는다)

정 과장　　(기겁한다!)

상식　　　　새파란 신입 앞에서 당할래? 아니면 옥상으로 갈래?

S#80 ── 옥상, 밤

땀을 뻘뻘 흘리는 듯한 얼굴의 정 과장 앞에 B/L을 내놓고 있는 상식.

정 과장　　(이미 기세가 꺾였지만) 이… 이게 우리한테서 나온 건지 오 과장네서
　　　　　　　 나온 건지 어… 어떻게 알아요.

상식　　　　모르지. 근데 너랑 나랑은 알지.

정 과장　　(당황!) 그… 그게 무슨 허… 헛소리,

상식　　　　(OL) 그런데!

정 과장　　(깜짝 놀라서 보면)

상식　　　　이게 자원팀에 있단 걸 아는 사람이 있어!

정 과장　　! (당황) 누… 누가?

상식　　　　(차갑게) 너 이 새끼, 또 한 번 은지 얘기하면 그땐 정말 가만 안 둘 거야.
　　　　　　　 그리고, 또 한 번 영업3팀 엿 먹이면 죽여버릴 거야.

정 과장　　네.

상식　　　　(B/L을 가슴팍에 딱 안기면서) 나 부장한텐 니가 찾았다고 말해.

정 과장　　(울상으로) 오 과장님~

상식　　　　사과문 올려.

정 과장　　(헉! 황급히) 상식이 혀~엉~

상식　　　　(돌아서서 가면서) 나처럼 올리면 죽는다.

S#81 —— 영업3팀 안, 밤

어두운 통로를 저벅저벅 걸어 들어오는 상식. 그래가 어둠 속에 앉아 있는 게 보인다. 멈춰 서는 상식… 다시 걸어가면 상식이 오는 걸 보고 일어나는 그래. 상식, 말없이 그래를 지나 자기 자리로 가서 창 쪽을 향해 있는 의자에 털썩 앉는다. 말없이 창밖을 보고 있는 상식… 선 채로 그런 상식을 보고 있는 그래. 잠시 그러고 있는 두 사람, 적막이 흐르는 공기… 잠시 후… 그래가 입을 연다.

그래	죄송합니다.
상식	…

또 잠시 두 사람 사이의 적막… 그러다가 상식이 입을 연다.

상식	술 한잔할래?
그래	…

S#82 —— 술집 안, 밤

말없이 술을 마시는 두 사람. 그래의 빈 잔에 술을 따라주고 자신의 빈 잔에도 따르는 상식… 또 다시 서로의 잔을 들어 마시는 상식과 그래.

S#83 —— 술집 밖, 밤

서로 술을 잔에 따라주며 마시는 상식과 그래의 모습이 유리 너머 보인다. 취한 직장인들이 각각의 모습으로 앞을 지나가고, 혹은 안 취한 사람들도 삼삼오오 짝을 지어 지나간다.

그래	(E) 근데요 과장님… 뭐 하나 여쭤봐도 됩니까?
상식	(E) 안 돼.
그래	(E) 자원팀 캐비닛 번호 어떻게 아셨어요?
상식	(E) 누가 알려줬어.
그래	(E) 누…가요?
상식	(E) 몰라도 돼! 짜샤!

S#84 — 몽타주, 밤

#소미를 재우고
#빨래를 걷고 개고
#설거지하고
#방을 치우는 선 차장.

S#85 — 선 차장 집 거실, 밤

지친 얼굴로 소파에 앉아 가방을 열어 태블릿 피시를 꺼내는 선 차장. 소미의 그림이 딸려 나온다. 다시 그림을 보면서 갸웃하는.

선 차장　　진짜 내 얼굴은 왜 안 그린 거야?

현관문 열리는 소리 난다. 일어나 나가 맞는 선 차장.

선 차장　　왜 이렇게 늦어?
선 차장 남편　미안. 소미는?
선 차장　　자.
선 차장 남편　(선 차장 손에 든 그림 들어 보고 웃으며) 소미가 그린 거야?
선 차장　　응, 근데 내 얼굴은 안 그렸어. 달걀귀신 같아. (웃는)
선 차장 남편　(그림 보며) 난 할 말 없다. 맨날 자는구나. (방으로 간다)
선 차장　　(따라가며) 내일 골프 가지. 옷이랑 챙겨놨어.
선 차장 남편　저녁까지 자리 이어질 것 같아.
선 차장　　(E) 내가 일찍 들어올게, 내일은.
선 차장 남편　(E) 나도 끝나는 대로 들어올게.

S#86 — 선 차장 집 외경, 밤

선 차장　　(E) 답이 없다 답이. 우리를 위해 열심히 사는 건데 우리가 피해를 보고 있어.
선 차장 남편　(E) 소미가 좀더 크면 나아질 거야.

어두운 사무실 안으로 들어오는 영이, 손에는 그래의 양복 윗옷. 빈 자원팀을 돌아보는 영이, 영업3팀으로 쪽으로 간다. 그때 15층 안으로 조용히 들어오는 누군가… 무거운 얼굴의 백기다. 영이, 그래의 옷을 의자에 걸어둔다. 무거운 얼굴로 쳐다보는 백기. 영이, 돌아 나오면서 통로에 서 있는 백기를 본다. 서로 쳐다본다… 의자 위에는 그래의 양복… 저무는 15층 사무실.

S#88 ── 어린이집 마당, 낮

통화하면서 어린이집으로 소미를 데려다주는 선 차장.

선 차장   (전화) 네네. 그렇죠… 맞습니다. 10시 이전까지 제가 들고 갈 겁니다.
            저희 직원들이 정리해놨습니다. 그건 저희가 준비할게요.

어린이집 초인종을 누르는 선 차장, 하 선생이 나오는 동안에도 내내 통화 중.

하 선생   소미 왔구나~ 엄마한테 인사하자.

소미가 배꼽 인사를 준비 중인데 대강 꾸벅 받고 돌아서는 선 차장.

선 차장   (전화) 네… 네… 그렇죠. 아… 그건 문제가 안 될 겁니다.

배꼽에 손을 올린 채 서 있는 소미. 그대로 가는 선 차장의 뒷모습.

선 차장   저희가 오더를 내리는 입장이니, 그렇게 처리하면 (멈칫하는 선 차장)

전화기를 귀에서 떼고 그대로 서 있는 선 차장. 배꼽에 손을 올린 채 엄마의 뒷모습을 보고 있는 소미가 유리창에 비쳐 보인다.

선 차장   다… 다시 전화드릴게요… (울 것 같은 표정으로 천천히 돌아보는 선 차장)

소미가 그대로 보고 있다.

선 차장   (E) 매일 이렇게 보고 있었구나. 엄마 뒷모습을…
하 선생   소미야~ 엄마한테 인사할까?

소미   (배꼽 인사 하며) 안녕히 다녀오떼여~

소미에게 또각또각 걸어오는 선 차장. 무릎을 꿇어 소미와 눈높이를 맞춘다. 그대로 배꼽 인사를 하는 선 차장.

선 차장   자 다녀오겠습니다.
소미   헤헤헤헤~ (웃는)

울음을 참느라 떨리는 얼굴의 선 차장… 소미를 와락 껴안는다. 눈물이 맺힌다.

선 차장   (E) 다시는… 널 미루지 않을게!

아이를 떼고 다시 보는 선 차장.

선 차장   소미야.
소미   응.
선 차장   오늘… 엄마 그려줄래?
소미   알아떠. 이쁘게 그릴게!

S#89 ─ 상식 아파트 외경, 낮

상식　　　　(E) 여보오~! 양말 어딨다구?!

S#90 ─ 상식의 집 안, 낮

충혈된 눈과 헝클어진 머리로 방에서 양복 윗옷을 다급히 들고 나오는 상식.

상식 아내　　그러니까 술 좀 적당히 마시고 오지.
아이 셋　　　(조르르 서서) 아빠 안녕히 다녀오세요.
상식　　　　(흐뭇하게 애들 머리통을 슥슥 다 만져주며) 그래~ 공부들 열심히 하고!
아이 셋　　　아빠도 일 열심히 하세요오~!

상식, 으하하하 웃으며 현관문을 확 여는데 30센티 정도 열리고 더 안 열린다.

상식　　　　어? 뭐야? (꾹꾹 밀며) 왜 안 열려? (문밖으로 상체를 쑥 내미는데) !

밖에서 문에 기대 자고 있는 그래!

상식　　　　(눈을 비비며 껌벅거리고 다시 본다) 저놈 왜 저기 있어?
상식 아내　　뭐예요? (보다가) 어머?! 저 사람…!

상식, 아내를 본다. 아이들 조르르 와서 밑으로 차례로 밖을 내다본다.

상식 아내　　어제 꽐라 된 당신 데려다주고 갔는데… 어머나~! 취해서 못 갔나 부다~
상식　　　　(찡그리며) 뭐?

문을 확 밀고 나간다. 결에 놀라 눈을 뜨는 그래. 상식, 그 앞에 서며

상식　　　　야! 장그래! 이 자식! 너 여기서 뭐 하는 거야?!
그래　　　　(그제야 깜짝 놀라 벌떡 일어나 꾸벅하며) 과장님, 나오셨습니까?
상식　　　　?

깔깔깔 웃는 아이들, 어이없이 보는 상식. 얼떨떨한 그래. 아이들의 웃음 속에 상식과 그래. 엔딩.

Episode 6

제6국

S#1 — 몽타주, 낮

#원인터 입구 앞에 선 백기, 가방을 메고 입구로 걸어간다.

백기　　　(Na) 가장 먼저 출근을 했다.

#15층 안으로 들어선 백기, 아무도 없는 사무실.

백기　　　(Na) 아무도 없는 사무실에 들어서는 것이 정말 기분 좋았다. (뿌듯한 듯 얼굴 위로)
　　　　　　내가 '문을 연다'라는 느낌이 들었기 때문이다.

#과거 동네 서점 앞. 물청소하는 아저씨의 모습 보이고,

백기　　　(Na) 어릴 적 동네 문방구 아저씨는 문을 열면 언제나 수도를 틀어 가게 앞을
　　　　　　청소했다. (어린 백기, 물청소된 길을 걸어가며) 나는 쾌청한 느낌의 그 골목길이 너무
　　　　　　좋았고, 그 길을 통과하는 걸로 하루를 시작했다.

#탕비실 안. 커피가 내려지길 기다리며 서 있는 백기의 옆모습.

백기　　　(Na) 그 아저씨처럼 내가 문을 열고 하루의 시작을 결정하는 기분이 정말 좋았다.
　　　　　　(커피를 내려 음미하고)

S#2 — 철강팀, 낮

백기, 컴퓨터 앞에 앉아서 모니터를 응시하며

백기　　　(Na) 그룹웨이에 들어가 여기서기 게시판을 살펴봤고 (모니터 화면 기사 보며)
　　　　　　인트라넷으로 주제별 신문 기사도 꼼꼼히 챙겨봤다. 뭔가 적당한 긴장감에
　　　　　　적절한 여유. 스타일리시한 TV 드라마의 장면처럼 고무되는 시간들이었다.

이때, 블루투스 이어폰을 낀 채 강 대리가 들어온다.

백기　　　(Na) 바로 내 위의 선임이 출근하기 전까지는…
백기　　　(일어나 강 대리에게 인사하며) 안녕하십니까.
강 대리　　(눈인사 받으며 통화) 아… 그 자료가 아니라구요? 아… 잘못 보냈구요. 알겠습니다.

(계속 통화 이으면서 자리로 가 컴퓨터를 켜고) 엑셀로 정리한 게 있으니 곧 보내겠습니다.
예… 예… (자판 계속 치면서, 다시 전화하고) 송 과장님 보고서 작성 중인데요.
예예 다시 전화드리겠습니다.

전화 끊고 탁탁탁 자판을 계속 치는 강 대리. 그런 강 대리를 씁쓸하게 보는 백기, 일어나서 강 대리에게 다가간다.

백기　　저… 대리님. 제가 할 일 없을까요?
강 대리　(바쁘게 자판 치며) 어… 일단 좀 기다려봐요. 이거 바쁜 거라서…

백기, 굳은 얼굴로 강 대리를 내려다보다가 돌아선다. 이때, 영업3팀 쪽에서 들리는 상식의 환호 소리에 백기, 소리 나는 쪽으로 가본다.

S#3 ── 영업3팀, 낮

동식, 전화 받고 있고 뒤에서 좋아하며 웃고 있는 상식과 그래.

동식　　(들뜬) 지사장님, 수고하셨습니다. 네 바꿔드릴게요. (상식에게 건네고)
상식　　(전화 받아서) 어~ 수고했어. 현지 서포트 덕이야! 한국 들어오면 크게 한 번 쏠게!
　　　　　어어~ (끊고, 동식과 액션 취하면서 좋아한다)
고 과장　(파티션 옆에서) 우즈벡 건 거의 엎어졌다더니 된 거야? 축하해.
상식　　(뻐기듯 웃으며) 그래 내가 이 맛에 상사맨 하는 거 아니야?! 으하하하.

고 과장과 동식, 동의하며 웃고 그래도 웃는다. 통로 쪽에 서서 보던 백기, 떠들썩한 영업3팀을 보다가 굳은 얼굴로 돌아서 간다.

동식　　(상식의 넥타이 가리키며) 애들이 준 행운의 넥타이라더니.
　　　　　진짜 신통방통한데요? 이게 다~ 넥타이빨이에요.
상식　　(으쓱으쓱 기분 좋게 넥타이를 보다가) 커피나 한잔해! 내가 쏠게!

S#4 ── 탕비실, 낮

백기, 원두 커피머신에서 커피를 내리고 있는데 상식, 그래, 동식, 들어온다. 백기, 그래와 가볍게 까딱하고 상식을 본다… "안녕하십니까" 목례하면, 상식, "응…"하면서 의미 있게 본다.

동식	(구시렁) 쏜다는 게 이런 뜻인 줄 알았지.
상식	(커피믹스 타주며) 자식아, 내가 직접 타주잖아~ 이제 월마트만 해결하자!
	(그래에게 커피 주며 툭!) 뜨겁다. 조심해.
동식	(마시다가 뜨악해서 상식을 빤히 본다)
상식	(퉁!) 왜?

그때, 휴게실에서 터지는 고함 소리!

| 이석준 과장 | (Off) 사이클 테스트• 통과했는데 왜 못 와? 15만 회 했으면 데이터 나오는 거잖아! |

백기 포함 탕비실 일동, 휴게실 쪽을 본다.

S#5 — 휴게실, 낮

박 대리	(어렵게 대답하는) 그것도 그거지만 가격 문제가 더 큰 거 같아요.
이석준 과장	적정가격 산출한 거 보여줬어? 생산원가에 일반 경비 치고 나면
	무리한 금액 아니라고!
박 대리	(에둘러) 저희야 그렇게 생각하지만 그쪽에선 무리라고…
이석준 과장	(더욱 버럭) 야! 너 그런 태도 버리라고 몇 번을 말해! 너 같은 생각으론
	물건 죽어도 못 판다고! 상대 만족 다 시켜주고 우린 뭐 먹고 살래?
박 대리	(우물쭈물 말을 잇지 못하고 있으면)

탕비실 쪽에서 백기가 이를 보고 있고, 뒤에서 그래와 동식도 보고 있다.

이석준 과장	너 좀 심하다고! 지난번 회식 때도 우리 테이블로 고기 잘못 온 거 그거 그냥
	먹어도 돼! 우리가 잘못했어? 왜 그걸 말해가지고… 니가 계산하냐, 인마?
	뿜빠이 하는 걸…! 피곤한 거야 인마! 우리랑 있자 좀! 왜 항상 상대 쪽에 서 있어?
	(휴게실 문을 열고 나가며 다시 버럭!) 광저우 건도 내가 지켜볼 거야!

한숨 푹… 쉬며 고개를 떨어뜨리다가 나가는 박 대리. 나가는 박 대리를 각각의 표정으로 쳐다
보고 있는 그래와 백기…

• 제품 성능 따위의 순환 과정을 알아보기 위한 검사.

S#6 — 탕비실, 낮

상식	(자기 커피 타며) 왜 여기까지 내려와서 깨고 난리야.
그래	(보면)
동식	(다시 커피 쪽으로 가며) IT영업팀 박 대리야. 사람 괜찮은데…
상식	그럼, 거래처와 관계에서 인심 잃지 않는 아주 모범적인 사람이야.
동식	(그래와 백기에게) 두 사람, 협력업체 견학 OJT, 저 팀으로 가지?
그래	네. (백기를 본다)
백기	방금 나가신 이석준 과장님이 인솔하십니다.
상식	(끄덕이며) 응.

다시 휴게실 쪽을 보는 그래와 백기…

S#7 — 자원팀, 낮

영이, 정 과장, 하 대리, 유 대리, 회의 테이블에 앉아서 회의 중이다. 정 과장, MOU 각서•를 손에 들고 영이에게 삿대질하면서,

정 과장	뭐? 고무나무? 이거 러시아 시베리아 산림 건이라고! 그 추운 러시아에서 고무나무가 커? (한심하게) 너 인도네시아 조림 건 그대로 갖다 붙였지?
영이	아… 하 대리님께서 정리한 아이템을 제가 MOU 각서로만 작성한 건데…
	(하 대리를 보면)
하 대리	(못 들은 척 딴짓)
영이	제가 인도네시아 건이랑 헷갈렸습니다. 죄송합니다. 다시 하겠습니다.
정 과장	뭐? 다시 어떻게 할 건데?!

15층 입구, 석율이 들어오다가 영이가 혼나는 걸 보고 멈칫하고 듣는다.

정 과장	법무팀이 검토까지 다 끝난 건을 어떻게 다시 해?! 왜? 영업3팀 가서 법무팀에 재검토되게 부탁이라도 할 거야? 대답해봐!
영이	…
정 과장	(울컥) B/L 건, 니가 말했다면서?
영이	…
정 과장	(대답 없는 영이에 더욱 화가 솟구치고) 말을 했으면, 사죄의 뜻으로 조용히 찌그러져

•   정식 계약을 체결하기 전 당사자 간 합의 사항을 기록한 문서.

있지, 뭐? "제가 말했습니다?" 약 올리는 거야? 엉? 그러면 뭐 달라 보이나? 있어
보여? (들고 있던 MOU 각서 집어 던지며) 내가 이래서 여자 안 믿는다고 한 거야!

영이   (여전히 말없다)

정 과장   에이씨! 넌 회의에 낄 필요도 없어. 자리로 돌아가!

영이, 말없이 일어나 자리로 돌아가 앉는다.

정 과장   (뒤에서 버럭!) 야! 이거 안 들고 가? 법무팀이 다시 검토를 해주든 안 해주든
            잘못된 건 수정해놔야 될 거 아냐?!

영이, 다시 와서 MOU 각서 들고는 꾸벅 인사하고 자리로 돌아가 앉는다. 찡그리고 보는 석율…

S#8 ── 영업3팀, 낮

그래, 상식이 자리에서 일을 하고 있는데, 석율, 후다닥 뛰어 들어온다. 얼른 상식에게 꾸벅 인사
하고는 그래에게 가서

석율   (설레발) 안영이 씨 작살나고 있어. B/L 건 때문에 완전 찍혔어.

그래   (당황해서 영이 쪽을 본다)

석율   (감동) 멋있는 여자야. 의리가 있다고 해야 할지 없다고 해야 할지 모르겠지만
            어쨌든 내 과야 내 과. 여자남자야!

상식   (듣고 있었다… 영이 쪽을 본다)

그래   …

동식, 태국 라면 브로셔 들고 씩씩거리면서 들어온다.

석율   (동식에게 거수경례) 태성! 안녕하십니까? 선배님!

동식   (깜짝 놀랐다가) 뭐야? 에이 넌 울산 태성학원이고 난 전주 태성학원이라니까!
            암 관계없다구! (브로셔 자리에 던져두고 앉으며) 아 진짜 우리 이거 꼭 해야 돼요?
            맨날 우리만 희생 번트야아?!

석율   (냉큼) 태국 라면 월마트 납품 건 말입니까?

동식/그래 (어이없이 동식을 돌아보면)

석율   영업3팀에서 그거 해결해주면 영업1, 2팀이 태국 회사랑 추진하고 있는
            사업이 성사될 가능성이 높은 거라면서요?

동식   (어이없이 허! 하며 보면)

석율	(꼭 자기 팀 일처럼) 사실 라면 이 건은 영업3팀 실적에 도움도 안 되는 거잖아요. 영업3팀은 뺑이만 치고… 실적은 1, 2팀이 갖고. 근데 꼭 성사시켜야 하는 거고. 아! 진짜 힘 빠진다. 그죠?
동식	(어이없이 보며) 어… 그… 그렇지이.
석율	(혀 끌끌 차며) 월마트는 뜨뜻미지근 감감무소식이고.
동식	(벙~해서 보다가) 넌 대체 모르는 게 뭐야?
석율	(활짝 웃어 보이며) 없어요, 그런 거.
그래	한석율 씨, 그만 가요!
석율	그래, 그럼 이따 봐. 그래. (인사하고 돌아서는데)
동식	(메일 클릭하다가 번득) 어? 왔다! 왔어!
석율	(홱 돌아본다. 재빨리 동식의 자리로 달려가며) 월마트에서 연락 왔어요? (모니터 확인하고, 반가워서 상식 보며) 과장님 소식 왔어요!

상식, 그래, 동식, 모두 어이없어하며 다급히 모인다. 동식의 컴퓨터 앞에 모인 네 사람, 메일을 바라보며

동식	한번 보자는데요?
상식	그렇게 까다롭게 굴더니 구미가 당기기는 하는 모양이네. (메일 유심히 보면서) 근데 이런 놈들은 만나도 끝까지 찜찜하게, 어? 이 새끼?! (메일 끝에 첨부된 명함의 사진에 고정된다!) 이 새끼 이거 쌈마이 변 아냐?
동식	(놀란) 아는 분이세요?
상식	(신기하단 듯 웃으며) 어~ 고등학교 동창인데 아~ 변형철이 이 새끼 대학 세 번 떨어지고 군대 갔다 와서 유학 간다더니. 잘 풀렸네~에.
석율	(바짝) 친하셨어요?
상식	친했지, 엄청 친했지. (낄낄 웃으며) 아버지 담배도 꼬불쳐 와서 나눠 피던 사인데.
석율	야! 그럼 다 된 거네요! 끝났네! 끝났어!

네 사람의 머리 사이로, 쓱~ 고개를 밀고 들어오는 김 부장.

김 부장	정말이야?
일동	(깜짝 놀라 인사하면)
김 부장	(석율을 뜨악하게 보고) 넌 또 왔어?
석율	(활짝 웃는다) 네!

S#9 — 윈인터 지하 주차장 안, 낮

영이, 주차된 차 옆에서 시계를 보며 출입문 쪽을 두리번거린다. 한숨 푹 쉬고는 안되겠다 싶어 트렁크를 열고 나무 패널들을 꺼내 안을 수 있을 만큼 안고 있는데, 출입구 쪽에서 나오는 그래와 상식, 그런 영이를 봤다.

그래	…
상식	(영이에게 다가가며) 안영이 씨.
영이	(본다) 아, 안녕하세요? (그래 본다)
그래	안녕하세요.
상식	(트렁크에 쌓인 패널들을 보며) 샘플? 혼자 옮기기 쉽잖을 텐데?
영이	하 대리님 내려오신다고 했는데, 좀 늦으시네요. 금방 오실 겁니다.
상식	(끄덕이고) 그래, 수고해. 가자. (간다)
그래	(당황해서 상식을 본다)
상식	(벌써 가고 있다)
그래	(영이를 본다)
영이	가보세요.
그래	(머뭇거리다가 상식을 따라가다가 다시 돌아서서) 괜찮습니까?
영이	(보다가 팔 들어 보이며) 네, 들 만해요.
그래	아니, 그거 말고…
영이	가보세요, 괜찮으니까.
그래	… (꾸벅하고 간다)
영이	… (돌아서서 다시 패널을 팔에 담는다)

S#10 — 상식 쪽 주차장 일각, 낮

상식을 급히 쫓아가는 그래, 조금 화난 듯

그래	안영이 씨, 도와줘야 하는 거 아닙니까?
상식	(흘깃 보며) 우리도 늦었어.
그래	(납득되지 않는 얼굴로…)
상식	(흘깃 본다)
그래	영이 씨는 우리 팀 도와주느라,
상식	하 대리가 금방 내려온다잖아. 우리가 도와주는 꼴을 보면 하 대리가 어이구 고맙습니다~ 할 거 같아?

그래, 돌아보면 트렁크에 몸을 기울여 낑낑대며 작업하고 있는 영이…

S#11 ─ 영이 쪽 주차장, 낮

뒤늦게 주차장으로 내려온 하 대리, 그래와 상식이 차에 타는 걸 본다. 일하고 있는 영이에게 가며 이죽거리는

하 대리	왜? 좀 도와달라지? 백번을 도와달래도 도와줘야 할 텐데…
영이	(본다)
하 대리	왜? 팽당했어?
영이	선배님이 오시는데, 제가 왜 영업3팀 도움을 받습니까? 전 자원팀입니다.
하 대리	그걸 아는 놈이 그런 짓을 해?!
영이	…
하 대리	대체 머릿속에 뭐가 들은 거야? 부장님 뭐라시는 줄 알아? 본처가 남의 집 가서 첩질 하고 오면 이런 기분일 거라서!
영이	선배님!
하 대리	어디서 바락바락 소릴 질러! 일이나 해! (트렁크 쪽으로 간다)

영이, 입을 꾹 다물고 보다가 확 돌아서는데 패널 몇 개가 발등으로 우두두 떨어진다. 영이, 순간 "아!" 짧은 비명!

하 대리	(확 보며) 뭐야?!
영이	아닙니다. (패널을 줍는다)
하 대리	(짜증스러운 표정으로 떨어진 패널과 영이를 보며) 아~ 진짜 가지가지.
	(확 와서 앉아 패널 주우며) 의무실이나 가봐!
영이	괜찮습니다.
하 대리	가라니까!
영이	… (그대로 일어나며) 죄송합니다. (절뚝거리며 간다)
하 대리	(패널 주우며 구시렁) 일부러 그런 거 아냐? (휙 보는데 패널 안고 절뚝이면서 가는 영이를 보며 찌푸리며) 저건 왜 가져가는 거야?!

S#12 ── 엘리베이터 안 + 밖, 낮

안고 있는 패널을 쳐다보는 영이.

영이   이건 왜 갖고 온 거야…? (발등의 멍 보고 한숨 쉰다) 바보냐?

그때 1층에 멈추는 엘리베이터. 문이 열리고 백기가 탄다. 백기도 멈칫한다. 인사하고 타는 백기… 백기, 15층을 누르려다가 4층 버튼에 불 들어온 걸 본다. 15층 누르고 물러서면서 영이의 멍든 발등을 보게 된다.

백기   ! (영이를 본다)
영이   (정면만…)
백기   발등이 왜 그래요?
영이   (숨기듯 살짝 뒤로 빼며) 아무것도 아니에요.

백기, 영이의 손에 든 나무 패널을 본다… 다시 정면을 보고 말없이 있다가 갑자기 패널을 확 빼앗아 든다.

영이   ! 장백기 씨, 주세요.
백기   (앞만 보고 있다)
영이   장백기 씨! (다시 뺏으려 한다)
백기   내가 힘들 거라고 했죠.
영이   (본다)

띵! 엘리베이터 4층에 도착한다. 엘리베이터 문이 열리고 백기, 아무 말 없이 내려서 간다. 내릴 생각도 안 하고 쳐다보는 영이.

백기   (멈춰 서서 돌아보고) 의무실 가는 거 아닙니까?
영이   … (내려서 백기 쪽으로 걸어간다) 저 혼자 가도 됩니다.
백기   (보면)
영이   샘플은 제 자리에 좀 부탁드릴게요.

영이, 목례하고 절뚝거리며 의무실 쪽으로 걸어간다. 그런 영이를 바라보는 백기.

Episode 6

편한 자세로 앉아 기다리는 상식, 시계 보고 웃으며

상식	아~ 이 코리안 타임. 자식, 이 버릇은 못 고쳤네.
그래	코리안 타임이요?
상식	요즘은 안 쓰나? 하여튼 기본이 30분이야, 이 자식은.

그때 형철, 반갑게 들어온다.

형철	야아~ 오상식!
상식	(벌떡 일어나며) 형철!

와락! 반갑게 얼싸안는 두 사람.

상식	(다시 보며) 야, 이 자식! 진짜 하나도 안 늙었네!
형철	야~ 몇 년 만이냐? 이렇게도 만나지는구나!
상식	자식아, 내가 니 사진 보고 한눈에 팍! 알아봤잖아!
형철	(웃는)
상식	내가 옛날에 뭐랬어? 어릴 때 노안이 늙어 동안이라 했잖아, 걱정 말라고 했지?! (그래에게) 이 친구, 이 얼굴이 고등학교 때 얼굴이거든 하하하!
그래	안녕하십니까?
상식	우리 팀 신입.
형철	아, 반가워요. (상식에게) 잠깐만 더 기다려줘. 결재만 금방 하고 올게.
상식	어어~ 그래, 천천히 와. 천천히.

형철 나가면, 상식 싱글벙글이다.

상식	(신나서 앉으며) 아~ 자식… 되게 반갑네. 장그래, 넌 아직 젊어 모르지만 말야. 이 나이에 옛 친구 만나면 반갑기도 하지만 서글퍼지거든. 친구 늙은 거 보면 세월을 절감하니까 말야. 근데 저놈은 무슨 시간 여행 온 거 같네. 하하하~! 기분 좋네~ 좋아!
그래	(웃으며) 어쩐지 일이 잘될 거 같은 느낌입니다.
상식	(웃으며 영웅담 말하듯) 한번은 저놈이 반에서 짱 먹은 놈하고 쌈이 붙었는데 그놈이 글쎄, 걸상을 들고 애를 내리치는 걸 나도 모르게 팔로 빡! 막았잖아.
그래	네?

상식   아~ 내가 그때 왜 그랬는지 몰라, 팔 부러져서 두 달 깁스하고…

　　　　　　하하 그맘 땐 뭐, 우리 친구 아이가? 이 말 한마디면 다 정리됐으니까.

그래   (상식 보고 웃는다)

형철   (E. 비웃듯) 친구…

S#14 ── 형철 사무실, 낮

형철, 사무실에 앉아서 인터넷 바둑을 두고 있다. 벌써 한 시간은 둔 듯 모니터 가득 채운 흰 돌과 검은 돌들.

형철   (흰 돌을 탁! 놓으며) 미친놈! 내가 왜 지 친구야? (다시 흰 돌을 탁! 놓는다)

S#15 ── 월마트 회의실, 낮

상식, 지겨운 듯 왔다 갔다 하면서 서성이고 그래 역시 자세 바뀌는 몇 번의 모습들…

그래   (안 되겠다 싶어) 전화 한번 해볼까요? 한 시간이 넘었는데요.

상식   어… 아냐아냐. 결재 건이 많겠지.

그래   (서성거리는 상식을 본다)

(시간 경과) 상식, 풀린 자세로 의자에 앉아 있다. 약간 지친 모습이다. 그래, 상식을 보고는 안 되겠는지 휴대전화를 들며

그래   전화해보겠습니다.

상식   …

그래, 전화하려고 하는데 형철, 회의실 문을 열고 들어온다.

상식   (밝아지고) 어! 왔어? (앉으라고 손짓하며) 얼마 안 기다렸어. 바쁘지?

형철   (상식의 앞에 앉으면)

상식   (보며) 아, 그래. 바쁘지? 바로 시작할까?

형철   보내준 자료 검토해봤는데 자료가 너무 부족해. 설비도 이해가 안 되고,

　　　　　　수익률도 애매하고…

상식   (가방에서 서너 개의 서류 꺼내 내밀면서) 그래서 내가 더 보완해왔어. (서류 하나씩 짚어

주며) 설비, 라면 종류, 수익 배분율 이거는 (하면서 적극적으로 설명하려고 붙어 앉는다)

형철	(시큰둥) 내가 지금 볼 시간은 없고,
상식	(얼른 말 받아) 아, 내가 설명해줄게. 금방 파악할 수 있을 거야.
형철	(피식 비웃으며) 어이~ 오상식, 일 참 쉽게 할라 그러네.
상식	(멈칫)
그래	(순간 당황해서 상식의 얼굴 보는데)
형철	(냉랭) 오상식 과장님, 검토하고 타당성 여부 확인해서 연락할게요.
상식	(당황해서) 어… 그… 그래.
형철	(힐끗 보면)
상식	(얼른) 그러십시오.

그래도 당황한 어색한 분위기 속에, 살짝 들리는 노크 소리. 직원, 문 열고 들어온다.

직원	부장님 무역협회 임원 미팅 가셔야 합니다.
형철	(일어나며) 어… 지금 가.
직원	(나가려다가 문득) 어? 부장님 오늘 넥타이 안 하고 오셨네요? 임원분들이시라 한마디 하실 텐데요.

형철, 자신의 목을 보고 난감해하는데 상식, 형철을 보다가 자신의 넥타이를 풀어서 내민다.

상식	아, 이거 하고 가십시오.

형철, '어라?' 재밌다는 듯 바라본다. 상식, 아무렇지도 않은 듯 형철을 바라보고 있고 그래, 그런 상식을 착잡하게 바라본다.

S#16 — 회의실 밖, 낮

상식과 그래, 가방을 들고 회의실에서 나온다.

그래	과장님, 그 넥타이 애들이 돈 모아서 산 생일 선물이라면서요… 그걸 주심 어떡해요…
상식	(아무렇지 않은 듯) 자식아, 그래야 받으러 온다는 핑계로 또 오지. (하지만 심란한 얼굴로 회의실을 돌아본다)

그래, 착잡한 느낌으로 허전한 상식의 목덜미를 본다. 상식은 애써 아무렇지 않은 척하지만 얼

굴 어둡다.

S#17 ─ 영업3팀, 낮

상식과 그래, 사무실로 들어오면, 반기는 동식.

동식   (분위기 잡으며) 저 계약서 쓰고 있었는데, 첫 납품 한 10만 개만 쓸까요?

상식, 동식의 말 못 들은 듯 그저 성큼성큼 자리로 간다.

동식   (웃으며) 부장님이 몇 번이나 물어보셔요. 무조건 되는 건이라고
          영업1, 2팀에도 말씀하신 모양이던데 (하다가 상식의 심상찮은 분위기 알아채고
          그래를 본다. 그래, 눈짓한다.)
상식   …

S#18 ─ 김 부장실, 낮

김 부장   (버럭) 계약서 도장 찍으러 간다더니? 다 됐다더니 이게 무슨 소리야?
          친구라면서 그거 하나 깔끔하게 처리를 못 하나?
상식   (착잡하게 듣는다)
김 부장   (목소리 낮추고 진지하게) 내가 이건 중요하다고 했지. 오 과장도 알잖아.
상식   네, 압니다. 며칠 기다려주십시오.
김 부장   어떻게든 만들어 오는 거야!
상식   네, 어떻게든 되게 해 오겠습니다.

S#19 ─ 김 부장실 밖, 낮

굳은 얼굴로 걸어 나오는 상식.

          [Flashback] S#15
          형철   (피식 비웃으며) 어이~ 오상식 일 참 쉽게 할라 그러네.
          상식   (멈칫)
          그래   (순간 당황해서 상식의 얼굴 보는데)

| 형철 | (냉랭) 오상식 과장님, 검토하고 타당성 여부 확인해서 연락할게요. |
| 상식 | (당황해서) 어… 그… 그래. |

어두워지는 상식. 그때 상식의 휴대전화 울린다. 보면 '쌈마이 변'. 굳은 얼굴로 보다가 받는다.

상식	어, 변부,
형철	(OL, E) 상식아! 잘 들어갔지?
상식	(멈칫)
형철	(E) 아까는 미안했어. 내가 일이 많이 밀려서 맘이 급해서.
상식	어! …어, 그래! 아냐, 아냐, 아냐.
형철	(진솔한 듯) 오랜만인데 한잔해야지, 친구! 난 오늘 저녁에 시간 괜찮아.
상식	어?! 어! (기분 좋아지는) 그럼, 그럼, 그럼. 해야지! 야! 좋아, 장소는 내가 잡을게. 그래.
형철	그래, 아까 신입 그 친구도 데려와!
상식	어? 아! 그래그래 이따 보자! 자식! 그래. (끊고 히죽 웃으며) 자식, 그럼 그렇지. 이제야 좀 내 친구 같네. 허허허.

S#20 — 영업3팀, 낮

놀라 보는 동식과 그래.

동식	그래요? 아, 그럼 빨리 예약 잡아야죠! 어디로 해요?
상식	우리 가는 유명한 족발집 있지? 그리 해. 그놈이 족발 참 좋아했어.
동식	당일 예약이 되려나 모르겠네요. (명함집 그래 주며) 찾아서 예약해.
그래	(받아서 전화기로 가서 찾는다)
동식	장그래도 오라 한 걸 보면 일 애기도 마무리 지으려는 거 같죠?
상식	(웃으며 끄덕끄덕)
동식	계약서 챙겨 넣을게요.
상식	오케이~!

S#21 — 유명한 족발집 앞, 밤

상식, 뿌듯하게 유명한 족발집 간판을 바라보고 있다. 그래, 옆에 서 있다. 그 옆에 한심하게 족발집을 보고 있는 형철.

| 상식 | (멋모르고 자랑스럽게) 정말 유명한 데야. 당일 예약 안 된다는 걸 어거지 써서 겨우 잡았어. 들어가자. (앞서가는데) |
| 형철 | (Off, 떨떠름하게) 너 지금 장난하냐? |

상식과 그래, 멈칫하고 돌아본다. 이제야 형철의 어이없는 표정을 보는 상식.

| 상식 | (당황하고) 어… 너 족발 이제 안 먹나? |
| 형철 | (코웃음) 먹지, 좋아하지… 근데 지금은 이게 먹고 싶은 게 아니지. |

상식, 형철을 본다… 형철도 되받듯 상식을 빤히 본다. 두 사람을 번갈아 보는 그래.

상식	아… 그래, 여기는 너무 복잡하지. 딴 데 가자. (두리번거리며) 어디로,
형철	(OL) 나 아는 데로 갈까? (상식 보며) 딱히 갈 데 없으면.
상식	(본다. 형철의 마음 읽었다. 차분히게) 이, 그래. 앞장서.

형철, 앞장서고 그 뒤를 따르는 상식. 그런 상식을 보는 그래.

S#22 ── 바 안, 밤

들어서는 형철을 반갑게 맞는 마담.

마담	오셨어요?
형철	(웃으며 손 들고)
마담	룸 준비해놨어요. (상식과 그래를 보며 목례하고 살랑살랑 앞장선다)
형철	(고갯짓하며) 가. (가면)
상식	(말없이 본다)
그래	…

S#23 ── 바 룸 안, 밤

형철 옆에 앉는 마담을 쳐다보는 상식.

| 형철 | 어, 인사해. 이쪽은 연수 씨고, 여기 주인이야. |
| 상식 | 지금 우리 이야기 좀 해야 하니까 잠깐 나가 있어줄 수 있어요? |

마담	(웃으며) 네. (일어나 나가려고 하면)
형철	(마담의 손을 슥 잡아 다시 앉힌다)
상식/그래	!/(당황)
형철	(상식 빤히 보며) 괜찮아. 있어도 돼, 이 사람은.
상식	(굳은 얼굴로 본다)
마담	(형철을 보고 웃으며) 킵해논 거 갖다드릴까요?
형철	그건 계속 킵해두고 (메뉴판 집으며) 오늘은 새거 한번 따보자. 좋지?
상식	그래.

형철, 마담과 슬쩍 웃음 나누며 메뉴판에서 뭔가 정한다. 마담, 손짓하며 다가오는 종업원에게 메뉴판 손짓해서 주문한다. 상식, 형철과 마담을 빤히 보는데 형철, 마담의 허벅지를 슬쩍 쓱 만진다. 상식, 어둡던 얼굴 더욱 굳어지고 그래, 그런 상식의 얼굴 보며 굴욕적으로 얼굴 어두워진다.

형철	(상식의 얼굴 쓱 보고는) 왜? 뭐 마음에 안 들어? 불편해? (둘러보며)
	이런 덴 취향이 아닌가? 딴 데로 가?
상식	…아냐. 괜찮은 곳이네…
그래	(상식을 보면)
형철	장그래 씬 학교 어디 나왔나?
그래	(당황) 아… 네, 전
상식	이 친군 고졸이야.
형철	어? (그래를 다시 보며) 고졸? (상식을 보며) 야~ 그 회산 학력 안 봐? 좋은 회사네에~!
상식	좋은 회사지! 좋은 친구를 알아봤으니까.
그래	(상식을 본다) …

술이 도착한다. 마담, 술을 따서 따르려고 하는데 상식, 마담을 저지하고 술병을 딱 잡는다. 그래, 놀라서 상식을 보면…

| 상식 | 잘 부탁해. |

형철, 웃으며 잔을 내민다. 쪼르르 따라주는 상식. 그래, 그런 상식을 본다. 상식, 자신의 잔에 따르려는데 그래가 얼른 술병을 잡는다. 그런 그래를 막고 자신의 잔에 따른 후 술병을 놓는 상식, 형철, 거만한 표정으로 한쪽 팔을 소파에 걸치고 한 손은 마담의 손에 얹은 채 상식과 그래를 내려다본다. 마담도 은근히 두 사람을 내리깐 시선으로 보는데,

| 형철 | 한잔하자! (그래 보고) 자네도 잔 채워. |
| 그래 | … |

상식	(그래 보고 나직이) 채워.
그래	(술병을 들어 자신의 잔 채운다)
형철	자, 만나서 반갑습니다! 건배!
상식	(건배하며) 반갑다. (쓰게 한잔 털어 넣고 인상 쓴다)
형철	(쭉 마시고) 너는 간 괜찮냐? 나는 내가 마시고 싶을 때 마시지만 너는 남이 마시고 싶을 때 마셔야 하잖아.
상식	(형철을 쳐다보다가 웃고는) 괜찮을 리 있냐? 간도 쓸개도 다 망가졌네.
형철	(웃고는) 자식, 난 옛날에 너 공부하는 거 보고 뭐 좀 될 줄 알았는데. 상사를 가서 그러고 있냐? 거기서 무슨 보람 있냐?
상식	야, 그래도 우리 상사맨 자부심이 얼마나 대단한데? 우리나라에 맨자 붙이는 직업이 딱 두 개거든? 증권맨. 상사맨. 하하하.
형철	(비웃듯) 둘 다 을이네? (하고는 으하하하하~ 웃음 터트린다)
상식/그래	(당황하고) / (상식을 본다)
상식	옹? 이하하하 (같이 웃어주다가) 아, 갑일 때도 많아~ 아하하하하~

형철의 웃음소리와 상식의 웃음소리 이어진다. 상식을 착잡하게 바라보는 그래.

| 형철 | (Off) 거북이가 어떻게 굴러가는 줄 알아? |

그래, 형철을 보면 상식 앞으로 잔을 또르르 굴리는 형철. 상식의 앞으로 또르르 굴러가는 잔… 그래, 잔과 형철을 번갈아 본다. 형철의 얼굴에 장난기와 깔보는 눈길이 가득하다. 상식이 잔을 잡으려는데 그래가 먼저 잡는다. 상식, 그래를 본다.

| 그래 | 제가 한 잔 올리겠습니다. (두 손으로 공손하게 따라준다) |
| 마담 | 잘생기셨네. 상사는 얼굴 보고 뽑나 봐요. (웃는) |

마담과 웃는 형철, 같이 웃는 상식. 보는 그래.

S#24 — 도로, 밤

취한 형철을 모범택시에 태우는 상식.

상식	(문 닫기 전 형철에게) 약속한 거 잊지 마. 연락 기다린다.
형철	어어~ 나만 믿어~ (문 닫는다)
상식	(기사에게 택시비 주며) 잘 부탁합시다.

막 출발하는 차창 너머로 주는데, 받으려 하지만 놓치는 상식. 구겨진 넥타이가 휙, 상식 발밑에 떨어진다. 떠나는 택시에 손 흔들며 계속 배웅하는 상식. 그런 상식을 보는 그래. 택시가 멀리 사라지자 손을 내리고 그 자리에 서 있는 상식. 떨어진 넥타이를 그래가 얼른 주우려는데 상식이 줍는다.

그래	…과장님 택시 잡아드릴까요.
상식	응. 그래.
그래	(택시 잡는다)
상식	(말없이 타고)
그래	안녕히 가십시오. (꾸벅, 인사한다)

떠나는 택시… 그 자리에 서서 보는 그래.

S#25 ── 택시 안, 밤

깊은 숨을 내쉬면서 눈을 감는 상식… 손에 쥔 구겨진 넥타이.

S#26 ── 원인터 외경, 낮

S#27 ── 영업3팀, 낮

어제의 과음으로 머리도 쑥대머리, 눈도 빨갛고 수염도 못 깎은 상식, 초췌한 몰골로 앉아 계속 전화를 쳐다보고 있다. 동식, 상식을 슬쩍슬쩍 보는데. 파티션 위로 고 과장이 목을 쏘옥 빼다가 동식과 눈이 마주친다.

고 과장	(입으로) 상황이 어떨 것 같애?
동식	(입으로) 잘될 거 같아요.
고 과장	전화 오면 연락 줘~
상식	(고개를 번쩍 들면)
동식	아! 조금만 참으세요, 숙취 해소제 곧 와요.

S#28 —— 엘리베이터 안, 낮

숙취 해소제 들고 있는 그래. 1층에서 띵, 문 열리면 서류들 잔뜩 들고 힘겹게 통화하며 타는 박 대리. 서로 눈인사하고,

박 대리   그래서 얼마가 필요한 건데. (힘없이) 걔가 그걸 하고 싶다는 거야,
                     당신이 시키고 싶은 거야?

그래   (흘깃 봤다가 다시 정면)

박 대리   친구들 따라 하고 싶어서 그러는 거 같은데… (듣는다) 아니… 알지. 그래.
                     그것도 그 나이 땐 필요한 거 맞지. 그런데 형편을 봐야 하지 않겠냐는 거야.
                     일주일에 세 번, 15만 원이면 한 달에 60만 원인데… (듣는) 아까운 게 아니고…

엘리베이터 멈추고 박 대리 내린다. 뒤이어 내리는 그래.

S#29 —— 15층 사무실 안, 낮

박 대리   아이참… 알았어. 들어가서 얘기하자. 지금 근무 중이라서. 응. (끊고)

박 대리는 철강팀으로, 그래는 자기 자리로 간다. 가다가 박 대리를 한 번 돌아보는 그래…

S#30 —— 철강팀, 낮

강 대리, 여전히 열심히 일하고 있고. 백기, 책을 보고 있지만 읽고 있지 않은 표정. 스트레스 가득한 얼굴로 책을 탁! 덮고 일어나 한창 바쁜 강 대리에게로 간다.

백기   대리님, EPC* 건 파이프 수입업체 컨택, 제가 해보겠습니다.

강 대리   (하던 일을 딱! 멈추고 돌아본다)

백기   (맞본다. 각오했다)

박 대리 들어오다가 분위기 보고 멈칫한다.

강 대리   장백기 씨가 할 수 있는 일이 없다고 했잖습니까.

백기   일단 한번 해보겠습니다.

•   대형 건설 프로젝트나 인프라 사업 계약을 따낸 사업자가 설계와 부품·소재 조달, 공사를 원스톱으로 제공하는 형태의 사업을 뜻한다.

강 대리	어떻게?
백기	제가 서치해둔 업체,
강 대리	(OL) 당신이 뭘 어떻게 하든 필요 없어. (확 돌아앉아 하던 일 한다)

백기, 질려서 본다. 주먹을 꾸욱 쥐며 입을 굳게 다무는 백기. 백기를 쳐다보던 박 대리가 쭈뼛거리며 들어오면. 백기, 인사하고 애써 누르며 제자리로 가 앉는다.

박 대리	(강 대리 옆으로) 강 대리님.
강 대리	(보며) 아, 박 대리님.
박 대리	(파일 펼치며) 이거, 전동휠체어 건 왜 진행하다 말았어요?
강 대리	아녜요. 수익 계산을 정확히 뽑아주면 검토하겠다 했는데요. (파일 보며) 어디 보세요. 아~ 이 업체는 안 돼요.
백기	(박 대리를 흘깃 본다)
박 대리	업체가 소규모이긴 해도 R&D 쪽으로 투자 진행 중이니 레귤러로 거래 터놓으면…
강 대리	아뇨, IT 쪽이야 제품 개수대로 단가가 떨어지지만 우리 쪽 탄소강은 그렇지가 않잖아요. 우리 팀으로서는 얼마를 투입했을 때 얼마가 이익 난다는 계산도 없이 거래처와 연결시켜주긴 어렵습니다. 몇 번 말씀드렸잖아요…
박 대리	(머쓱해서) 아무래도 그렇지… 업체한테 다시 연락해볼게요. (나간다)

백기, 박 대리를 답답한 듯 흘깃 보다가 책상에 쌓인 책들을 들며 일어난다.

백기	책 좀 반납하고 오겠습니다.
강 대리	(보지도 않고) 내 것도 부탁해요.
백기	… (강 대리 것도 들고 나간다)

S#31 ─ 15층 엘리베이터 앞, 낮

엘리베이터 기다리며 서있는 박 대리, 곁에 와서 서는 백기를 본다. "아" 하며 아는 척하고는 부드러운 소리로.

박 대리	힘들죠?
백기	(당황하지만 살짝 웃으며) 아닙니다.
박 대리	강 대리가 좀 깐깐해요.
백기	(그냥 웃는)

박 대리	(힘 실어주듯) 힘내요. 장백기 씨 아직도 인턴 아니잖아요.
	장백기 씨가 회사에 들어온 건 장백기 씨의 판단력까지 신뢰받은 거니까.
백기	감사합니다.

엘리베이터 온다. 타고. '파이팅!' 하는 제스처.

백기	(인사) 안녕히 가십시오. (숙인다)

엘리베이터 닫힌다. 백기, 고개 들며 싸하게 굳는 얼굴. "허!" 기가 막힌다는 코웃음.

이석준 과장	(E) 야! 박태훈.

S#32 — 박 대리 자리, 낮

시계 보며 다급하게 외근 나갈 짐 챙기던 박 대리, 화가 나서 들어오는 이석준 과장을 본다.

이석준 과장	광저우 건 어떻게 된 거야! 영성실업은 뭐래! 바이어 계속 쪼고 있는 거 몰라?
박 대리	지금 다시 전화해보겠습니다.
이석준 과장	넌 연락만 계속하고, 결론이 없어!
박 대리	죄… 죄송합니다.
이석준 과장	전화기만 붙잡고 있지 말고 당장 튀어 가! 가서 결판 내!
박 대리	(당황해서) 네.

S#33 — 영성실업 수출입팀 사무실, 낮

문 얼고 들어오는 박 대리를 본 최 과장, 자리에서 벌떡 일어나 나와 소파 쪽으로 박 대리 팔을 끌고 가 앉히며

최 과장	아~ 미안미안 박 대리. 안 그래도 지금 막 연락하려던 참인데. 뭘 쫓아오기까지 해.
박 대리	죄송해요… 근데 최 과장님, 지연되는 물건은 언제 해결되는 거예요?
최 과장	재고 확보하고 있으니까 2~3일만 기다려줘.
박 대리	저번에도 그러시고 이번에 또 이러면 제가 참 난처해요. 사정이야
	있으시겠지만…
최 과장	미안해… 실은 우리 딸애가 교통사고가 나서.

박 대리	(깜짝!) 네?! 많이 다쳤어요?
최 과장	아니, 아니, 응… 좀 그렇긴 한데, 괜찮아지겠지. 어쨌든 박 대리 거 해결하는 데 최선을 다할게. 미안.
박 대리	(어쩔 줄 몰라하며) 배송 건은 곧 처리되겠죠… 일부러 그러신 것도 아닌데… 그나저나 따님이 걱정이네요… 신경 쓰이실 텐데…

S#34 ── 거리, 낮

봉지 뜯은 빵과 우유를 먹으면서 핸즈프리로 통화하며 걸어가는 박 대리.

박 대리	예 과장님, 방금 만나봤는데요. 광저우 쪽 물량 확인을 못 했나 봅니다. 현재 재고 확보 중이랍니다.
이석준 과장	(E) 그래서?
박 대리	일단 빨리 받을 수 있게 조치해달라고 했구요.
이석준 과장	(E, 폭발!) 너 도대체 왜 그러냐! 거까지 갔으면 화물 손해배상이든 뭐든 꺼내서 들었다 놨다 해야 그놈들 정신 차릴 거 아냐! 결판내기 전까진 사무실 들어오지 마!
박 대리	네… (끊는다)

후… 목이 메어 우유를 한 입 마시다가 갑자기 저쪽으로 급히 가서 토한다. 찡그리는 박 대리…

동식	(E) 얘기는 잘됐다고 하더라구요.

S#35 ── 영업3팀 + 영업2팀, 낮

속이 아파 만지면서 우거지상으로 찡그리고 앉아 있는 상식. 영업2팀 쪽으로 가면 파티션 밑에 쭈그리고 앉은 동식과 고 과장. 속닥속닥.

고 과장	근데 왜 아직까지 연락이 안 와아~
동식	걱정 마세요. 친군데~ 힘써준다고 확실히 했대요. 근데 진짜 너무들 하시는 거 아녜요? 우리 총알받이 시키면서 고 과장님이라도 좀 쪼지 마세요!

그때 영업3팀 쪽에서 유달리 우렁차게 들리는 전화벨! 고 과장과 동식도 들었고!

그래	(E) 원인터 영업3팀 장그래입니다. (듣다가 반갑게) 월마트 구매 총괄팀이요?

제6국

고 과장과 동식, 확 일어나서 영업3팀 본다!

S#36 ── 영업3팀, 낮

그래   잠시만요. 오 과장님 바꿔드리겠습니다. (급히 전화 돌린다)

파티션 너머 얼굴 둘이 오 과장 쪽을 본다. 상식 책상의 전화 울린다. 얼른 못 받고 잠시 보기만 하다가 한 번 울리고, 두 번 울리고, 세 번째 울리는데 받는 상식.

상식   네, 오상식입니다. (잠시 얘기 듣는 동안 점점 굳어가는 상식의 표정)
                  네. …네… 네. 네. 알겠습니다. (끊는다)
일동   (상식 쪽으로 주목하고 있다)
상식   (허, 하고 헛웃음 웃는다)
그래   (상식을 본다)
상식   (또 헛웃음) 허!
그래   …
상식   허허… 허허허… 허허허허… 허허허허허… 이 개새끼.

파티션 너머에서 두 얼굴은 우거지상.

S#37 ── 김 부장실, 낮

시선 떨어뜨리고 소파에 앉아 있는 상식.

김 부장   친구…? 첨부터 말을 말든지. (벌떡 일어나며) 니가 설레발 안 쳤으면 애초에
               다른 작전을 짰을 거 아냐! (삿대질) 너 땜에 골든타임 다 놓쳤잖아! 이제 와서
               인공호흡도 안 되고. 믿으라면서어!

숙이고 있는 상식과 노발대발하며 왔다 갔다 하는 김 부장의 먼 모습.

S#38 ── 옥상, 낮

상식, 계약서 구겨 쥔 채 통화하고 있다.

상식　　　이유가 뭐야. 납품 조건이 마음에 안 들어?

S#39 ── 형철 사무실, 낮

결재 서류 넘기며 사인하면서 통화하는 형철.

형철　　　아니, 납품 조건은 훌륭하지. 근데 솔직히 우리 회사는 처음부터
　　　　　　받을 생각이 없었어. 아직 시장성이 없다고 판단했거든.

S#40 ── 옥상, 낮

상식　　　(기가 막혀서) 첨부터 가능성도 없으면서 간은 왜 봤어?

S#41 ── 형철 사무실, 낮

형철　　　너도 옛날에 간 본다고 내 반찬 뺏어 먹었잖아.

S#42 ── 옥상 + 형철 사무실, 낮(분할 화면)

상식　　　뭐, 뭐?
형철　　　농담이고.
상식　　　…너 나한테 무슨 쌓인 감정 있는 거냐?
형철　　　아니 뭐. 감정은. 애도 아니고. 옛날에는 감정이 있었지.
상식　　　그래서 옛날 감정이 뭔데?
형철　　　아이고~ 무슨 애도 아니고, 그걸 내가 지금 주절주절 얘기하긴 그렇고.
　　　　　　지금 우리 상황에서 이해하기 쉽게 말해줄게. 넌 모르겠지만
　　　　　　옛날엔 넌 갑 같았고 난 을 같았다.
상식　　　뭐?

형철	그래서 그냥 나도 너한테 갑질 한번 해봤다 쳐라.
상식	뭐?
형철	동창회 때 보자. 끊자 친구야. (끊는다)

S#43 — 원인터 옥상, 낮

전화기를 든 채 서 있는 상식. 상식의 쓸쓸한 헛웃음이 "허허허허허" 하늘로 메아리친다. 계약서를 보다가 박박 찢어서 확 집어 던져버린다.

S#44 — 영업3팀, 낮

말없이 앉아 있는 상식. 분위기 보는 그래와 동식.

동식	상심이 크시겠지. 휴우. 영업할 때 제일 힘든 게 언젠지 알아?
그래	(보면)
동식	사적으로 아는 사람 접대할 때. 근데 그보다 더 힘든 게 친구를 접대해야 할 때야. 접대란 어쩔 수 없이 주종, 수직 관계를 깔고 가야 하는 거거든.
그래	…
동식	친구 사이라서 더 비참한 굴욕이야. 그럴 땐 이렇게까지 하면서 회사를 다녀야 하나 하는 생각이 들기도 해. (하면서 착잡하게 상식을 본다)
그래	(상식을 본다) …

S#45 — 실비집, 밤

통화하고 있는 박 대리.

박 대리	여보. 당신도 알지? 그 전에 내 대학 동기였던 성식이. 걔… 회사 그만두고 대학원에서 석사 받더니 좋은 데 취직했더라고. 다니던 회사가 적성에 안 맞는다고 한참 고민하더니 완전 좋은 데 들어갔대. 나도… 이 기회에 한번… 뭐라고… 어? 그거 등록했어? 벌써? 아이 참… 이야기 좀 하자니까. 그깟 애들 학원에 마감이 어디 있어. 고민 좀더 하자니까… 나? 어… 성식이랑 소주 한잔하고 들어갈게. 걔 회사 그만두고 대학원에서 석사 받더니 지가 완전히 원하던 회사 들어… 아, 말했지 그거 축하해주러. 내가 안 해주면 누가 해주나.

빈 소주잔에 쪼르르 따라지는 술. 화면 빠지면, 혼자 술 마시고 있는 박 대리. 쭈욱 들이키는 박 대리. 휴우… 한숨 쉬고 다시 전화를 건다.

박 대리　　성식아~ 그래. 회사는 만족스러워? 좋겠네. 잘됐다… 정말. 근데 너 대학원
　　　　　준비할 때… 집은 어떻게 해결했어? 생활비나 그런 거… 엄청 부담됐을 텐데.
　　　　　(듣다가) 그렇지 뭐… 가족들이 다 이해하고… 그런 건데, 어떻게 설득을 했는지.
　　　　　아, 바쁘다고? 그래. 그래. 끊을게. (듣고) 아니 요즘 회사 적응이 힘들어서
　　　　　헛바람 드나드는 중이지 뭐… 그래. 끊자. 수고하자.
성식　　　(E) 뭔가 하고 싶다면 일단 너만 생각해.
박 대리　　(놀란) 어?
성식　　　(E) 모두를 만족시키는 선택은 없어. 그 선택에 책임을 지라구.
박 대리　　…

S#46 — 박 대리 집 인근 골목, 밤

취해서 비틀거리면서 가는 박 대리. 집 근처까지 와서 불이 켜진 집을 보고는 풀썩 주저앉는다.
긴 한숨…

박 대리　　행복한데… 행복하긴 한데… (집을 쳐다본다) 들어가기가 싫다. 집이 힘들다.

박 대리 집의 불이 꺼진다. 고개 떨구는 박 대리.

박 대리　　나만 문제야… 이만한 행복을 감당할 자신이 없는 거야.

조용한 집 앞 풍경.

S#47 — 원인터 외경, 낮

S#48 — IT영업팀, 낮

박 대리　　(힘없이 통화) 네, 알겠습니다. 처리되면 연락 주세요.

	(힘없이 전화 끊고 멍하니 한숨 쉬는데…)
이석준 과장	박 대리.
박 대리	(돌아보며) 네 과장님.
이석준 과장	(모니터 확인하며) 신입직원 OJT, 오늘 우리 팀 담당이네. 협력업체 견학인데 박 대리가 좀 맡아줘.
박 대리	네…? 제가…요?
이석준 과장	(모니터 보며) 내가 일이 너무 많아서 그래.
박 대리	과장님 저도 오늘… (하다가 만다) 네…
이석준 과장	(모니터 보며) 철강팀 장백기랑 영업3팀 장그래가 배정됐네.
박 대리	네…

S#49 — 철강팀, 낮

백기	(통화) 박 대리님으로 바뀌었다고요? (자기도 모르게 살짝 찌푸려진다) 네 알겠습니다. (끊고)

[Flashback] S#5
혼나고 있는 박 대리.

백기	(어이없는 한숨이 나온다)
상식	(E) 장그래, 옥상 좀 갔다 와!

S#50 — 회사 옥상, 낮

#구석 일각. 바닥에 떨어진 담배꽁초들… 그 앞에 서 있는 한 남자의 발. 무거운 얼굴의 박 대리가 빈 담뱃갑을 구겨서 쓰레기통에 버린다.

박 대리	… (손에 든 사직서를 다시 펴본다)
성식	(E) 너만 생각해.

#옥상 문 쪽. 열려 있는 옥상 문으로 들어오는 그래, 두리번거리며 어제 상식이 찢어버린 종잇조각들을 줍는다. 박 대리 쪽까지 오게 된 그래.

그래	어? … (인사) 안녕하십니까?

Episode 6

박 대리	(얼른 사직서 집어넣으며 받는다) 아… 예.
그래	IT영업팀 박 대리님이시죠?
박 대리	어… 네.
그래	영업3팀 신입사원 장그래입니다. 오늘 대리님하고 협력업체 현장 견학 가는.
박 대리	아! (다시 보며) 그렇구나. (머쓱해하며) 이거 어쩌죠…? 과장님하고 가야 배울 게 많을 텐데… 전 별 도움이 안 될 텐데…
그래	저희 과장님은 박 대리님 배울 게 많은 분이라고 하셨습니다. 거래처와의 관계에서도 인심 잃지 않고 일하는 모범이시라구요.
박 대리	(머쓱해서 머리 만지며) 내… 내가? (머리 긁적이고 쑥스럽게 숙였다가 들며) 또 뭐라세요?
그래	(당황) 예?
박 대리	(기대로 반짝반짝)
그래	어… (당황, 난감) 업체 간 이해관계를 잘… 배려하시면서…
박 대리	(또 또 하는 기대감의 얼굴)
그래	한마디로 외유내강형 상사맨이시라고… 영업에 꼭 필요한 덕목을 지니신 분이라 하셨습니다.
박 대리	(얼굴이 환해지며) 그래…요… (…휙 돌아보며) 그럼 가면서 영업 이야기 좀 들려줄까요?
그래	네?
박 대리	재밌는 게 많아!

S#51 — 차 안, 낮

신이 나서 운전하고 있는 박 대리, 조수석에 그래 앉았다. 뒷자리에 앉은 백기는 약간 미간에 힘이 들어가 쳐다보고 있다.

그래	(당황해서) 대리님, 제가 한다니까요.
박 대리	아냐, 길 아는 내가 하는 게 효율적이야. 어디까지 얘기했지? 아! 영업이란 게 말이지. 전쟁이에요. 전쟁 배짱 싸움인 거거든. 밀리면 죽는다~ 그렇게 생각해야 돼.
그래	아~
백기	(창밖을 본다)
박 대리	쓰라린 경험, 승리의 경험, 많~습니다. 한번은 거래처에서 납품 기일을 못 맞췄는데 부장에 상무에 사장에 전부 나와서 인정에 호소하더라고. 당신만 눈감아주면 아무 일 없을 거다. 봐달라.
그래	그래서요?
백기	(계속 옆을 보고 있다)

박 대리	내가 단호하게 한마디 했지… (돌아보며) 절차대로 합시다!
그래	(감탄) 아…! 박 대리님은 정말 정확하시네요.
박 대리	(조금 당황) 어? 어… (E) 뻥이 좀 셌나? 그래도 속은 좀 후련한데?
백기	(뒤에서 본다) …

S#52 ── 영성실업 외경, 낮

박 대리	(E) 우리 팀 거래처인데 중국 반도체 업체와 업무 협조를 이룬 곳이야.

S#53 ── 영성실업 복도 + 계단, 낮

그래, 백기, 박 대리 걸어가며

박 대리	근데 최근에 몇 번 선적 문제가 발생했어요.
그래	무슨 문제데요?
박 대리	(골치 아픈 듯) 배송이 자꾸 지연되네. 재고 확보가 안 됐다고 하는데…
백기	업체가 다른 거래처를 늘린 거 아닌가요?
박 대리	(흠칫)
백기	이런 경우 기존 거래처는 안전빵이라고 생각할 때가 많잖습니까?
박 대리	아, 아니~ 이 회사는 안 그래. 나랑 얼마나 신뢰를 쌓은 업체인데… 그래도 이렇게 한 번씩 들러줘야 서로 긴장감도 생기고 좋아요.

S#54 ── 영성실업 수출입팀 사무실 앞, 낮

웃으며 문 앞에 다가서는 박 대리와 그래와 백기. 그때 안에서 들리는 소리.

최 과장	(E) 지금 정신없으니까 원인터 건은 일단 두라고.

멈칫 서는 박 대리 일동.

최 과장	(E) 얘네 신생이라 관리 잘해야 돼! 선적 당겨준 다음에, 원인터 쪽은 전화로 버틸 때까지 버텨봐.
박 대리	(당황해서 백기를 본다…)

최 과장	(E) 박 대리? 하! 박 대리 그 친구는 말랑해서 적당히 애기하면 된다니까!
박 대리	(얼음이 된다)
그래/백기	(박 대리 보며 당황) /…
최 과장	(나오며) 그럼 지금 바로 스위프트● 보냅니다!
사무실 안	(E) 오케이!
최 과장	어이구! 대박이다. 대박.

하며 박 대리와 장그래와 백기를 미처 보지 못하고 지나가다 멈칫 선다!

| 최 과장 | (돌아보며) 아… 박 대리. |
| 박 대리 | … |

S#55 ── 영성실업 밖, 낮

아무 말 없이 멍하니 서 있는 박 대리. 옆에 그래와 백기도…

| 백기 | 우리 회사 호구 잡힌 거네요… |

그래와 박 대리, 백기를 쳐다본다.

백기	…대리님, 저희는 회사에 먼저 들어가보겠습니다.
박 대리	어? 어… 그래요. 미안해.
백기	(인사하는데)
박 대리	장그래 씨도 미안해요. 잘 들어가요.
그래	…저는 좀더 있겠습니다.
백기/박 대리	!
백기	장그래 씨, 잠깐 봐요.

#일각. 저만치 서 있는 박 대리 보이고

백기	장그래 씨, 이럴 땐 빠져주는 게 좋습니다.
그래	하지만 박 대리님이 많이 당황하신 거 같은데… 교육도 끝나지 않았고요.
백기	우리가 남아 있어봤자 도움 될 게 없어요. 지금 상황에선 현장 견학이란 것도 의미 없구요.

● 각국 은행의 국제 간 지급 결제에 관한 메시지를 좀더 안전하고 신속하게 처리할 시스템을 구축하고 이를 운영할 목적으로
    창설된 비영리 법인.

그래	…
백기	뭐, 장그래 씨 마음대로 하십시오. 전 먼저 들어가겠습니다.
	박 대리님 전 가보겠습니다. (인사하고 빠진다)

가는 백기를 쳐다보는 그래와 박 대리. 다시 그래와 박 대리 서로 쳐다본다.

S#56 ─ 영성 실업 복도, 낮

멍한 얼굴로 걸어가는 박 대리 바로 뒤에서 따라가는 그래. 그래, 박 대리를 보면…

박 대리	(Na) 그래, 제대로 호구 잡힌 거야. 나 때문에 우리 회사도… 역시…
	이 일은 내 일이 아니었어. 그만두는 게 좋겠어.

영성실업 수출입팀 사무실 앞에 안절부절못하고 서 있는 최 과장이 보인다. 박 대리 일단 멈춰 선다… 최 과장을 본다…

최 과장	(봤다) 아~ 박 대리, 얘기 다 끝났어?
박 대리	(뭔가 결심한 듯 다시 걸어간다)
최 과장	(머쓱하게 웃으며) 아~ 온다고 전화라도 하지 거참. 어? 한 분은?
그래	회사에 일이 있어서요.
최 과장	아, (박 대리 눈치 보며) 그래요…? 들어가시죠.

마음을 정하고 단호하게 굳는 표정의 박 대리의 얼굴 위로

박 대리	(Na) 그만두자…
박 대리	저… 저희 거 언제 처리됩니까?
최 과장	(반색하며) 바로 처리되지! 그럼~ 아까 통화했잖아.
박 대리	(Na) 나는 병신이다. 떠나자…
박 대리	네… 그랬죠. 통화했죠.

돌아서는 박 대리에게 최 과장, 어르듯 말한다.

| **최 과장** | 미안해. 먼저 처리하려고 했는데 사업 다각화로 선적량이 늘어버렸지 뭐야~ |

박 대리, 말없이 돌아서다가 멈칫 선다. 자신을 보고 있는 그래의 표정. 약간 당황해서 그래를 보

[Flashback] S#50 옥상

그래　　　어… (당황, 난감) 업체 간 이해관계를 잘… 배려하시면서…

여전히 당황한 얼굴로 그래를 보는 박 대리…

박 대리　　(E) 내가 한마디 단호하게 했지! 절차대로 합시다.

박 대리를 쳐다보는 그래…
Ins. 박 대리 눈에는 그런 그래가 주먹을 쥐고 '당신의 힘을 보여줘. 당신의 힘을 보여줘' 하듯 응원하는 것처럼 보인다.

박 대리　　(E) 뻥인데… (망설이고 갈등하는데…)
성식　　　(E) 모두를 만족시키는 선택은 없어. 그 선택에 책임을 지라구.

고개를 떨구는 박 대리…

박 대리　　(Na) 누구한테나 싫은 소리 않는 좋은 사람이 되고 싶었나?
　　　　　　　일하러 온 회사에서… 내가… 책임을 진 적이 있었나.

다시 그래를 본다. 무한히 신뢰의 눈빛을 보내는 것 같은 그래가 보인다.

박 대리　　(최 과장을 휙 돌아보며 꿀꺽) 과… 과장님.
최 과장　　(얼른) 박 대리, 이거 우리 실수했네. 바로 처리할게. 됐지? 응?
박 대리　　절차대로… (까드득) 진행해도 되겠습니까?
최 과장　　!
그래　　　…
박 대리　　(Na) 지금 하지 않으면 어디에서도 똑같을 거다.

박 대리의 어깨 위로 팡! 솟는 날개!

S#57 — 원인터 로비 안내데스크, 낮

석율, 작은 소포 하나 수령하면서도 데스크 여직원과 수다 중이다. 백기가 들어오는 걸 본다.

석율	어? 장백기 씨? (소포 들고 가며) 벌써 와요? 협력업체 견학이라면서요?
백기	(엘리베이터 쪽으로 가며) 끝났습니다.
석율	(의아) 왜 혼자예요? 장그래는요?
백기	일이 생겨 저 먼저 왔습니다.
석율	일? (호기심) 무슨 일?
백기	(말없이 엘리베이터 버튼 누르고)
석율	(백기 분위기 보며 더 호기심) 무슨 일 있었어요? 무슨 일인데에?
백기	…

S#58 ── 영성실업 외경, 낮

최 과장	(E) 사장님? 꼭 그렇게 해야겠어 박 대리?
박 대리	그렇게 해야겠습니다.

S#59 ── 영성실업 휴게실 안, 낮

박 대리	아직 문제의 심각성을 모르시는 겁니까?
최 과장	(당황)
박 대리	달래면 되는 거였습니까?
최 과장	(어쩔 줄 모르고)
그래	(박 대리를 본다)
박 대리	(쐐기를 박듯이) 여태 그래왔던 것처럼?!
최 과장	(당황)

S#60 ── 영성실업 사장실, 낮

그래와 박 대리, 영성실업 측은 사장, 최 과장과 임원1이 앉아 있다.

영성 사장	면목이 없구만 박 대리.
박 대리	…

문득 생각난 듯 수첩과 펜을 꺼내는 그래. 그걸 보고 깜짝 놀라는 일동.

최 과장	정말 사과하네. 오늘 바로 수정해서 내일 인천 떨어지게 조치하겠네.
박 대리	절차대로 진행한다고 했잖습니까, 과장님.
영성 임원1	박 대리, 내 책임이야. 다 내가 잘못이지. …하지만 우리가 원인터와 거래한 게 몇 년인가?
박 대리	…
영성 임원1	참 많은 일들이 있었어. 사고가 나기도 하고, 사기를 당하기도 했고… 그때마다 우린 얼굴 한 번 붉히지 않고 대화하고 협의하고 합의했지.
박 대리	…
영성 임원1	박 대리. 상사이신 선 부장님하고의 인연은 책 한 권이야. 말로 못 해요~
박 대리	…
영성 임원1	그런 신뢰가 지금 깨지게 된다는 건 너무 안타깝지 않나. 좋은 게 좋다고. 우리 좋게 해결합시다.
박 대리	…
그래	(박 대리를 본다)
박 대리	… (Na) 내가 이런 대우를 받는 사람이었구나. 이렇게 쉬운 사람이었구나. 당신들은 을의 설움을 논할 자격도 없어.
영성 사장	이 정도면 내 망신은 다 준 건가 자네들?
일동	(깜짝 놀라 사장을 본다)
영성 사장	날 어디까지 끌어낼 셈이야? (박 대리 보며) 박 대리, 미안하게 됐습니다. 오랜 인연은 인연이고 잘못은 잘못이오.
박 대리	!
영성 사장	절차적으로 하자 했는데 절차를 말하는 거라면 계약의 해지를 말하는 거요? 배상을 말하는 거요?
박 대리	(긴장) 그… 그건 본사로 들어가서 논의한 뒤 통보해드리겠습니다.
영성 사장	(직원들에게 호통) 어찌 이리 멍청들 해!
박 대리	(당황) !
그래	…
영성 사장	(화난) 그깟 몇 푼 벌자고 이렇게 오래된 파트너와 등을 지게 만들어?! 어쩔 셈이야!
직원들	죄송합니다.

그래, 박 대리를 보면, 당황해서 식은땀을 흘리며 굳어 있는 박 대리.

박 대리	(Na) 나… 때문에… 10년 넘는 파트너십이 박살난다… 나만 넘어가주면 되는 거였는데.
그래	(박 대리의 마음을 읽은 듯 차분히 박 대리를 본다)
박 대리	저… 사장님.

영성 사장	(OL, 격앙된) 경영하면서 오늘만큼 부끄러운 날이 없네!
그래	(Na) 판이 안 좋을 때 위험을 감수하고 두는 한 수.
영성 사장	이렇게 룰을 어겨야! 당신들 돈에 환장했어?! 돈이 그렇게 좋아?
그래	(Na) 국면 전환을 꾀하는 그 한 수를
모두들	잘못했습니다!

난감한 박 대리 얼굴과 과장하듯 직원들 혼내는 사장을 번갈아 쳐다보는 그래.

그래	(Na) 바둑에서는. 묘수, 또는 꼼수라 부른다.
영성 사장	(벌떡 일어나며) 내가 직접 찾아가 잘못을 빌고 용서를 구하겠네!

거의 패닉에 빠진 박 대리를 보는 그래, 그제야 불현듯 깨닫는다!

그래	(Na) 묘수가 빛나는 바둑이란 그동안 불리한 바둑이었단 반증이다.

자리에서 일어나는 사장을 말리는 직원들과 박 대리. 그런 박 대리를 보는 그래.

그래	(Na) 박 대리님은 분명 이 상황까지 못 본 거다. 저들이 깜짝 놀라고 끊임없이 회유하려 하는 것은, 박 대리님이 그동안 이런 사람이 아니었기 때문인 거다. (사장을 보며) 성동격서랄까… 눈은 저들을 보며 박 대리님을 힐난한다.

다시 고개를 떨구고 쩔쩔매고 있는 박 대리를 보는 그래.

그래	(Na) 그러지 않았던 사람이 변한 이유는 뭘까? …

Ins. S#50의 회사 옥상.

그래	(Na) 나 때문이구나… 내가 어떤 계기가 됐고,
박 대리	(E) 영업 이야기 좀 들려줄까요?
그래	(Na) 여기까지 오게 된 거구나… 나한테 보여주려 했던 게… (떨고 있는 박 대리를 보며) 이 모습은 아니잖습니까…?

그래, 눈치채지 않게 문자 메시지를 보낸다. "김 대리님. 전화 부탁드립니다."

그래	(Na) 그럼… 제가 뭐라도 해야겠군요.

Episode 6

그래	죄송합니다. 회사에서 전화가 와서요.
박 대리	아… 너무 늦었네. 어쩌지? 장그래 씨 혼나는 거 아냐?
그래	업무 때문에 온 건데 혼나긴요. (박 대리 다시 보며) 더구나 박 대리님과 함께인데요.
박 대리	어… (다시 작은 날개가 파닥파닥한다)
그래	(전화 받으며 나가며) 예, 김 대리님. 아직 있습니다.

S#61 — 영성실업 사장실 문밖, 낮

문을 닫고 나오면서 완전히 닫지 않고 슬쩍 밀어 열어두는 그래.

그래	(갑자기 고래고래) 잘 안 들리세요? 언제 오냐구요? 시간이 좀 걸리겠는데요? 여기 와보니 약간의 문제가 생겨서 이곳 사장님이 직접 저희 쪽에 찾아와 설명을 주시겠답니다!

S#62 — 영성실업 사장실 안, 낮

깜짝 놀라는 일동!

그래	(Na) 묘수… 혹은 꼼수는

S#63 — 영성실업 사장실 밖, 낮

그래	(Na) 정수로 받습니다.
그래	직접 말씀하셨어요!

S#64 — 영성실업 사장실 안, 낮

당황해서 놀라는 사장과 직원 일동. 놀란 얼굴로 그래를 보는 박 대리.

S#65 ── 섬유1팀 + IT영업팀, 낮

놀람과 호기심으로 IT영업팀을 바라보고 있는 석율. IT영업팀으로 막 들어서는 김주호 부장에게 이석준 과장이 다급하게 얘기하고 있다.

이석준 과장　예, 박 대리가 전화했는데 지금 영성실업 사장과 관련 직원들이 오고 있답니다.

S#66 ── IT영업팀 사무실, 낮

이석준 과장, 김주호 부장에게 문서를 주며 계속 얘기하고 있는.

이석준 과장　문서를 확인해보니 이것 외에도 몇 건의 배송 문제가 있었던 것으로 파악됩니다.
김주호 부장　(문서 보며) 한두 건이 아니잖아? 리스크 관리팀, 심사팀, 법무팀 소집해.
　　　　　　난 상무님께 보고할 테니.
이석준 과장　네.

각자 부산하게 움직이는 모습을 호기심 가득히 보는 석율.

S#67 ── 몽타주, 낮

#다급하게 팩스 들어오고
#받은 자료 정리 컴퓨터로 정리하는 IT영업팀 직원
#"원인터 IT영업팀입니다! 광저우 건 운송 자료…" 통화하는 직원
#리스크관리팀, 심사팀, 법무팀 호출받고
#굳고 긴장된 얼굴로 일사분란하게 회의실로 가는 사람들
#원인터 로비 밖 자동차늘이 와서 서고
#내려서 들어오는 박 대리와 그래와 영성실업 사장 및 직원

S#68 ── 로비 + 엘리베이터 앞, 낮

박 대리와 그래, 영성실업 사람들이 긴장된 표정으로 들어오는 걸 보는 석율.

석율　　　(특히 그래를 보면서 눈이 휘둥그레져서) 대박!

우르르르 엘리베이터 앞으로 가서 버튼을 딱 누르고 태연하게 있는 석율, 그래 일행이 오자 보고 깜짝 놀란 듯

석율	어, 장그래 씨, 안녕하세요?
그래	(당황)
석율	(눈짓으로 '무슨 일이에요?')
그래	(인상 확 쓰면)

띵, 하는 소리와 함께 엘리베이터 문 열린다.

S#69 ― 엘리베이터 안, 낮

일행 모두 타 있고 문 앞쪽에 나란히 서 있는 그래와 석율. 그래, 20층 버튼에만 불이 들어와 있는 걸 보고 인상 쓰며 석율을 보면. 석율, 모른 척하고 있다. 그래, 슬쩍 16층을 누르는데 석율은 모른 척 '취소'를 누른다. 어이없는 그래, 다시 16층을 누르려는데 옆에서 석율, 그러지 말라는 듯 옆에 있는 그래 손을 꼬~옥 잡는다. 황당한 그래…!

S#70 ― 엘리베이터 앞, 낮

양쪽 엘리베이터 문이 열린다. 한쪽에선 장그래 일동, 이어서 한쪽에선 IT영업팀 일동 내린다. 석율은 빠지는 척하면서 코너로 간다.

김주호 부장	오셨습니까 사장님.
영성 사장	김 부장. 이거 정말 미안하게 됐소. 진짜 입이 열 개라도…
김주호 부장	일단 접객실에서 기다려주세요. 곧 모시러 오겠습니다. (부하 직원에게) 안내해드려.

영성실업 사장, 김 부장에게 머리를 조아리고 안내를 받으며 접객실로 가고

김주호 부장	자네는 나와 같이 가지.
박 대리	네.
김주호 부장	(그래 보며 의아한 표정) 자넨?
그래	영업3팀 신입사원 장그래입니다.
박 대리	부장님, 이 친구와 함께 가도 되겠습니까.
석율	(놀라는) 어?!

| 309 | **그래** | (난감) 제가 어떻게… |

박 대리, 장그래 손을 덥석 잡는다. 놀라는 그래.

박 대리   (손을 꼬옥 쥔다. E) 넌 내게 날개를 달아준 녀석이야.

그래   (박 대리를 본다)

박 대리   (부장에게) 신입사원으로서 좋은 경험도 될 것 같고, 현장에서도 역할을
톡톡히 해서 필요할 듯합니다.

S#71 ─ 15층 엘리베이터 앞, 낮

허겁지겁 내리는데 사무실 안에서 나오는 백기, 딱 마주친다.

석율   아! 백기 씨 백기 씨! 그 영성실업인가? 그쪽 사람들 들어왔어요.
우리 회사는 리스크팀이랑 법무팀까지 완전 총출동이야!

백기   (의아하게 본다) 그래요?

석율   그쪽 박 대리님이, 판을 아주 크게 벌리셨네.

백기   (별 관심 없이) 의외네요. 별로 그럴 강단이 있어 보이진 않았는데… (그냥 가는데)

석율   진짜 대박요! 그 전사적 회의에 장그래가 함께 들어갔다는 거지!

백기   (멈칫 선다. 돌아보고) 뭐라고요?

석율   놀랍죠? (신기해서) 아니, 지가 거길 왜 들어가? 높은 분들 좍~ 포진하고
분위기 어마무시할 텐데?

백기   (미간에 힘이 들어가며 굳는 얼굴) …

그때 서류 잔뜩 들고 사무실에서 나오던 영이, 백기를 보고 멈칫한다. 백기와 영이, 서로 보는데

백기   발 괜찮아요?

석율   응? 발? 무슨 발? (그제야 영이 본다) 어? 영이 씨, 영이 씨, 잘 만났네.
오늘 완전 대박 사건! 원인터 전사적 회의에 장그래 출동!

영이   (의아하게 본다) 네?

S#72 ─ 휴게실, 낮

휴게실에 백기, 영이, 석율.

석율	(흥분) 신입인데 벌써 그런 회의라니. 이러다 동기 중에 제일 먼저 승진하는 거 아냐? (설레발) 응? 그 뭐냐? 고졸 신화! 고졸 신화!
영이	(작게 웃고 마는)
백기	(혼잣말처럼) 대체 무슨 도움이 될 거라고 거길 따라 들어간 건지.
영이	뭐든 도움이 되니까 데리고 들어가지 않았겠어요?
백기	(영이를 본다)
석율	백기 씨도 그냥 꾹 참고 있지. 우리 같은 말단 신입한테는 그런 회의 경험도 큰 도움이 된다구요.
백기	(입 굳게 다물고) …
영이	(백기 보며) 장백기 씨는 왜 돌아온 거예요?
백기	그 자리에 있는 것도 예의가 아닌 것 같고,
석율	(OL) 솔직히 박 대리님이 백기 씨 과도 아니었고, 그쵸?
백기	(짜증 난다) 그래요. 좀 우유부단한 것 같고, 자기 생각도 별로 없어 보이고… 거래처에서도 순서가 밀리는 분 아닙니까?
영이	(의미 있게) 그런데 장그래 씨는 남아 있었네요. 오지랖이 넓다고 해야 하나…?
백기	(조금 당황하며 영이 본다)
석율	아무튼 영성실업은 이제 큰일 났네요. 끝이네, 끝!
백기	글쎄요. 박 대리님이 이제 어떻게 증언해주느냐에 따라 달라질 텐데… 제가 봐선 그냥 유야무야 넘어갈 가능성이 커요. 보통 박 대리님 같은 사람들은 그런 문제가 생기면 회피하거든요. 문제를 해결할 능력이 있는 분이 아니에요.

S#73 ── 대회의실, 낮

긴 회의 탁자에 둘러앉은 사람들. 맨 말석에 앉아 있는 그래. 원인터 직원들이 심각한 표정으로
서류를 검토하고 있다.

상무	이전에도 유사한 사례가 있었나?
김 부장	예 그렇습니다.
심사팀	타 생산지로부터 급히 제품을 조달해야 하는 사항도 아니고 벌금이 있는 부분도 아니어서 손실 규모는 크지 않습니다.
리스크관리팀	촌각을 다투는 물품도 아니어서 리스크도 크지 않습니다.
법무팀	손실 배상과 상관없이 계약서 재검토는 불가피합니다. 일곱 번이나 되니까요. 하지만 소송 건은 아닙니다.
상무	일이 왜 이렇게 된 건가?
김 부장	자세한 사항은 담당인 박 대리가 설명하겠습니다.

박 대리. 침 꿀꺽 삼키고 일어난다.

박 대리   (우물주물) 제가, 설명하겠습니다.

숨 막히는 회의실의 공기를 그대로 느끼고 있는 그래. 모두의 이목을 받고 잔뜩 굳어서 서 있는 박 대리를 보는 그래…

그래   (Na) 사건의 무게에 짓눌린 박 대리님, 상대 회사의 위기를 고민하고 있다.
              한가한 생각 아닌가…

그래, 책상 위 빈 종이에 뭔가를 슥슥 써서

그래   대리님, 여기 참고 서류 있습니다.
박 대리   아! (웃어 보이며) 고마워요. (다시 확 펴지는 날개다. 메모 보며) 지금까지의 경과를
              말씀드리… (종이를 보는데 확 굳는! 동시에 날개가 없어진다. 몇 개 흩날리며 떨어지는 깃털)
그래   (Na) 봉위수기. 위기에 처한 경우 불필요한 것을 버려라.

종이를 보고 있는 박 대리 위로

그래   (Na) 버리셔야 합니다.

종이의 내용 "무책임해지세요!" 위로

그래   (Na) 그들을 다 껴안을 순 없어요. 대리님이 살아야죠.
박 대리   (그래를 한 번 돌아보고… 다시 제자리… 굳은 얼굴로) 지금까지의… 경과를
              말씀드리겠습니다.

S#74 — 소회의실 안, 낮

휴대전화를 앞에 두고 기다리고 있는 영성실업 측 사장과 최 과장, 임원1.

영성 임원1   사장님. 죄송합니다. 저희가 부족했습니다.
영성 사장   자네들은 죄 없어. 내 불찰이지.
영성 임원1   면목 없습니다.
영성 사장   (눈 감으며) …

박 대리   지금까지 일곱 건의 화물 딜레이가 발생했고 그 원인을 오늘 알게 되었습니다.
              영성실업은 새로운 거래처를 늘리고자 하는 욕심에 초기 거래에 집중한 겁니다.
              그 와중에 우리 제품 운송이 지연되었고, 오늘 그동안의 기망에 대해 알게 돼 책
              임을 물었던 것입니다.
참석자1   자네가 현장에 가지 않았으면 절대 몰랐을 거야.
참석자2   그렇지, 거래처는 항시 살펴야 해.

박 대리, 그래를 돌아본다. 살짝 미소 짓는 그래.

박 대리   하지만 오늘 드러난 사실로 알 수 있는 몇 가지 문제가 있습니다.
              일곱 건의 문제가 생길 동안 담당자인 제가 아무 대책도 안 보였다는 점과
              이 문제의 심각성에 대해 초기에 제대로 인지하지 못했다는 점입니다.

상무를 비롯한 사람들. 심각해지는 표정 지으며 웅성거린다. 박 대리…

박 대리   (침 꿀꺽 삼키고) 그리고 전, 제가 하는 일에 자신이 없었습니다.
그래   (조금 당황한다)
박 대리   기망을 한 건, 저입니다.
그래   !
다른 사람들 !
박 대리   저들이 그래도 돼, 라고 생각하게 만든 건 저입니다. 제가 제 책임을 다하지
              못했습니다.

박 대리를 쳐다보고 있는 상무… 상무의 얼굴이 박 대리로 바뀌고, 자기도 모르게 조금 고개를
숙이고 외면하는 사람들의 얼굴도 박 대리로 바뀐다. 당황한 얼굴로 박 대리를 보고 있는 그래
의 얼굴 위로

박 대리   (E) 회사에서 책임을 물어야 할 대상은
박 대리   바로 저입니다.

팡. 발가벗은 박 대리 모습.

박 대리   유류값이 올라 업계가 운송비를 인상할 때도, 우리 회사는 오히려 삭감했습니다.
              저는 회사를 대표해 그들을 설득하지 못했습니다. 그 결과 저들은 새로운 수익을

	모색했습니다.
일동	…
박 대리	제 일에 대한 깊은 회의감에 자리를 떠날 궁리만 했습니다. 그런 저 때문에 이 일이 벌어졌다고 생각합니다.
일동	…
박 대리	제게 책임을 물어주십시오. 저분들. 저분들을 구제해주십시오. 거래 끊지 말아주십시오. 페널티 주지 말아주십시오.

좌중, 침묵이 흐르고. 상무 눈치 보는 다른 직원들. 장그래, 특히 긴장하고.

상무	자네, 입사 몇 년 차야?
박 대리	(당황) 네?
김 부장	올해 4년 차입니다.
상무	(피식) 참 낭만적인 대리야.

그제야 무거운 분위기 조금 풀어진다. 피식하고 웃음 짓는 사람도 있다.

리스크팀	이 친구야. 아무렴 10년 거래한 파트너를 이만한 문제로 버리겠나?
법무팀	자네가 뭔데? 자네가 뭐라고 책임을 물어? 어떻게 책임질 건데?
상무	그래도 그런 고민 지금 하는 게 좋아. 더 늦으면 자네 손해, 가족 손해, 회사 입장에서도 손해야. 그런 고민 나쁘지 않으니까 충분히 하고. 잘 정리만 하라고.
박 대리	(편안한 얼굴)
그래	…

S#76 — 복도, 낮

회의 마치고 나온 직원들. 혹시나 다른 말 떨어질까 아직까지 긴장하는 박 대리.

상무	그쪽 사장, 내 방으로 보내.
부장	알겠습니다.
박 대리	가… 감사합니다. (숙인 채 그래를 본다)
그래	(인사로 숙인 채…)
그래	(Na) 어떤 바둑을 졌을 때보다 처참했다. 다 자기만의 바둑이 있는 건데. 내가 뭐라고. 나 따위가 어디서 감히! 비루한 훈수질이냐.

박 대리, 일으키지 않고 그대로 숙이고 있는 그래를 본다.

S#77 — 섬유2팀, 낮

IT영업팀에서 박 대리가 부장, 과장과 웃으면서 머쓱하게 얘기하고 있는 게 보인다. 그들을 보며 어깨에 수화기를 끼고 잔뜩 일거리를 처리하고 있는 석율.

석율　　　(통화 연결) 어, 장백기 씨.

S#78 — 철강팀, 낮

앉아서 전화 받는 백기.

백기　　　(살짝 찡그리며) 네.
석율　　　(E) 아, 다 잘됐대요.
백기　　　뭐가요?
석율　　　(E) 어, IT 영업팀 박 대리님 말이에요. 그 영성실업도 안 짤리고
　　　　　　박 대리님도 크게 혼나지 않고, 대책 회의 분위기도 굉장히 좋게 끝났대.
　　　　　　뭔진 모르지만 박 대리님이 잘 해결했다는데?!
백기　　　(황당하고 짜증 나며) 그걸 왜 저한테…

S#79 — 섬유2팀, 낮

석율　　　어? 궁금하잖아? 안 궁금해? 난 백기 씨가 엄청 궁금해하는 줄 알았지.

S#80 — 철강팀, 낮

백기　　　(황당하고 화나는) 한석율 씨,
석율　　　(E, OL) 아~ 어쨌든 박 대리님 보기와는 다르대? 얘기 들어보니까 남자야!
　　　　　　내 과네! 역시 첫인상으로 사람을 판단할 건 아냐. (성 대리가 부른 듯)
　　　　　　네? 대리님. 아, 그 건이요? 지금 하면 되죠? 백기 씨, 끊어요. 바쁘네. (끊는다)
백기　　　(인상 확! 입술 꽉!)

S#81 — 정원, 낮

울컥한 마음으로 나오는 백기, 오다가 멈칫 선다. 한쪽에 앉아 수그리고 있는 그래를 본다. '흥!' 하는 마음이 드는 백기.

백기	(다가서) 박 대리님 일 잘됐다는데 왜 이러고 있어요?
그래	(쳐다본다) …
백기	같이 들어갔다면서, 뭐 안 좋았어요?
그래	전 아무 도움이 되지 못하더라구요.
백기	장그래 씨도 참 답답하네요. 그걸 이제 알았어요? …우리는 아직 할 수 있는 일이 없다니까요.
박 대리	(E) 장그래 씨!

보면 박 대리 온다. 백기 인사하고 가는데

박 대리	고마워, 장그래 씨.

멈춘다. 돌아본다.

박 대리	당신이 내 가난한 껍질을 벗겨줬어.
그래	(박 대리를 쳐다보다가 숙이며) 죄송합니다.
박 대리	(숙이며) 감사합니다.

백기, 당혹스러우면서도 알 수 없이 치미는 마음으로 본다.

S#82 — 몽타주, 낮

#상무와 독대하고 있는 영성실업 사장. 이내 악수하고 나가고.
#리스크관리팀, 법무팀에서 기안문 작성하고 있고
#원인터 정문 앞, 영성실업 사람들과 IT영업팀 부장, 과장이 인사하고

그래	(Na) 영성실업은 원인터에 유리한 새로운 계약을 맺기로 했고, 박 대리님은 어떤 프로세스가 문제였는지를 찾아 예방하는 보고서를 작성하기로 했다.

S#83 — 원인터 정문 앞, 낮

멀리 떨어져서 인사하는 사람들을 보고 있던 박 대리와 그래. 그래, 박 대리를 본다. 웃으며 그들을 보고 있는 박 대리…

박 대리　　전화 한 통 하고 갈게, 먼저 가요.

정원 쪽으로 걸어가며 전화 거는 박 대리를 보는 그래…

박 대리　　여보. 우리 애 학원 있잖아. 그거 보내지 말자. 난 우리 애가 생각할 시간을
　　　　　　많이 가지면서 자랐으면 해. 난… 그래.

박 대리 아내　(E) …

박 대리　　여보?

박 대리 아내　고마워.

박 대리　　고마워?

박 대리 아내　당신이 분명히 선택해줘서. 내가 이제 계획을 짤 수 있게 됐어.
　　　　　　난 당신의 생각이 필요했거든.

박 대리　　그래. 고마워.

통화하면서 멀어지는 박 대리를 보는 그래.

그래　　　(Na) 그래… 누구에게나 자신만의 바둑이 있는 거다…

그래, 돌아서 걸어온다.

S#84 — 영업3팀, 낮

그래　　　저는 그래도 박 대리님이 문책을 당하실 줄 알았어요.

동식　　　(일하며) 종합상사의 특징이지.

그래　　　(보면)

동식　　　(보고) 우리 일이란 게 기본적으로 리스크가 다양할 수밖에 없어.
　　　　　　아무리 예측하고 대비해도 사고는 뻥뻥 터지지.

그래　　　(끄덕)

동식　　　그때마다 직원에게 책임을 물어서는 끝도 없는 일이 될 거야.

동식　　　상사에선 보통 이런 일을 계기로, '개선 방향을 찾자'라는 것에 무게 중심을 둬.

그래	그렇지만… 지난번에 대리님이 징계위원회에 회부됐던 건…
상식	(옆을 휙 지나가면서) 그러니까 얼마나 난센스야. (흥! 하는 표정)
그래/동식	(놀라서 보면)
상식	(자리로 가며 일그러지며) 어쨌든 회사에서 보호해준다 해도 당사자는 고통을 받아. (자리에 앉으며) 보고서 역시 냉철하게 쓰이지 않으면 유사한 사례가 생겼을 때 책임을 추궁받을 수 있다고.

마우스를 딸깍 한다. 그래는 뭔 말인가 싶어서 보면

동식	(안타깝게) 과장님, 월마트 경과 보고서 제가 쓸까요?
상식	(하… 한숨을 쉬며) 됐어. 내가 쓸게. (하며 화면을 보면)

"월마트 경과 보고서"라고 쓰인 제목 밑에 수없는 "좀 많이"… 멍하니 보며 글자 한 자씩 지우고 있는 상식… 동식이 고개 저으며 다시 자기 자리로 돌아가고, 그때 상식에게 문자가 온다. 아내다. "메일 하나 보냈으니까 봐. 기가 막혀서." 메일을 열면 동영상 파일. 본체에서 빠져 있는 이어폰 잭. 상식, 잭이 빠진 줄 모르고 이어폰 끼고 클릭하면 막내아들의 유치원에서의 동영상. 시끄러운 아이들의 동영상 소리에 그래와 동식, 돌아본다. 상식 모르고 동영상에 집중하는데, 동영상 속 아이들, 벽면에 종이로 한 장씩 붙은 글자 "내가 생각하는 영웅은?" 밑에 조르르 서 있는 히어로 코스프레 아이들. 왼쪽부터 슈퍼맨, 아이언맨, 배트맨, 스파이더맨, 옆에 캐리어 들고 양복 입은 상식의 막내 아들. 가슴에 "상사맨" 글자 크게 붙이고.

선생님	(E) 상사맨이 뭐예요?
상식 아들	(똑똑하게 또박또박 크게) 상사맨은 초울트라 캡숑 슈퍼짱 메가톤급 최고 영웅입니다!

동식, 그래가 호기심 어린 얼굴로 다가온다. 옆에 고 과장도 슬쩍 온다.

상식 아들	(계속) 상사맨은 전 세계를 누비며 사람들에게 필요한 물건을 파는 사람입니다. 가난한 나라도 부자로 만들 수 있고, 물이 없는 나라에 물을 줄 수도 있습니다. 그리고 (옆에 애들을 쫙 보며 썩소) 상사맨은 슈퍼맨과 아이언맨과 배트맨과 스파이더맨도 팔 수 있습니다.
슈퍼맨 아이	거짓말하지 마!
상식 아들	거짓말 아냐!
아이언맨 아이	(슈퍼맨 아이 옆에 딱 서서 편을 들면서) 거짓말!
상식 아들	(쫙 보고) 아이언맨 너! 울 아빠한테 말해서 확! 팔아버린다!

Episode 6

아이언맨 아이, 겁에 질려서 울음을 터뜨리고 주먹으로 아들의 어깨를 딱 때린다. 맞은 아들이 "야!" 하면서 민다. 아이들 달려들어서 싸우고 한쪽은 울고 한쪽은 던지고, 한쪽은 그냥 구르고 아수라장. 선생님 당황한 소리 들리고 아이언맨 팔 한 짝이 카메라를 향해 날아오면서 카메라 꺼지고 흔들리고 끝! 황당해서 보다가 웃기 시작하는 상식. "하하. 하하하. 하하하하하하하!" 동식과 그래도 웃고, 고 과장 웃고.

고 과장　　　막내 놈 똑 부러지네. 대를 이어 상사맨 시켜!

상식　　　(크게 웃으며 엎어놨던 가족사진을 휙 들어보면서) 그래, 내가 이 맛에 이 회사 다니는 거지.

모두 웃으며 끝나는 분위기.

S#85 — 원인터 외경, 낮

S#86 — 탕비실, 낮(며칠 뒤)

들어오는 그래, 커피 컵을 꺼내는데

하 대리　　　(E) 야! 너 정말 왜 이래?!

그래, 멈칫한다. 휴게실 쪽으로 가는 그래.

S#87 — 휴게실, 낮

열받아 있는 하 대리 앞에 영이. 하 대리, 손에 파일철과 서류들을 들고 휘두르며

하 대리　　　내가 보류된 건을 살려보자고 했지. 내 보고서 평가하라고 했어?!
영이　　　그런 말씀 드린 게 아닙니다. 지시하신 대로 분석해보니…
하 대리　　　(길길이 날뛰며, OL) 그래 분석해보니, 내 보고서가 시황에 맞지도 않고, 자료 조사도 제대로 안 됐다는 거 아냐?

하면서 서류들을 거칠게 확 던진다. 날아간 서류들이 맞은편에 서 있는 영이의 얼굴을 날카롭게 스치고 떨어진다. 종이에 얼굴이 베이면서 핏자국이 쓱 그어진다.

그래	!
영이	그건 검토하다 보니 나온 의견일 뿐입니다. 이미 보고된 시점에서 많이 지나버려서 수정이 필요하고, 자료는 보강이 되어야 한다는 뜻으로.
하 대리	(버럭 치고 나오며) 그 말이 그거잖아? 되지도 않을 보고서란 뜻이잖아?
영이	제 말씀은 그게 아니고,
하 대리	(히스테릭하게 버럭!) 에이씨! 그 입 좀 다물지 못해! (하며 손에 든 파일을 들어 올린다)
그래	(놀란 그래, 확 들어가려는데)
상식	(Off) 어이 하 대리! 정 과장이 찾네?

그래, 멈칫 돌아보면 어느새 온 상식, 그래는 본 체도 않고 휴게실로 휙 들어간다. 하 대리, 멈칫해서 상식을 본다. 상식, 하 대리를 본다. 영이도 상식을 보고… 상식 뒤에 그래를 본다. 상식, 그래, 영이 세 사람. 엔딩.

여전히 더할 나위 없었다

배우 임시완

유려한 답 대신 진솔한 마음을 내어줄 줄 아는 사람에겐 깊고 은은한 향이 난다.
배우 임시완은 자신이 느꼈던 인생의 초라한 한 페이지마저도 근사한 포장지로 감싸는 법이 없었다.
누구에게나 요령 없이 마음만 컸던 시절이 있었기에, 꾸밈 없는 그의 내밀한 이야기는 듣는
사람의 마음마저 흐르르 풀어지게 했다.

Editor 강현지

불가능하다는 결론으로 수렴하던 시기

장그래와 나는 바둑과 연예계라는 각자의 세계에서 같은 시기를 겪고 있는 것만 같았다.
장그래가 원인터내셔널에 인턴으로 입사할 때, 나는 내가 데뷔하던 순간을 떠올렸다.
데뷔라는 목표만 이루면 모든 것이 순탄하게 흘러갈 거라고 기대하며 최선을 다해 노력했지만
현실은 기대와 달랐다. 그제야 비로소 세상의 차가운 바람과 거대한 무게가 느껴지기 시작했다.
나는 어떤 모습으로 살아갈 수 있을까…
원인터에 들어간 장그래도 나와 같은 마음일 것 같았다. 우리는 또 다른 문을 열었을 뿐이고
새로운 세상에서 버텨야 했다. 그렇기에 「미생」을 마다할 이유가 없었다. 아니, 해야만 한다는
생각 외엔 어떤 잡념도 들지 않았다.

장그래는 희로애락이라는 감정을 분명하게 표현해야 하는 인물과는 달랐다.
대본을 읽으며 감정의 줄다리기를 섬세히 해야겠다고 생각했다. 사람이 기쁨과 슬픔을
온전히 표출할 수 있는 감정들을 20과 80으로 표현한다면, 장그래가 느끼는 감정은 49와 51처럼
미묘하고 복잡했다. 하지만 미묘하고 복잡한 감정이야말로 사람과 사람 사이에서 어쩌면
더 있을 법한 것들 아닐까. 사회생활을 처음 시작한다면 특히나 자주 마주하게 될 부끄러움 혹은
민망함, 자기 자신을 보며 느끼는 초라함 같은 감정 말이다. 속으로는 수치스럽지만 드러낼 수도
없는… 나 역시 그런 감정의 파도를 수차례 맞았다. 적응하는 데 온 힘을 쏟느라 어떨 때는
견디기 어려운 감정들을 맞이하고 있다는 사실조차 뒤늦게 깨달은 적도 있었다.
나는 내가 경험하고 느꼈던 이런 감정들이 장그래에게 닿아 솔직하게 드러날 수 있길 바랐다.
그래서 부족하더라도 누군가의 연기를 벤치마킹하지 않겠다고, 거짓 없이 가감 없이 표출하겠다고
다짐했다. 내가 가지고 있는 것들을 장그래와 연결해가며 감정들을 파헤치고 분석했다.
분야가 다르더라도 같은 세대를 지나고 있는 우리 두 사람 고민의 본질은 다르지 않을 것 같았다.

장그래가 느끼는 감정은 49와 51처럼
미묘하고 복잡했다. 하지만 미묘하고 복잡한
감정이야말로 사람과 사람 사이에서 어쩌면
더 있을 법한 것들 아닐까.

"그래야. 넌 여길 오는 게 아니었던 것 같다. 왜냐면 여기 있는 사람들은 다 사줄 테니까."

복잡미묘한 감정의 연속

한번은 여러 무대를 온종일 다니며 마지막 스케줄로 이동하는데 길이 심하게 막힌 적이 있었다.
도착 장소가 코앞인데도 정체가 계속 이어졌다. 결국 멤버 전원이 무대 의상을 입은 채로 목적지를
향해 정신없이 뛰어갔다. 하지만 우리가 도착했을 때 세팅되어 있던 무대는 이미 철수하고 있었다.
무대 감독님으로 보이는 관계자분은 많이 화나 있었다. 몇 번을 연신 사과드린 끝에 다행히
무대가 다시 세팅되었다. 우리는 그 위로 올라가 환하게 웃으며 노래하고 춤췄다. 그리고 무대를
마치고 내려와 거듭 죄송하다며 사과드렸다. 그때의 기분은 하루를 마치고 숙소로 돌아와
잠자리에 누워서도 말로 형용하기가 어려웠다. 복잡미묘한 날이었다.
비슷한 맥락에서 장그래가 양말을 팔기 위해 바둑 사범님을 찾아가는 장면은 미묘한 감정의
절정이자 이입이 가장 많이 된 장면이었다. 사범님은 "그래야, 넌 여길 오는 게 아니었던 것 같다.
왜냐면 여기 있는 사람들은 다 사줄 테니까" 하며 양말 봉지를 풀려던 그래를 막는다. 거절당한
그래는 눈물을 흘리지도, 말로 자세히 마음을 전하지도 않았지만 내게는 그 순간의 감정들이
굵직하게 다가왔다. '그래는 이런 상황에서 사범님께 어떤 반응을 보일까'를 생각하면 실제로
귀까지 달아올랐다.

배우 인생의 나침반 같은

나라는 배우에게서 인간미와 삶이 느껴졌으면 좋겠다. 자기 집 인테리어가 아무리 근사하고
미감이 남달라도 인간미가 느껴지지 않는 사람이 있다. 한편 이성민 선배님에게선 사람 냄새가 난
다. 그의 곳곳에는 인생의 흔적이 묻어 있다. 선배님은 '사람'에 가깝게 닿아 있는 배우다.
동시에 배우로서 표현해야 하는 것들에도 무디지 않아서 날 선 몸의 감각들로 인간이란 존재를
온전히 담아낸다. 그런 날 선 감각 덕분에 장그래에게도 생동감이 더해졌다. 장그래가 처한 상황에
어울리는 행동과 몸짓에 대해서도 세심하게 관찰하여 새로운 아이디어를 제안해주셨다.
나는 그런 선배님을 여전히 존경한다.

시간이 많이 흐른 뒤

요즘도 「미생」을 우연히 보게 될 때가 있다. 그럴 때마다 당시의 몇몇 기억이 선명하게 떠오른다.
요한이 형 학교로 찾아가 둘이서 입에 단내 나도록 인턴 과제 PT 신을 연습하던 날들,
모두가 사명감으로 임하는 현장 분위기 속에서 '나 이렇게 칭찬받을 정도로 잘하는 거 아닌데.
곧 밑천 드러날 텐데⋯' 싶어 가슴 졸이던 날들. 서투르고 부족했지만 그래도 잊고 싶지는 않다.
그때의 내게는 지금의 내가 결코 표현하지 못할 감정들이 있기 때문에. 요령 없이 뭐라도
해보겠다고 애쓰지만 부족함투성이였던 그 모습이 당시의 장그래이자 임시완이었기에 감정들을
진솔하게 담아낼 수 있었다. 나는 그때의 서투른 내가 민망하지 않다.

2022년 11월 임시완과 배우와 진행한 인터뷰를 산문 형식으로 재구성한 글입니다.

요령없이 뭐라도 해보겠다고 애쓰지만
부족함투성이였던 그 모습이
당시의 장그래이자 임시완이었기에 감정들을
진솔하게 담아낼 수 있었다.

미생 1

초판 1쇄 인쇄 2023년 1월 2일
초판 1쇄 발행 2023년 1월 17일

지은이   정윤정
펴낸이   최동혁

기획본부장   강훈
영업본부장   최후신
책임편집   강현지
기획편집   장보금 오은지 조예원 한윤지
디자인팀   유지혜 김진희
마케팅팀   김영훈 김유현 양우희 심우정 백현주
영상제작   김예진 박정호
물류제작   김두홍
재무회계   권은미
인사경영   조현희 양희조
디자인   mykc
일러스트   손은경

펴낸곳   (주)세계사컨텐츠그룹
주소   06071 서울시 강남구 도산대로 542
              8,9층(청담동, 542빌딩)
이메일   plan@segyesa.co.kr
홈페이지   www.segyesa.co.kr
출판등록   1988년 12월 7일(제406-2004-003호)
인쇄   예림
제본   에스엠북

ISBN   978-89-338-7200-0 (1권)
              978-89-338-7201-7 (2권)
              978-89-338-7202-4 (3권)
              978-89-338-7199-7 (세트)

Segyesa Contents Group

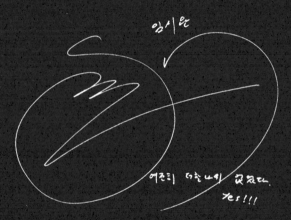